流

東山彰良——著
王蘊潔——譯

獻給父親、母親，及在天的祖父。

目錄

臺灣版獨家作者序

我已經不太記得開始寫《流》的正確時間了，應該是二〇一四年的年初。前一年，我出版了一部科幻小說《黑色騎士》，這麼說有點自吹自擂，但我相當滿意這部作品。我一直對祖父的故事耿耿於懷，直到完成這部長篇小說之後，才覺得差不多該著手寫下它了。但要記錄曾在一九三〇年代的中國大陸以國民黨游擊隊身分參戰的祖父的人生經歷，我感到強烈的不安：自己有能力完成如此大格局的故事嗎？

於是我決定小試身手，先寫父親的故事，也就是之後由講談社出版的本作《流》。我將小說的年代設定在一九七五年，有幾個原因：

首先，我曾經親身經歷過那個時代的臺北。一九七五年我正好七歲，雖然我在五歲時跟隨父母舉家移居日本，但我剛好在那個時候短暫回到臺灣，臺北的家位在小南門，我在那裡生活了兩年，那是我最後一次在臺北長時間居住，也是我人生中最快樂、最美好的一段時光，至今仍然能夠回想起當時臺北的紛雜混亂。

其次，要將父親的親身經歷投射到小說主人翁身上，一九七五年並不至於太牽強。小說的主人翁葉秋生青春時代的故事，幾乎都是我父親年輕時候的翻版。父親正是在一九五

〇年代後半期到六〇年代前半期遭到升學學校退學，在軍隊飽受摧殘。因此，讓十七歲的葉秋生出現在一九七五年，就能將我所知道的臺北和父親的體驗相結合，構成葉秋生的世界，相關的設定也都很合理。

最後，一九七五年正是老蔣總統去世的那一年，我無論如何都想把這件成爲臺灣歷史轉捩點的重大事件融入小說中，藉此抓住日本讀者的心，吸引他們走進小說的世界。

沒錯，當初這本小說是爲了日本讀者而寫的，我想要讓日本讀者看一看我所了解的臺灣、我度過最幸福的孩提時光的臺北，以及我最愛的廣州街那些大人的回憶；同時，這本小說也將成爲我個人的備忘錄。雖然故事中的某些情節因爲創作需要而加以潤飾，但幾乎都是實際發生的事，我想要爲自己寫下這些故事。

書名直到最後都難產。原本我取名爲《臺灣少年》，之後又改成《寶島》，最後終於由講談社的編輯部決定了《流》這個書名。如今，我很慶幸最後決定採用這個書名。

《流》在出版後，立刻受到日本讀者的喜愛。雖然小說中幾乎沒有提到日本，但日本讀者讀了之後，都產生了懷念之情，我想這是因爲他們在閱讀的過程中，將不可能了解的臺灣和從前的日本重疊，其中當然有很大一部分需要靠想像力彌補。這次終於推出繁體中文版，不用說，臺灣的讀者比我更了解臺灣，這部小說是否能夠通過臺灣讀者嚴厲目光的考驗？我的內心充滿不安，但仍然對《流》能夠出版繁體中文版感到興奮不已。

出版繁體中文版的過程中，尤其感謝本書譯者王蘊潔小姐。她已經是一位經驗豐富也很有實力的翻譯家，當初卻仍願意接受我的任性要求，提供第一章的試譯。看了試譯稿

後，我放心地將本書交由她翻譯，繁體中文版的譯文非常出色，超乎了我的期待。

這次也承蒙圓神出版社編輯的各方協助，能夠和各方面都有專業人才的圓神出版社合作，是一次非常愉快的經驗，感謝之情溢於言表。

接下來，就等你拿起這本書了。說句心裡話，我既擔心臺灣讀者指出與事實不相符的地方和寫作不成熟之處，但同時又充滿期待。

二〇一六年四月　東山彰良

謝謝

魚說：「只因爲我活在水中，所以你看不見我的淚。」

——摘自王璇〈魚問〉

楔子

那塊黑曜石的石碑缺了角，碑面四處剝落，刻在上面的文字也已嚴重風化，幸好重點部分依稀可見。

一九四三年九月二十九日，土匪葉尊麟於此地殘暴殺害五十六名無辜百姓，其中三十一名男性、二十五名女性，以沙河莊的災情最爲慘重——（接下來數行難以辨識）——有十八人遭到殺害，村長王克強一家更是慘遭滅門。此後，這起事件稱爲沙河莊慘案。

我用相機拍下碑文後，立刻就無事可做，不知如何是好。

我站直身體，巡視著冬日天空下一望無際的荒蕪田野。這天，青島的氣溫只有攝氏一、兩度，幸好天晴無風，所以並不覺得特別冷。

人煙遙遠而稀疏，難以想像從前這裡曾有過一座村莊。

一個皮膚黝黑的老頭在田埂上停下腳踏車，目不轉睛地看著我。他留著白色山羊鬍，身穿深綠色上衣，戴著相同顏色的解放帽。田埂遠方只有遼闊無邊的天空和大地，除非那

輛腳踏車有飛天的本領，否則我不認爲他能騎到哪裡去。

我看向老頭騎來的方向。鐵軌在茫茫荒野遠方延伸，許多罌粟子般大小的人影蹲在鐵軌旁。我向載我來這裡的計程車司機打聽後得知，那些人正在撿拾從火車上掉落的煤炭。

「同志，我想再請教你一件事，」我揉著肚子再度問道，「廁所在哪裡？」

司機一臉爲難，指著不遠處道路旁的牆壁。沒錯，就是牆壁。副駕駛座上的馬爺爺在太陽下打起了瞌睡，司機不停看著手錶，催促著啞口無言的我。

那是某棟建築的殘骸，與其說是豎在那裡的牆壁，不如說是還沒倒塌的殘垣，高度只到身高一百七十七公分的我的胸口。旁邊有棵白楊樹，淒涼地垂著葉子落盡的樹枝。在我們臺灣人眼中，那只是一道殘垣，但既然中國人堅稱那是廁所，那就是廁所吧。

還沒從日本出發，我就深受便祕所苦。大概是順利踏上大陸的土地，緊繃的心情終於放鬆的關係，久違四天的便意如同大浪般襲來，雖是寒冬季節，額頭卻汗如雨下。

管不了那麼多了！

我小跑步衝到牆壁後方，緊緊握著面紙（老天爺，謝謝祢讓我手上有這包面紙！那是一個金髮男在東京車站前發的面紙，上面印了個人信貸的廣告。爲了解決不時之需，有面紙堪拿直須拿啊），把牛仔褲往下一拉便蹲了下來，立刻滾出一個響屁，連我自己都嚇了一大跳。響屁威震鄉野四方，在白楊樹上歇腳的烏鴉以爲被槍打到，拍著翅膀飛走了。

那裡的確是廁所，因爲有前人留下的痕跡，我心生嫌惡，卻又同時感到安心。肛門啊，快張開吧，就是現在！然而，即使我使盡渾身的力氣，下腹卻像是塞了水泥，巍然不

動，冷汗宛如瀑布傾瀉而下。

我孤軍奮戰，卻和當年在這裡與共軍奮戰的祖父大相徑庭。肚子陣陣絞痛，該出來的東西出不來，吹拂大地的寒風把我的屁股凍得快結冰了。我突然感到不太自在，不經意地猛然回頭，一張黝黑的臉從斷垣上方探頭張望著我。

我整個人向後仰，差點一屁股坐在地上。要是真的跌坐在地，可會坐到前人留下的春泥啊，好險我挺住了。

原來是那個戴著深綠色解放帽、留著山羊鬍的腳踏車老頭。老頭注視著我狼狽的樣子，連眼睛都沒眨一下就問：

「你在幹什麼？」

我以爲自己聽錯了，換作在臺灣或日本，看到有人光著屁股蹲在據說是廁所的地方，不可能會問這種問題！老頭目不轉睛地看著我，我也轉頭回瞪那張黝黑的臉。乾燥的冷風吹過我和老頭之間，捲起了荒野的塵土。老頭把腦袋縮了回去，接著是他叭答叭答離去的腳步聲。

啊，世界之大！

我站起來，穿好牛仔褲，繫好皮帶，走出廁所——雖然我也搞不清楚從哪裡開始算是廁所，哪裡之後算是走出廁所，反正便意早已消失無蹤。

令人驚訝的是，那個老頭還在那裡，如少女一般，靜靜佇立在白楊樹後。一看到我，他又再度問了相同的問題。我被問得莫名其妙，這時他又說：

「你剛才在石碑那兒幹什麼？」

這時，我才確定他不是怪胎，也不是呆子，但這麼一來，我更不知道該如何回答。父親一再叮嚀千萬不要踏進山東省，老實說，這句話從小聽到大，耳朵都要長繭了。你爺爺在那裡殺了很多人，那裡還住著許多亡者家屬，萬一別人知道你是葉尊麟的孫子，你覺得後果會是如何？

我心生警戒，沒有答腔。

「你該不會是……」老人的雙眼微微一亮，「葉尊麟的兒子吧？」

第一章 偉大總統崩殂和祖父去世

無論從任何意義來說，一九七五年對我而言，都是難忘的一年。

那一年，大故相繼而至，其中一位人物的死重如泰山，各家各戶都在門前掛上國旗。除此之外，還發生了「讓我的人生完全變了調」的衰事，只是相比之下根本不足掛齒。

四月五日，噩耗傳遍臺灣全島時的情景，令人想忘也忘不掉。

那一年，我十七歲，還是一個制服故意比別人多解開一顆釦子、自以爲很帥的高中二年級學生。在男生都要理平頭、女生必須留西瓜皮的年代，我特地將脖子後方的頭髮留得稍微比別人長。當年的我天眞爛漫，唯一擔心的事，就是被訓導處教官逮到，剪掉脖子後方那一撮我自以爲酷帥有型的頭髮；不久之後把我的人生拖入泥沼的魯莽計畫，也還在趙戰雄的心裡醞釀，和我完全沾不上邊。

上第三節課時，教三民主義的老師被叫了出去。不一會兒，老師滿臉沉痛地走回教室，那表情簡直就像天塌了下來。老師神情嚴肅地對我們說：

「總統逝世了。」

教室的日光燈啪滋啪滋地閃爍起來。

學生緊張地互看著，老師以手帕擦拭眼角，幾個人立刻擠出幾滴淚，成功地在所有人面前展現了愛國心。前一刻還晴朗的天空突然烏雲密布，整個世界都變成一片灰色，無論站在臺北市的任何角落，都彷彿看到了黑龍離開蔣介石的遺體，穿破烏雲，升上天空。烏鴉發出聒噪的叫聲，在校園上空盤旋，就像在向國人報喪。

「今天的課就上到這裡，」老師簡短地說，「各位同學回家待命。」

大街小巷不見人影，就連野狗也不見蹤影。空無一人的公園內，松鼠在枝頭奔竄，小鳥歡快地嘰喳啼叫。

男女老幼都在昏暗的家中屏息斂氣，巴著電視和收音機，個個膽戰心驚，認爲共匪絕不會錯過這千載難逢的機會。守護我們的巨人倒下了，惡勢力以武力犯臺只是時間的問題而已。

「我們儲備的彈藥撐不過五分鐘！」一個神經病在外面大吼大叫，「投降就要趁現在，等到彈盡糧絕就來不及了！」

憲兵隊的吉普車駛來，轉眼之間，吼叫的男人就不知被帶去哪兒。我想像著寶島即將化爲一片焦土，不由得瑟瑟發抖。

其他學校也臨時停課，學生紛紛回了家，老師的表情像鉛塊般沉重，並未多說什麼。

接下來的幾天，臺灣所有的旗桿都降下半旗，表示哀悼。大人整天唉聲嘆氣，有人穿上喪服，有人按照傳統習俗，披麻戴孝地湧上街頭，恭敬地送蔣中正先生上黃泉路。

我家的黑白電視螢幕上，隨時都能看到綿延數公里的弔唁隊伍。前往弔唁的民衆耐心

等待，在等候期間仍忍不住傷心落淚。看到老總統躺在青天白日旗的棺木內，被白花包圍，那些人再度放聲大哭。啊，一顆巨星隕落了。主播悲痛欲絕地慟哭流涕。偉大的總統離開了我們。黑色靈柩車經過的沿途，女人哭倒在地，呼喚著蔣公的大名，男人咬緊牙關，向靈柩車敬禮，從小就被洗腦的小孩更是競相嚎啕大哭。

世界各地都一樣，大人的眼淚通常都帶有很多政治算計，如果不在這個時候充分展現愛國心，難以預料日後會有什麼飛來橫禍。因爲當時國民黨統治臺灣，我們生活在自一九四九年頒布的戒嚴令之下。

在那個年代的臺灣孩子心目中，蔣公就是神，一切都因老總統的尊意而存在，能有電影、電視可看，能夠吃到美國的口香糖，能夠去學校上課，每天有三餐可吃，都要歸功於國民黨。無論來自大陸的外省人，還是受到外省人壓迫、土生土長的本省人都不例外。小學上勞作課時，老師要求我們做指人偶。我做了美國的警長，在玩偶胸前畫了一顆黃色的星星，楊老師說，星星代表共產黨，然後用木棒狠狠打我手心。肥得像母豬的楊老師是土生土長的本省人，由此可見，對任何人來說，國民黨代表光明燦爛的正義，必須消滅萬惡的共匪。在我長大成人之前，一直以爲毛澤東的頭上長著角。

我們並沒有服太久的喪，後來，在陰沉天空下無力飄揚的半旗，成爲喚醒人們對如烈火般悲痛的記憶的唯一線索。副總統嚴家淦暫時繼位，接著由蔣中正的兒子蔣經國順利承繼大統，一切都迅速重新步上軌道，甚至感覺比以前更加輕鬆愉快。蔣經國的福態圓臉和父親不同，帶有一種牧歌式的悠閒，而且他也不穿嚴肅的軍裝或中山裝，而是像中小企業

的老闆一樣身穿夾克。當時，還沒有人知道他骨子裡有多麼可怕，更不知道他可以對臺灣最大的黑幫竹聯幫頤指氣使。十年後，蔣經國派竹聯幫老大陳啓禮赴舊金山，在從批判的角度撰寫蔣經國傳的作家江南家中暗殺了他。這起事件在美國引起風波，陳啓禮馬上在臺灣被逮捕，判處無期徒刑。後來陳啓禮獲得大赦出獄，在六十六歲去世之前，一直是竹聯幫的精神領袖。但仔細想想，就覺得這件事根本不值得大驚小怪，蔣介石當年在上海時，不也和青幫頭子杜月笙私交甚篤嗎？

總之，我對新總統產生了親切感，記得周遭大人都對迷戀女色的他不以爲然。整個臺灣換上了愛迪達慢跑鞋的氣氛，彷彿綁住雙腳的重石終於搬走。我暗想，新總統應該不至於逼我們靠撐不到五分鐘的彈藥蠻幹，大家都是中國人，只要推心置腹地好好談，毛澤東應該不至於把我們趕盡殺絕。

國家漸漸恢復安定後，民衆開始關心日常瑣事，女人在打麻將時抱怨物價飛漲，男人忍受著下班回家還要幫忙做家事的生活，年輕人則忙著談戀愛。

祖父就是在那時候遭人殺害。

當時的臺北市比現在混亂多了，發生任何事都不足爲奇，經濟據說比日本落後了二十年。西門町一帶有很多物美價廉，但衛生條件很差的路邊攤，這些攤商都使用從殘羹剩飯中回收的廢油提煉的餿水油，每隔幾年，B型肝炎就會爆發大流行。從早到晚，車頭如啤酒肚的公車擠滿中華路，惡形惡狀的司機大聲咒罵時局，把公車當成了賽車，在馬路上狂

飆；比公車更加惡劣囂張的計程車則像鯊魚般穿梭在公車之間。計程車司機都戴著水滴型墨鏡，朝著車窗外吐出紅似鮮血的檳榔汁，肆無忌憚地欺騙乘客，根本不怕和乘客吵架。繞遠路是家常便飯，他們甚至還在計費表上動手腳，每十秒就跳一次表；明明遞給他一百元，他卻睜眼說瞎話，堅稱只拿到五十元。大嬸隔著大街破口大罵；大叔看到小孩子就沒事找碴；那些叼著菸的小太保躲在巷子裡朝路人丟石頭。

在這種環境下，大大小小的紛爭不斷。在今天，只要稍微遇到麻煩，不是報警就是鬧上法院。但在以前，只有遇到生死大事才會鬧上法院，日常生活中的糾紛都由當事人的家長在談判後私了，或是感嘆「人生就是如此」而認栽；抑或求神問卜，尋求解決之道。尤其曾在戰爭期間殺過人的老人家，都對鬼神格外虔誠。

我的祖父也是一個很迷信的老人。

祖父出生於中國山東省，他始終堅稱，裹小腳的曾祖母剛把他生下來時，他就看到了狐火，問題是，照理說那時候他根本還無法睜開眼睛。大人看到，都覺得這孩子的確與眾不同。他七歲時感染了水痘，病情嚴重到差點送命，那時候他也在夢中看到了狐火，聽到一個聲音對他說，你還不能死，去殺光那些共匪。長大之後，他和拜把兄弟趁著戰亂做生意賣食用油，發了一筆小財。

十五歲那年，狐仙的預告果然成真。在上海清黨政變後*，像祖父那樣的幫派分子支持哪一個陣營，完全取決於他和哪一個陣營有交情。平時很關照祖父和他拜把兄弟的地頭蛇，剛好是王豫民的手下，王豫民原本是小學老師，也是國民黨員，所以祖父及其拜把兄

弟也都加入了國民黨，開始殺共產黨。

我小時候很喜歡聽祖父聊起戰爭。祖父的側腹、右腳背和左小腿上都有槍傷，他總是像在說《三國志》和《水滸傳》一樣，用誇張的方式告訴我有關他當年的英勇事蹟。據說當他的右腳腳背中彈時，他不但完全沒有察覺，還行軍五十公里，直到發現鮮血從長靴的邊緣滲了出來，才猛然意識到：「我該不會中彈了？」

「秋生，你應該知道日本被投了原子彈後，第二次世界大戰就結束了吧？」祖父這輩子說話都改不了那一口鏗鏘有力的山東腔，總是令人聯想到乾硬的泥土地和一望無垠的麥田。「之後，蔣公和毛匪在重慶談判破裂，第二次國共合作轉眼間就瓦解了，俺們和王豫民一起打共匪，在青島被編入了國民黨的軍隊。只不過並不是正規軍，而是用完即丟的游擊隊，反正也都是一些土匪和無賴的烏合之衆。有一天，隊長許二虎命令俺們去殲滅潛伏在某村莊裡的共匪，他們總共有二、三十人，但俺們五個人直搗黃龍！沒事，這根本是家常便飯。俺們手上有槍，之前也幹過這種事很多次，所以早就習慣了。他們有槍，卻沒子彈，在彈藥帶裡塞樹枝充數。那時候，手上有槍就天下無敵，有槍就是草頭王。」

祖父向來不會在我面前說那些怵目驚心的事。祖父去世之後，父親告訴我，從抗日戰爭起，直到和共產黨交戰之前，他們爲了節省彈藥，都是把抓到的敵人直接活埋。

「對俺們來說，根本沒有什麼大仁大義，」祖父說，「俺們部隊有一個人叫劉貴仁，他殺了欺壓他父母的共匪全家，然後就加入了國民黨。大家都半斤八兩，因爲和這一個陣營吵架，所以就加入另一個陣營；有奶便是娘，哪裡有飯吃就投靠哪裡。共產黨和國民黨

幹的事情都一樣，闖進別人的村莊，搜刮金錢和糧食，然後徵召農民，再去其他地方幹同樣的勾當。戰爭就是這麼一回事。」

祖父曾多次遊走死亡邊緣，一九四八年十一月爆發徐蚌會戰時，祖父覺得這次恐怕死到臨頭了。共產黨在這場戰役中獲得了決定性的勝利，控制了長江以北的地區，威脅到國民黨根據地南京和上海。共軍死傷約十三萬人，但國軍的死傷人數高達五十五萬。國軍的將領不是成為俘虜，就是逃走，或是自我了斷。聽祖父說，在日以繼夜的槍林彈雨中，他那些拜把兄弟幾乎都被炸飛了，連屍骨都沒留下。但既然我能夠來到人世，代表那場戰爭沒有結束我祖父的命運。

在祖父彈盡糧絕、四面楚歌之際，又是那團狐火帶領他走出槍林彈雨中的戰壕，找到了一縷比蜘蛛絲還細的生機。

祖父經歷了不眠不休的戰鬥和同袍的陣亡，忍受著嚴寒和飢餓，早已精疲力竭。他豁出去了，一路追隨飄浮在空中的狐火，就像徘徊在濃霧中，甚至不知道自己到底是死是活。他不時被炮彈炸出的坑洞絆倒，踢到滿地的屍體，縮起身子，聽著子彈從耳邊咻咻飛過，看到無數被戰車輾爛的屍體，每次都忍不住雙腿發軟，以為再也無力繼續走一步，但

---

*一九二七年四月十二日，蔣介石發動清黨政變，許多共產黨員和工人遭到屠殺。破壞了孫文和越飛在一九二三年發表聯合宣言後建立的國共第一次合作。

狐火總是停在半空中等他。

炮聲漸漸遠離，祖父神志不清地離開了戰地徐州，走了六天六夜，終於回到了從小長大的故鄉五蓮，然後把妻子和孩子——也就是我的祖母、父親、叔叔和姑姑——託付給拜把兄弟，自己去營救其他兄弟的家人。不久之後，就和節節敗退的國民黨會合，一起逃到了臺灣。

「只要有狐仙保佑，俺就死不了。」祖父吹噓道，然後哈哈大笑。

祖父經由香港逃到了臺灣，開始在迪化街經營布行。他汲汲營營地做生意，在養活妻子和四個孩子的同時暗中摩拳擦掌，夢想有朝一日可以反攻大陸。那段臥薪嘗膽的日子，支持祖父這個老兵的就是他一輩子堅持的「有槍就是草頭王」的人生哲學，以及他從游擊隊時代就從不離身的德國毛瑟手槍。祖父脾氣暴躁，心情不好就對兒女拳打腳踢，他擔心兒女用槍解決他，所以從來不告訴別人藏槍的地方，但其實大家都隱約察覺他把槍藏在店裡那臺老舊縫紉機下方。每當國慶日舉行閱兵典禮時，警備總部那些身穿深綠色制服的軍人就會上門把槍收走，祖父每次都把家人趕出店裡，乖乖交出槍。直到閱兵典禮順利結束，沒有人狙擊坐在敞篷車上的蔣介石，他才終於可以拿回像護身符般的手槍。在那之前，祖父的脾氣比平時更加火爆。爲了避免子彈生鏽，祖父都習慣把子彈放在凡士林的瓶子裡。

布行的生意很順利，只不過無論賺再多錢，祖父都很大方地把錢拿給拜把兄弟的孤兒

寡母，所以我家的經濟總是入不敷出。小梅姑姑對祖父恨如蛇蠍，我年幼時，經常聽到她咒罵祖父。

「秋生，你爺爺是個不中用的混帳東西，你知道奶奶爲了錢的事多辛苦嗎？即使只是買菜，也得戰戰兢兢地向他要錢。有一次，奶奶向他要錢買東西給我們小孩子吃，他竟然從二樓丟了一百元下來，要奶奶在地上撿！」

小梅姑姑高中三年級的時候，終於寫了一封很長很長的詛咒信給祖父，洋洋灑灑地控訴了祖父如何傷害家人。後來小梅姑姑去出版社當了編輯，她的文采也許就是在那個時候萌芽的，仇恨和痛苦總是能夠讓人文思泉湧。因爲這封長達二十張信紙的信，祖父沒有出言干涉姑姑讀大學，但也沒有爲她出一毛錢的學費。姑姑的學費都是靠我爸爸和宇文叔叔張羅的。

嫁給祖父這種男人，必定飽嚐常人難以忍受的辛酸。光是餵飽四個孩子就不是一件容易的事，更何況其中一個孩子還不是親生的，而是祖父拜把兄弟留下的孤兒，所以即使祖母對宇文叔叔格外嚴厲，也不會有人苛責她。

祖母林麗蓮年輕時一定貌若天仙，要是沒有如花似玉的美貌，就不可能迷倒祖父願意娶她爲妻。祖母是祖父的第二任妻子，祖父的大老婆留在大陸，那個女人生不出孩子，因此讓祖母有了可乘之機。橫刀奪愛的女人即使自認問心無愧，也會不時疑心疑鬼，有時候祖父只是腦袋放空地抽菸，祖母就懷疑祖父在想他的大老婆，鬧得全家雞犬不寧，最後總是宇文叔叔最倒楣。祖母不僅嘴巴不饒人，還會動手打人。心情惡劣的時候，經常拿籐條

狠抽小孩，打小孩的方式毫無公平可言。而且祖母對兒女徹底偏心，分麵包時，其他孩子都吃麵包中間柔軟的部分，宇文叔叔只能吃麵包皮，也難怪他高中一畢業立刻離家，服完兩年兵役就直接去當了船員。

但是，祖父最疼愛宇文叔叔。宇文叔叔打架不輸人，打從骨子裡反共產黨，而且重感情、講義氣，誰都知道祖父從他身上看到了自己年輕時的影子。我父親明輝性情溫和，整天都在看書，明泉叔叔的個性則苟且偷安。宇文叔叔和他們不同，結拜了很多黑道兄弟。每次宇文叔叔搭的船回到臺灣，祖父就喝著高粱酒，樂不可支說：「即使俺們爺倆兒沒有血緣關係，只有你才是俺眞正的兒子。」宇文叔叔會恭敬地感謝祖父的養育之恩，祖父每次都一拍大腿，說出他的口頭禪：

「哪兒的話？三個孩子和四個孩子沒有差別，只是多擺一副碗筷而已。」

祖父之所以在目前已經拆除的中華商場內設廟祭拜狐仙，就是因爲宇文叔叔的船在蘇門答臘島的海灣遇到了海盜。

船上數十名船員中，只有四人生還。我不知道其他三個人如何撿回一命，只知道在遭遇海盜的前一晚，宇文叔叔的印尼女朋友吵鬧說：「我看到了光，你千萬不能搭那條船。」叔叔向來對祖父說的話深信不疑，立刻想到這必定是狐仙顯靈。雖然原本約好幾天後要去見馬來西亞女朋友，但他還是毅然決定在印尼下船，順利躲過一劫。

「這可不行！」祖父從躺椅上跳了起來，「不好好謝狐仙，必將延禍七代！」

我是最先發現屍體的人。

那年祖父的布行兩度遭竊，一次是在一月，一次發生在蔣介石去世的四月紛亂中。小偷第一次偷了電視、縫紉機和手錶等值錢物品，所以祖父提高警覺，店裡只放一些被偷也無妨的東西，縫紉機用很粗的鐵鍊鎖在架臺上。祖父這一招奏效了，第二次被闖空門時損失降到了最低，小偷只偷了宇文叔叔送給祖父的一雙義大利產的藍色皮鞋。小偷費了九牛二虎之力，卻幾乎毫無所獲，可能因此火冒三丈，偷了鞋子後仍心有不甘，於是推倒、打爛了放布料的木架，最後還在熨臺上留下一坨屎，甚至還用昂貴的絲綢面料擦屁股。小偷在犯罪現場做出這種魯莽行為的確不尋常，但也並非前所未聞，他們有時是為了行竊壯膽，有時是因為收穫太少惱羞成怒，才會留下這種可怕的痕跡作為報復。

祖父怒不可遏，臭罵小梅姑姑一頓，要求她清理糞便。從那天晚上起，他每天晚上都住在店裡，帶著那把毛瑟手槍，不斷向狐仙祈禱，求那個小偷再度上門。小梅姑姑懊惱地流著眼淚清大便，對祖父更加恨之入骨。

祖父最後當然沒有一槍斃了那個小偷，他生性喜新厭舊，過了一段時間就不再每天晚上去店裡值班，又回到我們在廣州街的家裡睡覺。父親是長子，所以祖父母和我們同住。

平靜的日子一天又一天過去，日曆終於翻到了陽曆五月二十日那一天。

那天晚上七點多，祖父嚷著看到了狐火。當時我們剛吃完晚餐，都聚在客廳看台視七點新聞。當時的電視頻道只有三臺，全都是國營電視臺。新聞正在播報一個男人成功切除了長在脖子後方一顆大如躲避球的瘤，我們全家人都為我國擁有如此高超的醫療技術驚嘆

不已。

「既然這麼大的瘤也能切除，」明泉叔叔瞪大眼睛，「不久之後，癌症就不再是不治之症了。」

男人接受記者採訪時說，那顆瘤影響了他的視力，不忘提醒大家萬一視力出狀況，最好提高警覺。爲他動手術的白袍主治醫師回答說，瘤和視神經並沒有太大的關聯性，但人體所有的器官都會相互影響，頻尿也可能是心臟衰竭的警訊。因此醫師將切除下來的瘤泡在福馬林中，持續研究。這時，祖母偷偷繞到祖父身後，仔細打量他脖子是否異常。她懷疑祖父說他看到狐火，可能是長瘤的初期症狀。

「妳在幹麼？」

聽到祖父的問話，祖母把手放在祖父的額頭作爲回答。

「俺可沒發燒！」

「但萬一你長了瘤……」

「說什麼鬼話！妳給我閃開！」

祖父發誓今晚一定要好好教訓那個拉屎賊，不顧家人的勸阻，衝出家門。

祖母就像十八歲的少女，緊張地目送祖父的背影離去，小梅姑姑冷笑著說：「巴不得小偷殺了他！」結果她一輩子都爲這句話後悔莫及。因爲姑姑一語成讖，那一別，竟然眞的成爲我們和祖父的死別。

翌日中午過後，老主顧打電話來抱怨，說還沒收到應該在上午送去的布料。打電話去店裡，電話一直占線。我原本打算和趙戰雄去看電影，但拗不過祖母不停催促，只能騎上腳踏車，一路飛奔至迪化街。

布行的鐵捲門關著。

我拍打鐵捲門，叫著祖父，裡面無人應答。隔壁南北貨店的老闆走出來張望，想知道到底發生了什麼事。

「我爺爺在店裡嗎？」

南北貨店的馮老闆聳聳肩。

我拿備用鑰匙開了門。店裡沒有開燈，一片黑漆漆，沒有任何動靜。陽光從半敞的鐵捲門下照了進來，灰塵反射著陽光，在空氣中飄舞。

「爺爺。」

我的聲音冷冷地傳向店內深處。

店內一片死寂，只有牆上的掛鐘發出「滴答、滴答、滴答」，好似死人的心電圖般跳動。我又叫了一次，從我敷衍了事的聲音中，可聽出我並不期待得到回答。我猜想爺爺八成又去那些色情理容院了。

打開牆上的電燈開關，天花板上的日光燈閃了幾下才點亮。縫紉機、熨臺，木架上整齊地排列著等待出貨的布料。我從中間鑽過去，低頭看著帳房的黑色電話掉在地上，旁邊還有一枝筆和一些零錢。要說有什麼異樣，大概就這些吧，感覺就像是愛搗蛋的阿弟仔趁

店裡沒人偷玩電話，發現我突然造訪，驚慌失措之下一溜煙逃走了。我撿起電話，把話筒放在耳邊。除了「嘟」的電子聲外，我還聽到水滴的聲音。

我掛上話筒，把電話放回帳房。

推開後方盥洗室的門，馬桶和洗臉臺後方的浴缸表面反射著走廊照進來的燈光，微微發亮。浴缸裡放滿了水，宛如一面黑色鏡子，水龍頭滴下的水滴在水面泛起銀黑色的陰森漣漪，水面下有不明物體的輪廓晃動著。

我目不轉睛地看著浴缸，摸索著按下牆上的日光燈開關。

燈光從天花板啪地照亮了盥洗室，映照出被封閉在黑鏡中的物體。滴答聲宛如手榴彈爆炸，晃動的水面攪亂了我的平衡感，盥洗室就像是融化的麥芽糖般扭曲變形。

我瞪大眼睛，身不由己地走上前去，探頭向浴缸內張望，看到了自己蒼白的臉和眼睛，我像魚一樣張大了嘴巴。

雙眼無法聚焦。

我的臉部倒影下方還沉了另一張臉，頭頂上所剩不多的頭髮如同海藻般漂浮，鼻孔周圍聚集了無數小氣泡，嘴巴大張，雙眼充血，眼神空洞，雙手反綁在身後，腳踝也被廢布料纏了好幾圈。

祖父的身體彎成了「く」字，沉在水底。

我彷彿花了一百年的時間才理解眼前的現實。「啊！」我倒抽一口氣，身體忍不住彈向後方。腳後跟勾到門檻，向後跌倒時，後腦杓重重撞到了走廊的牆壁。

「幹！」我踢著雙腳，掙扎著想要繼續後退。「幹恁娘！到底是怎樣啊……發生了什麼事？幹！幹恁娘！」

突然響起的刺耳電話鈴聲，就像踢了我的屁股一腳，我整個人彈跳起來。

「哇！」

我縮成一團，用手臂遮住臉。心臟宛如從嘴裡蹦出來，在走廊上跳來跳去。我大聲咒罵著，像貓一樣抓著牆壁站了起來。膝蓋很不爭氣，我又跌坐在地上。我趴在地上，在盥洗室和帳房之間徘徊。電話不斷催促著我，我覺得自己身處死人的世界，如果不接這通電話，就永遠無法回到活人的世界。我滿口髒話，拍打著雙腿，終於逼自己站了起來，搖搖晃晃走去接起電話。

「喂？」

電話彼端傳來了沉默。

「喂？喂？」我對著話筒發洩著憤怒和恐懼，「出、出事了……報警……趕快報警……幹！喂？聽不到嗎！喂？喂？」

我感到背脊發涼，閉上了嘴。電話線路中隱約殘留著自己的回音。也許電話那頭是凶手，我沒來由地這麼想。

聽到「滴答」的聲音，我轉過頭。

渾身溼透的祖父站在昏暗的走廊上，我嚇了一大跳，忍不住後退，腰撞到了帳房的桌子，放文具的罐子掉在地上，發出巨大聲響。祖父的身影消失了，他沉在冰冷的水底。

我用滿是汗水的手重新握好話筒。

「你是誰？」

電話中不斷傳來壓抑的喘息聲。

我咕嚕一聲吞下口水。不知道這個說法是否正確，但我定睛凝視著肉眼看不到的敵人。難道我的混亂經由話筒吸進了電話線裡，變成電波訊號，帶著溼氣，從對方的話筒中滲了出去？黑霧從我手上的話筒飄散出來。當我發現黑霧是對方的嘆息時，忍不住勃然大怒。

「喂！你到底是哪個王八蛋？」

我在發飆之後才突然想到，我和對方只靠一條細得不能再細的線連結，於是猛然踩了剎車，緩和說話的語氣。萬一對方掛斷電話就慘了。

「不好意思……請問你是哪一位？」

我似乎看到對方張開了嘴巴，但隨即聽到靜靜掛斷電話的聲音。

第二章 高中退學

警察在祖父的布行撒滿鋁粉，卻完全沒有採集到任何可疑的指紋。

解剖結果顯示，灌滿祖父肺部的是浴缸裡的水，也就是說，這不是電影中常見的情節，祖父不是在別處遭到殺害，然後基於某種原因被凶手丟進浴缸。

五月二十日晚上七點到二十一日下午一點，祖父在自己的店內遭到攻擊，被人綁住了手腳，最後溺死在浴缸裡。由於店內沒有翻箱倒篋的痕跡，警方很快就排除了竊賊所爲的可能性。因爲也幾乎沒有打鬥的痕跡，是熟人所爲的可能性浮上檯面。警方認爲祖父體重八十七公斤，所以凶手應該是男性，或是由多人犯案。

「根據以上情況，」用髮油把頭髮梳成三七分油頭的周警官做出了結論，「很可能是仇殺。」

「這太奇怪了！」父親、明泉叔叔和小梅姑姑同時反駁，「完全沒有打鬥的痕跡！如果是仇殺，應該會拳打腳踢，屍體上也應該有遭到毆打的傷痕啊！」

周警官嚴肅地點頭，對著父親他們曉以大義：「我只是表達自己的看法，你們這麼了解凶手的心理，那你們來當警察就好了啊。」接著他就帶著一群下屬開始在迪化街探聽。

那些長舌的商店老闆告訴警方：「他是個把別人的孩子當成自家孩子大罵的老頑固。」「看到別人吵架，這位老先生會率先跑去湊熱鬧。」「這個老頭子總是光著上半身在附近打轉，我曾經莫名其妙被他狠狠瞪過好幾次。」警察根本沒問，他們就聊起自己的身世。「我家的糊塗鬼以前也曾經混過黑道，一定是和別人結下很深的梁子，才會被人用這種方式滅口。」「這一帶越來越亂了，我表哥在衡陽路開珠寶店，去年遭到搶劫，表哥被打得鼻青臉腫，牙齒都被打斷了，所幸還保住了性命。」

「死者有沒有和人結怨？」

周警官把四處走訪打聽到的事實記在黑色記事本上，一面詢問。每個人都不置可否地搖頭。

祖父只是在迪化街開店，並沒有住在那裡。周警官當然也在廣州街仔細探聽偵查，廣州街的居民很講義氣，也很有人情味，個個都對祖父的人品讚不絕口，沒有任何卑鄙小人說死人的壞話，只不過他們完全沒有想到，這樣對偵查毫無幫助。他們對周警官說，祖父是老派紳士，把別人的孩子當成自己的孩子管教；他富有正義感，看到別人吵架，絕不會袖手旁觀；這個善良的老人總是打赤膊在附近走動，想到以後再也看不到他溫暖的關愛眼神，眞是太難過了。還在大陸時就認識祖父的拜把兄弟李爺爺和郭爺爺，拿出藏在閣樓裡的日本刀，怒氣沖沖地說要親手爲祖父報仇，周警官嚇唬說要把他們抓起來，兩老才不甘願地把刀收回刀鞘。

「所以，他是不是曾經和人結怨……」

周警官的話還沒說完，兩個老人就情緒激動地追溯到一九二〇年代，滔滔不絕地告訴周警官，祖父是天下無雙的英雄好漢。這兩位爺爺的山東口音很重，普通人根本聽不懂他們在說什麼。周警官很快就精疲力竭了。李爺爺口沫橫飛地說著抗日戰爭時，祖父親手幹掉漢奸；郭爺爺老淚縱橫地說起國共內戰時，祖父為了救他殺掉共產黨，我不覺得這些事對偵查有任何幫助。

周警官拖著疲憊的步伐離去後，兩位老人的怒氣仍未消，不請自來地跑來我家，又各說了兩遍相同的事。

「那個傢伙是趙琪的手下。」李爺爺揮著拳頭，義憤填膺地說，「很多中國人都被他出賣了，結果死在日本鬼子手裡。」

「趙琪是青島治安維持會的會長，」郭爺爺也不甘示弱地插嘴說，「傀儡啊傀儡，他根本是日本鬼子的傀儡。」

祖母用力握緊我的手，說她頭痛得厲害，便在額頭塗上萬金油，昏暗的客廳頓時傳來一股清涼的香味。小梅姑姑為兩位老人送上了熱茶。

時序已邁入七月，連日都熱得像在地獄。

「當時，日軍採取了三光政策，」李爺爺喝著茶，把茶葉吐回杯中，「就是殺光、搶光、燒光，四處掃蕩，那傢伙……呃，老郭，他叫什麼名字？不是有一個人跑去當了日軍的間諜？」

「他叫王克強，你忘了嗎？老李，大家不是都叫他黑狗嗎？」

「黑狗、黑狗！」李爺爺拍響自己的額頭，「俺眞是老糊塗了，因爲他的名字發音和日文的『小狗』一樣，所以日本人都叫王克強『汪狗』。總之，都怪那個漢奸帶路，許多村莊被殺得一個不剩。秋生，那是一九四三年七月的事，俺和你爺爺去街上賣食用油。」

我點了點頭。

「如果被日本人發現，會要了俺們的命，所以俺們半夜偷偷溜出門。第二天回到村裡，發現所有人都被殺光了。老郭，那天熱得就像世界末日，對不對？」

郭爺爺點著頭，把菸管咬在嘴裡。

「你爺爺的父母和兄弟都被關進了村公所，用毒氣燻死了。有幾個人躲進了村莊角落的破廟，他們都指證歷歷，說是黑狗帶日本人來村裡，所以你爺爺就和許二虎一起去幹掉黑狗。」

「他是爺爺的隊長，對嗎？」

「對，是宇文的老爺子。」

宇文叔叔在戶籍上的名字叫「葉宇文」，但他其實叫「許宇文」。

「路上剛好遇到國民黨的部隊給飯吃，」郭爺爺吐了一口沉沉的煙，「如果當時遇到的是共產黨，俺們就會跟著共產黨走。人的一輩子就是這麼回事，到底要爲誰賣命，就是靠這種事決定的。」

小梅姑姑扶著祖母回房間後，李爺爺和郭爺爺仍然不停向我說明開羅會議是怎麼回事，羅斯福想把中國設爲空襲日本的據點等等，日軍的大陸打通作戰又是如何如何，當時

國民黨多麼窩囊、腐敗到無可救藥，蔣介石根本沒有認眞抗日，再加上在大陸打通作戰時的一連串失敗，導致失去英美的信任，所以在雅爾達會議被排除在外。兩位老人一致認爲，老總統當時坐等日本殲滅共產黨。

兩個上了年紀的老人家，像孩子一樣津津有味地回首著往事，在言談中越變越年輕，回復成當年那個臉頰凍得發紫、烏漆抹黑，手握著槍，雙眼炯炯地在荒野上奔馳的年輕人，啃著乾裂的饅頭和舌頭都被辣得發麻的大蔥，搶奪別人的重要財產。他們愚鈍如水牛，敏感如兔，凶殘如餓狗，自大如龍，固執如蛇，而且自我陶醉。兩人一再強調，他們和祖父是一條心，我忍不住想，如果這是眞的，我能理解他們爲何如此亢奮。對他們來說，祖父的死就像一種消災解厄的儀式，幾個拜把兄弟胡作非爲地活了半個世紀，早晚得有人以某種方式爲此付出代價。

祖母在客廳掛上沖洗放大的祖父相片，相片中的祖父戴著毛皮帽，手拿毛瑟手槍，而她從早到晚對著祖父的遺照唸唸有詞，捻著佛珠，詛咒自己的命運多麼悲慘，詛咒丟下自己先走一步的祖父，當然也大肆詛咒了凶手。聽了祖母絮絮叨叨，我發現原來他們除了父親和明泉叔叔以外，還曾經有過另一個兒子。那個兒子是么子，剛學會走路時拿著筷子跌倒了，筷子刺進自己的喉嚨，就這樣丟了性命。

某個晴朗的下午，祖母突然想到要祭拜這個死去的叔叔，去附近的植物園摘了一大把艾草回家，做了很多艾草粿。還記得庭院的連翹含苞待放。

「你先去了那個世界，」祖母攪拌著粿粹，眞情流露地說，「等你爸爸去了那裡，你要多指點他。」

小梅姑姑和明泉叔叔爲如何處理祖父的布行爭執不休。

明泉叔叔向來靠覬覦他人的錢財過日子，用各種不切實際的發財計畫到處借錢，卻從來沒有賺過一毛錢。李爺爺和郭爺爺也借了不少錢給他，即使只見過一次面，明泉叔叔也能舌粲蓮花地向對方借錢，聽說小梅姑姑十幾歲時，明泉叔叔竟然打算向她穩定交往對象的父親借錢！小梅姑姑被男朋友甩了之後嚎啕大哭，祖父從小梅姑姑口中得知了事情的來龍去脈，頓時怒髮衝冠，把明泉叔叔吊在至今仍然種在家門口的榕樹上，在衆目睽睽之下，一腳踢開哭著想要爲兒子求情的祖母，用皮帶把叔叔抽得皮開肉綻，這件事至今仍是廣州街的街坊鄰居茶餘飯後的話題。那次之後，只要明泉叔叔幹壞事，李爺爺和郭爺爺也會搶在祖父之前用皮帶抽他。即使如此，明泉叔叔仍然整天和那些老傢伙一起打麻將，不知死活地編造一些發財的假消息，有時候被那些老人痛罵一頓，有時候成功讓他們一起做發財夢。

聽明泉叔叔聊天倒是挺開心，每當他口若懸河地說著英勇事跡或艷遇，明知他是加油添醋、胡亂吹噓，仍會忍不住聽得出神。有一次，明泉叔叔騎機車摔車，回家吃晚餐時大口扒著飯，說自己「肩胛骨刺破了皮膚」「折斷的肋骨刺進了肺部」，而這都是因爲「閃避突然衝到路上的小狗」。他在空軍多年，曾經遇過降落傘沒有打開就直接墜落地面。幼小的我聽到人從高空五百公尺墜落，發自內心感到害怕，拚命祈禱以後當兵時，千萬別抽

到空軍的籤。

總之，明泉叔叔和小梅姑姑從那時候就不合，無論明泉叔叔做什麼、說什麼，小梅姑姑都有意見。

「妳為什麼老是和我作對？」

「你別想打那家店的主意。」

「那要怎麼還爸爸欠下的債務？有人說我們違約，要去法院告我們。」

正如世間所有的生離死別，祖父的死也對家裡的經濟造成影響。布行的老主顧雖然對祖父遭遇不測深表哀悼，但談到生意，又是另外一回事。因為交貨期延誤，有幾個客戶要求布行支付違約金，金額高達五十萬元，那時候都可以在郊區買一棟透天厝了。

「那家店是爸爸的心血，」小梅姑姑甩著頭髮大叫著，「爸爸離開還不到三個月，你怎麼有臉說要賣掉？」

「那誰來還錢？妳嗎？不趕快解決問題，連秋生的學費都沒著落。」

「你只是選擇輕鬆的方法！」

「那又怎麼樣？我告訴妳，我可不會代替爸爸還這筆錢！」

兩個人激烈爭吵，祖母甩著掃帚闖進來，事態變得一發不可收拾。左鄰右舍不知道發生了什麼事，都躲在門外張望。不知道誰去通風報信，李爺爺及時趕來，指著明泉叔叔大罵他是不孝子，鬧得雞飛狗跳。最後，身為長子的父親開了口，讓所有人都閉嘴了。

「目前還是先抓到凶手要緊，」父親表達了公正的意見，「先找周警官商量，如果需

要保全案發現場，布行應該要維持原狀。」

「那債務要怎麼處理？」

「我打算起一個會。」

父親說的是互助會，會員每個月繳交會款，由願意出最高標金的人標得當月的會款。標到會款的人在會期結束之前，都必須按月繳交會款，這是急需用錢時的最佳方法，有人靠標會上了大學，也有人買了房子。但所謂好事多磨，如果有人倒會，不僅賺不到利息，連本金也有去無回，有時候還會因此發生血光之災。

「哥，你要當會頭嗎？」明泉叔叔小心謹愼地問，「如果有人倒會，債會越欠越多。」

會頭就是互助會的起會人，必須爲會員投資的錢做擔保，要是遇到最糟糕的情況，按照道義即使不惜賣掉老婆，也要負起責任償還會員投資的錢，至於實際上是否會這麼做，則完全取決於會頭的人品，不少會頭拿了會員投資的錢就遠走高飛。

「那也算俺一份，」李爺爺加強語氣，「如果明輝當會頭，馬上就能找到會員。」

父親心存感激地點了點頭。

「也算我一份，」小梅姑姑說，「這是爲了保住爸爸的店，宇文哥一定也願意出一份力。」

大家目不轉睛地看著明泉叔叔。

「唉，他媽的！」叔叔咂著嘴說，「好啦，我也加入，反正沒人願意接手發生過命案

的店鋪。」

幾天後，宇文叔叔左手打了石膏，臉色蒼白地從南非回來了。事件發生後，父親立刻聯絡了海運公司，請他們發電報給不知在七大海域何處的宇文叔叔。那個時代，連陸運的信件也經常遺失，更別說海上了。父親發揮了與生俱來的毅力和海運公司交涉，即使公司職員給他臉色看也毫不屈服，始終擺出低姿態，讓他們先後發了七通電報。最後還和櫃檯的職員混熟了，說好等所有的事都塵埃落定，要請他喝一杯。

宇文叔叔的船在阿拉伯海上航行時，接到了祖父的訃聞。宇文叔叔不知如何是好，想搭救生艇回孟買，所有的船員都制止了他。他發了一通「速回」的電報後，只能抱著雙腿，望眼欲穿地等待船靠岸。其他船員都很同情宇文叔叔，但也有人看了覺得心煩。那些人覺得大海就是父親、母親，也是學校，船就是溫暖的家，看到宇文叔叔魂不守舍，難免覺得礙眼。宇文叔叔和其中一人用海上男兒特有的方式較量談判，所以左手臂才會骨折。

一九七一年，中國加入聯合國，蔣介石基於「漢賊不兩立」的立場，宣布退出聯合國。因爲雙方都標榜「一個中國」，聯合國支持其中一個，就等於否定了另一個，中國用這句口號作爲藉口，逼迫各個國家和臺灣斷交。如果不和臺灣斷交，我們就和你們斷交，趕快在臺灣和中國之間做出選擇，只能二選一。雖然聽起來像是小孩在吵架，但只有南非不畏強權，持續和臺灣維持外交關係。因爲種族隔離政策而在聯合國遭到排斥的國家，和同樣遭受孤立的國家建立友好關係也是極其理所當然的事。一九七五年當時的南非，中國

人受到的待遇和黑人一樣，但臺灣人和日本人被視爲體面的白人，在那裡備受禮遇。

可惜臺灣和南非之間並不是友好到有班機直飛，船在伊莉莎白港一靠岸，宇文叔叔立刻抓起深綠色的旅行袋，搭公共汽車和便車，在沿海道路上耗費了兩天兩夜，抵達了開普敦，從那裡搭上飛機後，又在歐洲機場轉了好幾班飛機，三天後，終於抵達了臺北松山機場。他可能太慌亂了，竟然爲祖母買了一件腔棘魚的T恤。當時已經順利辦完祖父的喪事，骨灰和牌位也安置在天母的慧濟寺，宇文叔叔唯一能做的，就是抓著祖母乾枯的手，兩個人一起悲傷難過。

「即使人們看到相同的事，聽到相同的話，也會因爲完全不同的理由歡笑、哭泣或是發怒，」宇文叔叔深深嘆著氣，「只有悲傷就像在霧中閃爍的燈塔光芒，永遠都在那裡指引我們，避免我們觸礁。」

每個人都傷心不已。

父親在高中當老師，他告訴自己，不能把內心的憂鬱發洩在學生身上，所以比之前更加沉默寡言。然而，即使用繃帶把內心緊緊裹起，一旦回到家裡，就會發出異臭，悲傷和憤怒會慢慢滲出。人一旦勉強自己，往往會對其他方面造成負面影響。最倒楣的當然就是母親，自從祖父死後，父親的眼神宛如抽到下下籤，似乎總是在暗示「我對你們有所不滿」，整天用彷彿在責備母親的強烈語氣抱怨明泉叔叔和小梅姑姑，說「每個人都是這副德性」，發洩內心挫敗感的方式更變本加厲了。

脾氣暴躁的母親表現出來的態度倒不像是傳統中國婦女，她選擇忍受父親的蠻不講

理，每天不停打著毛線，聽父親嘮叨到深夜。不會喝酒的她，有時候甚至陪著父親喝酒。有一天，她終於直話直說：「爸爸遇到這種事的確很可憐，但爸爸以前也殺了很多人。如果這個世界上有因果報應，殺了那麼多人，當然不可能好死。」

「那是戰爭！」父親大吼道，「如果沒有戰爭，我們也不會相遇！」

「葉明輝，」母親靜靜地叫著父親的名字，「如果這種狀態一直持續下去，我們的相遇也將進入下一個階段。」

聽到母親暗示離婚，父親嚇了一跳。

「凡事都要向前看，」母親若無其事地繼續打著毛線，「自亂陣腳只會讓自己受苦。」

母親也在戰爭中失去了兩個哥哥，所以這句話重重地打在父親心頭，也讓他恢復了自律，之前宛如用微火折磨我們的黯淡火光，也漸漸從他眼中消失了。雖然還要花一段時間才能完全振作，但至少他不再莫名其妙對我動粗，只是一下手就毫不留情，整個人性情大變。當時我曾一度蹺課，茫然想著祖父一邊抽菸，結果被老師抓到，父親出手之重，讓我領悟到被他痛打一頓，或許也是一種孝順。父親的身材、相貌很像祖父，我從揮鞭的父親身上，看到了祖父年輕時的樣子。

每當我夢見祖父，他總是嘆著氣說自己渾身溼透，頭髮都亂了。

祖父生前每週都會去一次理髮店，整理他那一頭所剩無幾的白髮。他每次都特地叫了

計程車，前往當時臺北隨處可見、門口玻璃塗成黑色的理髮店。在這種店裡，都是由穿著緊身迷你裙的年輕小姐為客人剪頭髮、修指甲、按摩肩膀。說白了，就是色情理容院。

小時候，我在祖母的慫恿下，好幾次吵著要跟祖父一起去。

「秋生，你叫爺爺帶你去理髮，理髮店裡有電動遊樂器。」

祖母想要讓我去當小間諜，但據我的觀察，祖父最多只是摸摸年輕小姐的小手。他雖然發自內心痛恨祖母的精明，但還是每隔幾次便答應我的央求，不甘願地帶我一起去理髮。祖父對兒子很嚴格，卻很寵我這孫子。他看到小梅姑姑一直開著電風扇會破口大罵，卻為我的房間裝了冷氣。有一次，我把明泉叔叔的唱片拿來當飛盤玩而挨揍，祖父拿起掃把，用掃柄打明泉叔叔，還罵他說：「你哪來的資格悠哉聽音樂？難怪一輩子沒出息。」

所以我總是和祖父站在同一陣線。看在我這單純的小孩眼裡，去理容院並無大礙。當然，這只是和那些同時讓好幾個露出豐腴大腿的女人服侍、邊理髮修指甲邊按摩的色老頭相比較後得出的結論，究竟祖父有無愧對自己的良心，我抱持懷疑的態度。他不可能在孫子面前露出馬腳，而且理容院那些女人不只一次露出意味深長的笑容對我說，你爺爺是花花公子，你長大以後一定也一樣，因為你長得好像你爺爺。

到底是誰，讓硬漢祖父落得如此下場？

外省人來臺灣將近三十年，但大部分老傢伙都覺得只是在這個島上暫時落腳，他們總是心繫大陸，認為國民黨遲早會反攻大陸，等戰局翻轉，就可以衣錦還鄉。在蔣介石的逝世粉碎了他們最後一線希望之前，那些身經百戰的老兵經常哼唱著〈我的家在大陸〉這種

赤裸表露心聲的歌曲一解鄉愁，把廣播中播出的〈教我如何不想他〉老情歌中的「他」想成「大陸」，流下思鄉之淚。在臺灣出生的我對此感到匪夷所思，但這個世界上有很多匪夷所思的事，所以雖然感到奇怪，但我也能夠接受。祖父他們在大陸打過仗，以爲只是在臺灣歇個腳，隨時會再度上戰場。只有鼠目寸光、看不到大局的蠢貨才會在歇腳時惹是生非，祖父並不是那種笨蛋，他總是把德國的毛瑟手槍擦得油亮，隨時做好出擊的準備。

我自行分析了案情。

如果周警官的判斷無誤，祖父是死於仇殺，那必定是以前在中國大陸結下的梁子，所以凶手是外省人。我不由得產生了幻想，復仇者就像玻璃碎片般，混在國民黨潰逃來臺灣的船上。擠滿傷兵的甲板上，人們攀著船緣，暫別漸漸遠離的故鄉，船上擠滿哭鬧的嬰兒，連呼吸都有困難，而復仇者蟄伏在船艙角落，靜靜地下定決心，用黯然的雙眼瞪著新天地。

我之所以會一時糊塗，答應兒時玩伴「小戰」趙戰雄找上我的好差事，也是因爲考慮到家計吃緊。

「一旦搞定，他願意付十萬。」

有了這十萬元，就能減輕壓在父親肩頭的重擔，也能讓母親稍微享福。當全家人（甚至包括明泉叔叔！）都勇敢地面對祖父的死亡，我對於無能爲力的自己感到羞愧萬分。

「安啦，不可能被抓包，但你脖子後面那撮頭髮最好剪掉。」

「彭文章到底是誰？」

「他小我一歲，去年考高中落榜，已經沒退路囉。他爸也說，如果今年再考不上，就要他去讀陸軍官校預備班。他家超有錢，事成了絕對不會虧待你的。」

「你拿多少？」

「這叫助人爲樂！你應該知道，我才不是那種見錢眼開的貨色。」

「你到底拿多少？」

「三萬啦，三萬！滿意了吧，啊？」

「你和他是什麼關係？」

「他是我兄弟的朋友的弟弟……不，好像是表弟。」

「……」

「這種事不重要啦，」小戰咂嘴，「朋友有難，我看不下去，想幫你一把不行嗎？」

說白了，他是找我冒名代考當槍手。

當時我就讀的是臺北數一數二的升學高中。父母面子十足，也是全家的期望，大家都希望繼父親和小梅姑姑之後，我能夠成爲葉家第三個大學生。

沒想到抽到了下下籤。

我至今仍然搞不懂爲什麼會被抓包，所有的細節都天衣無縫，連彭文章的准考證上都貼了我的照片。

考完試，我得意洋洋地走出考場，立刻像失風的小偷一樣，被人拎著脖子，帶到了另

一個房間。一定有人告密。告密並不只是共產黨的拿手絕活，國民黨也大肆推崇告密文化，動員廣大民眾建立牢固的監視社會，以期及時發現對政權不滿的反抗分子。歸根究柢，共產黨和國民黨本是同根生，想法果然都一樣。

「你們搞錯了！」我就像被帶到包青天面前的罪人般大聲喊冤，「我是被冤枉的！我就是彭文章！」

不一會兒，一個威風凜凜的軍人走了進來，我拉著他對天發誓，我就是彭文章。我太年幼無知，竟然完全沒想到這個人可能是彭文章的父親。

「兒子，你媽在金門當護士嗎？」

我被他問得說不出話。

「否則事情兜不攏啊，」彭文章的父親語帶同情地說，「如果你是我兒子，就代表我在金門昏迷的時候，被護士吃了豆腐。」

他說的是民國四十七年，也就是一九五八年的金門八二三炮戰。在炮戰開始的短短八十五分鐘內，就有約四萬發炮彈從對岸福建省打到金門島，彭文章的父親是在金門炮戰中爲國受傷的英雄！

「我會把我兒子送去軍校預備班，」彭文章的父親說，「如果你也是我兒子，就把你們一起送進去，好好修理你的劣根性。」

他們嚴厲追問了整件事的來龍去脈，在我吐實之前，彭文章就招供出幕後黑手趙戰雄的名字。小戰當然不可能躲過這一劫，他被抓了起來，但這件事並沒有對他造成太大的影

響。因爲小戰中學畢業後，就進了士官學校（他身材太乾瘦，所以被分到食勤班，從早到晚都在烤餅乾），但由於和別人打架，二年級就遭到退學處分（打架的原因是學長嘲笑他自認是傑作的餅乾）。雖然他和我同年，也是十七歲，但已經歃血爲盟，加入了黑道。小戰的大哥叫鷹哥，沒有小拇指，聽說他曾經殺過人。之後鷹哥爲小戰張羅了一張心臟病的假診斷書，讓他成功躲過了兵役。

「不用爲我擔心啦，」小戰對即將面臨的兩個月感化院生活表達了感想，「感化院算個屁！」

「誰爲你擔心啊！」我朝載著他離去的警車丟石頭，「別再回來了，王八蛋！」

當初是想幫父親的忙，結果父親用鞭子狠抽我的屁股發洩怒氣。祖母責怪母親沒有好好管教我，母親用打麻將用的塑膠牌尺打我。父母輪流修理我到深夜，即將迎接十八歲的我面臨兩個選擇，不是去當兵，就是轉學到更差的高中。

不用說，我當然選擇後者，與其去當兵，不如直接下地獄。那是廈門一所基督教教會高中的臺北分校，只要會寫自己的名字就可以入學。當時只有監獄和這所學校是任何有心人都可以進去的地方。

臺灣的新學年從九月開始。我和父母一起去學校辦理轉學手續時，已經是九月中旬的事了，但讓人熱得發暈的酷暑還是賴著不走，熱辣辣的太陽使蟬兒也沉默了，學生好像囚犯般拿著掃帚，打掃著出現幻景的校園。學校的外牆上寫滿反共口號，大王椰子樹上積滿了灰塵。雖然是平淡無奇的校園景象，但只有外觀平淡無奇。天花板上發黑的電風扇慵懶

地攪拌著熱氣，面如土色的校長對我說：

「把垃圾集中在一起，就不會影響到其他人。」

自己的兒子被罵是垃圾，我的父母卻誠惶誠恐地低著頭。我為自己的將來，不由得感到戰慄。

如此這般，我每天穿上和囚服差不多、走在街上也很沒面子的新制服，每天去簡直就像是罪犯預校的學校上學。

新學校位在一座小山上，必須沿著和緩的坡道上山。道路兩旁花草茂密，春天的杜鵑花爭奇鬥艷，秋天桂花飄香。

新生活遠遠超乎了我的想像，原以為那裡必定充斥著打架、恐嚇、拉皮條，是一個弱肉強食的世界，但實際生活在其中後，發現這種想像只對了一半。事實上，除了逞凶鬥狠的世界，這裡也有熱愛詩集和小說的學生，只是那些學生不愛讀書，但幾乎個個聰明絕頂，也很講義氣，用他們的文字奮筆寫下在頭破血流的械鬥中閃亮的事物。很久之後我才知道，那些小太保的老大雷威也是流氓詩人之一。在我以前讀的學校，學生討論的熱門話題都是展望未來的官僚話題，但在這所學校，討論的都是當下、這個剎那的事，譬如哪裡的某某某和哪裡的某某某結下梁子、討論機車、聊女人和性病的話題。

新制服完全符合我自暴自棄的心情，而且威力也很驚人，我只是靜靜走在路上，善男信女就對我皺起眉頭，好像我的背上大大地寫了「殺人凶手」幾個字。當我走進商店，老

闆就會瞪大眼睛，注視著我的一舉手，一投足。迎面走來的女生開始緊張，故意過馬路走去對面。這種心情就像搭電梯時，有人放了一個臭屁走出電梯後，一個傾國傾城的美女走進電梯，我每天都在體會這種感覺。我很想向衆人解釋，你們能了解嗎？現在的我並不是眞正的我，這是有原因的。當小孩子不乖時，大人都會拿我們學校的名字來嚇唬小孩，所以我也只能自認倒楣。

有些地痞流氓只要看到穿我們學校制服的人，就會來找麻煩。誰怕誰啊！自從讀了這所學校，我的身上隨時都帶著傷，我們都在書包裡放一把削尖的二十公分鐵尺，俗稱鐵尺刀。一旦發生狀況，這把鐵尺刀非常管用。雖然也可以直接帶刀子出門，但一旦遇到警察，即使搜到鐵尺刀，也可以號稱那只是文具而已。

爲了在龍蛇混雜的學校生存，我剛轉學時，就叫小混混小戰騎機車載我去學校以求自保。小戰的上唇有一道很大的傷痕，是我以前失手弄傷的。當時我們拿木條當球棒，我用力一揮，不愼揮到了當捕手的小戰上唇，割開了一大道傷口。因爲這道傷口的關係，所以他看起來很不好惹。雖然小戰毀了我的人生，但也多虧了小戰，讓學校那些小太保不敢輕易動我。

展開新生活兩個月後，學校同學對我刮目相看，但這條路並不平坦，經過了幾番鬥毆才風平浪靜。雖然他校的小太保曾在校門口堵我，但最後那些人都知道，對我出手撈不到任何好處。

來談談那次的事吧。

那個時候，打架並不只是當事人之間的問題，一旦有人被打，當事人背後的各種勢力就會蠢蠢欲動。可能是歇斯底里的母親，也可能是挨打的人的拜把兄弟，甚至可能是拜把兄弟的老大，有時候連老大的拜把兄弟也會一起加入戰局。

打架的原因都只是一些芝麻小事，我被一個叫方華生的卑鄙小人盯上了。他的名字讀起來很像花生，所以他的同夥都叫他花生。這傢伙長得很討人厭，眞的就像沒有咬碎就呑下去，隔天和大便一起拉出來的花生屎，我猜他小時候一定很愛吃鼻屎。

我不知道花生看我哪裡不順眼，也可能是看我哪裡都不順眼。我小學五年級時，就已經讀完他們到了高三還在讀的課程，但這並不是我的錯。不能因爲教育部規定這間學校的教學進度晚了五、六年，就排擠我、欺負我，覺得我自以爲了不起。難道是我在不知不覺中，表現出對他們不以爲然的態度？

總之，我因爲遵守國民黨的教化政策，只會說一口標準的國語（我能聽懂祖父說的山東話，但不會說）。我從小生長的廣州街住了很多經濟比較富裕的外省人，祖母和其他街坊鄰居都看不起本省人。數年後，我接觸到馬克·吐溫的書，知道他出生、長大的地方也有嚴重的種族歧視。馬克·吐溫小時候，曾經看過一個黑人只因爲稍微多看了白人女子幾眼，就被亂石打死了。他在書中坦承，當時他並不覺得那是特別糟糕的事，因爲在一百五十年前的美國，這是很理所當然的事。在臺灣那個年代，從大陸來臺的外省人看不起原本就住在島上的本省人，就像鳥在天空飛，狗會吃屎一樣，是天經地義的事。祖母提

到臺灣人時，說話的語氣好像在談論小偷。

父親算是自由主義者，但他畢竟喝祖母的奶長大，當然不可能完全不受影響。他不會公開指責本省人，不過當警察兼作曲家的高一生因爲叛亂罪遭到槍決時，他認爲這也是無可奈何。高一生在二二八事件時，爲了保護故鄉阿里山，率領族人襲擊了嘉義縣的彈藥庫和機場，也因此遭到國民黨逮捕。父親雖然認爲國民黨有錯，但也認爲這是統治國家的必要手段。在大陸出生的父親，一輩子都無法擺脫用大陸的思考方式來解決問題。

我除了個性不喜歡與人爭執，也不希望身體流血受傷，所以盡可能和衝突保持距離，但畢竟生活在那個年代，不可能完全置身事外。小時候曾經被一些壞小孩丟石頭，也丟別人石頭。有時候我說話態度不好，會被小梅姑姑毒打一頓。當我在學校闖禍時，父親就會把鞭子浸在裝了水的盆子裡（我至今仍然搞不懂，爲什麼要用水浸鞭子呢？），等待我這個兒子回家，嘴裡嘀嘀咕咕地說：「不好好教訓你一頓，你永遠學不會家裡的規矩和如何尊敬長輩。」當時在學校也有體罰，所以我們這些小孩都知道什麼樣的懲罰方式會帶來多少痛楚。

正因如此，我盡可能避免和方華生發生無謂的衝突。但是就像人家說的，對敵人仁慈就是對自己殘忍，花生這傢伙越來越得寸進尺，想方設法惹毛我，有時把削鉛筆屑丟進我的便當盒；有時趁我上廁所時抓住我的衣領，把我拖著走；或是伸出短腿擋住我的去路，想要絆倒我。即使我努力表現出懶得理他的態度，他仍然搞不清楚狀況，以爲我是因爲害怕而躲著他。有一天，我終於揍了他，把他這顆臭花生踩得稀爛。

既然挨了揍，他的狐朋狗友當然不可能罷休。

花生和流氓詩人雷威的關係很不錯。雷威是那群小太保的老大，他父親是萬華地區的角頭，表面上設攤賣小烏龜、打靶射擊、玩骰子，騙取小孩子的零用錢，暗中做各種違法生意。萬華是臺北首屈一指的混亂地區，到處都是私娼寮、蛇肉店，男男女女的悲歡和蛇血的味道，讓整片萬華地區都好像飄著一股臭酸味，許多滿身刺青、牙齒被檳榔汁染得通紅的黑道兄弟都住在那裡，雷威的肩膀上也刺了一條鯉魚。之後雷威告訴我，他爸爸為了他肩上的刺青，差一點剝了他的皮。他在這種混亂的環境中磨練了感性，培養了文學方面的才華。

兩天後的放學時間，雷威在老師看不到的校園角落偷襲我。我雖然對著雷威的臉揮了幾拳，但不需要他的小弟出手，我就被打倒在地，花生也對著我的臉踹了兩腳。我決定要記住花生打我這件事。

血債要用血來償還。

趙戰雄從感化院回來，看到我鼻青臉腫，簡直氣壞了，不顧我沒有機車駕照也不想報復，硬是叫我騎上速可達，當天就騎著機車在萬華附近繞了好幾圈。雖然可以去學校堵人，但如果這次再被退學，父親會把我送去當兵，唯有這件事我死也不要。

我們小心翼翼地穿越西昌街和華西街夜市，在香客點了大量線香而煙霧繚繞的龍山寺內仔細尋找。幾個男人在龍山寺門口賣來路不明的壯陽藥和色情照片，盲人按摩師在小巷內排著椅子，等待客人上門。

初秋的涼風吹在身上，很是舒服，脖子上掛著翡翠護身符的小戰敞著短袖襯衫，在大街小巷內四處尋找。

最後，我們終於找到了。

雷威嚼著檳榔，正在路邊攤買豬血糕。豬血糕用糯米和豬血做成米糕，串在竹籤上，實不相瞞，那是我的最愛。小戰戳了戳我的腦袋，我把速可達機車騎向雷威，可以感受到小戰內心熱血沸騰。我們從背後悄悄靠近目標，經過雷威身旁時，小戰拿出預藏的磚塊用力砸向雷威的臉頰。

「幹恁娘！」這句話的本意雖然是操你媽，但在打架時可以代表各種意思，是一句很方便的罵人話。「活該，雞掰！」

「小戰，你、你在幹麼？」

「別管那麼多了，快逃！」

小戰放聲大笑，我看到雷威嘴裡噴出大量紅色液體，祈禱著那是他吐出來的檳榔汁。我嚇壞了，用力催油門，把倒地的雷威和用臺語大叫的豬血糕攤販老闆甩在後方。我們的速可達機車帶著勝利的吶喊和白色煙霧，消失在夜色中。

朋友有難，當然要兩肋插刀，但並不是只有我才有朋友。我有小戰，對方有數十個像小戰一樣的朋友。

在萬華遭到偷襲的第四天，雷威的腦震盪恢復之後，立刻揪了半打兄弟放學時在校門

口堵我。

他們騎了四輛機車現身，雷威頭上包著白色繃帶，半邊臉仍腫得像豬頭。我一看到他的臉，就感受到他的決心。不光是嘴巴、鼻孔和耳朵，他全身的毛孔都噴著黑煙。我忍不住思考自己的墓碑上要刻什麼碑文。

雷威彈開香菸，抽出裹著防滑膠帶的鐵尺刀。他那些兄弟有的坐在機車上，有的蹲在柏油路上，也有人把腳踏車的鐵鍊纏在拳頭上。放學的學生都快步離開，在不遠處觀察著事態發展。

秋日的天空萬里無雲，桂花的清新芳香如河水流動。

若問普通的太保和富有詩意的太保有什麼不同，那就是普通的太保只看眼前的敵人，但富有詩意的太保知道敵人也存在自己心裡。雷威當然想要痛扁我，但他不想只是教訓而已，而是要用富有詩意的方式教訓我，否則，他不可能特地把另一把鐵尺刀丟到我面前。

「葉秋生，撿起來。」他還有另一把鐵尺刀，「這樣你就沒理由恨我了。」

我吞著口水，低頭看著腳下的鐵尺刀，然後想到了動脈。

額頭流下的汗滲進眼中，我口乾舌燥。雷威的兄弟七嘴八舌地用臺語口出惡言，我聽不太懂他們說什麼，但我知道他們想要說什麼。他們罵我膽小鬼，還說要幹我娘，他們不光是要我的命，還要把我大卸八塊，丟進臭水溝。

書包從我的肩上滑下來，他們個個目露凶光。雷威走向前，如果被他一刀捅進肚子就

一命嗚呼了，事到如今，至少要保護肚子。我用顫抖的手撿起鐵尺刀，暗自下定了決心。當然，脖子也要格外小心。

雷威壓低重心，正手握住了鐵尺刀。

我用力閉上眼睛，想把流進眼裡的汗水擠出來。下一剎那，聽到一陣強烈的耳鳴，體內好像被用力扭轉。我嚇得張開眼睛，發現自己在阿婆的店裡，出現在眼前的不是雷威，而是滿臉皺紋的阿婆！

我眨著眼睛，東張西望。

裝了穀物、乾貨和辛香料的麻袋，排放在木架上的洗衣粉、肥皂，天花板上掛著附抽獎的零食，放冰淇淋的大冰箱裡有許多阿婆的私人物品——那不是桂花飄香的初秋季節，蔣介石的統治萬代不易，昏暗的店外，盛夏泛著白色的幻景飄晃。

酷熱的七月，我緊握著快要融化的冰棒站在那裡。

「你幾歲矣？」

「呃……」我對看起來像妖怪的阿婆感到害怕，但又不想得罪附近一帶唯一一家柑仔店的老闆，步步後退著，勉強擠出聲音回答說：「五歲。」

「你甘有看到？」

我如大夢初醒，想起自己剛才在幹什麼。我聽說祖母在阿婆的店隔壁的髮廊燙頭髮，立刻跑去向她要零用錢。祖母平時很吝嗇，但在左鄰右舍面前就會表現得很大方，我就是

看準了這一點，所以跑來向她要錢。

「你看到啥？」

「刀子……」我結結巴巴，「我拿著好像刀子的東西。」

「喔，刀仔喔，」阿婆張開牙齒已經掉光的嘴，笑了笑說，「遮是你人生的雙叉路。」

我無意認眞聽老人言，五歲的我也難以理解這句話的意思，對我來說，融化的冰棒滴到手上才是大問題。我用力吸著冰棒底部，那是用向祖母要來的零用錢買的冰。

我家剛搬來廣州街時，阿婆的店就在那裡，那時候，她就像是百歲人瑞。雖然柑仔店有名字，但大家都稱之爲「阿婆的店」，到了我那個年代也沒有改變。問附近的小孩阿婆幾歲了，十之八九會回答差不多一百歲。平時阿婆總是笑臉迎人，沒有牙齒的嘴巴不停咀嚼著，興致一來，會突然說出可怕的預言，讓人嚇得屁滾尿流。

而且還眞有被她說中的。

在我小學二年級的時候，班上有一個同學叫潘家強，他在阿婆的店裡大吃零食，阿婆叫他：「頭殼較注意咧。」結果兩天後，他的腦袋眞的受傷了。他在下課時用力向後伸懶腰，坐在他正後方的同學把剛削好的鉛筆豎在桌子上玩耍，結果刺進了潘家強的後腦。那是附橡皮擦的鉛筆，聽目擊者說，整枝鉛筆都插進了潘家強的腦袋，只露出橡皮擦的部分，甚至有人說，筆尖從額頭刺了出來。這未免太誇張了，但潘家強的頭的確受了重傷。

「刀仔會當保護你，嘛會當傷害你。」阿婆只會說臺語，我當時竟然能聽懂她這句話，實在太詭異了，「欲按怎用，會對你續落來的人生發生眞大的影響。」

我「啊」地大叫，衝出阿婆的店，一口氣穿越了至今爲止的十二年又四個月。那個頭上的燙髮機好似大電鍋的祖母咻地飛走了，被木條球棒打到流血的趙戰雄轉眼之間落入時空的縫隙。被楊老師體罰的小學年代、戰爭電影的片斷、李小龍……甚至連不敢對單戀的柯美娟說話的中學時代都像煙霧般倒轉，拉著長長的尾巴漸漸消失。我考取臺北數一數二的升學高中時，父親歡天喜地。蔣公崩殂，祖父被殺。我當槍手被抓包遭到退學，父親用鞭子把我打得半死。我跟著父母一起去新學校面試，在新的學校揍了方華生，雷威來找我算帳，趙戰雄爲了報復我，打破了雷威的頭，結果他又上門報仇——

光陰以一百倍的速度飛逝，當年在阿婆的店看到的未來，如今就出現在我的腳下。

「撿起來。」雷威舉起了自己的鐵尺刀，「這樣你就沒理由恨我了。」

我呑著口水，同時用力嚥下強烈的既視感。然後把書包踢到一旁，緩緩彎下腰，撿起了鐵尺刀。

雷威壓低重心，正手握住了鐵尺刀。

我們注視著彼此，拚命尋找暗示著攻擊、妥協和退路的所有徵兆。令我驚訝的是，就連主動上門挑釁的雷威，似乎也在尋找退路。我們又不是會因爲殺人而感到興奮的禽獸，誰想面對這種狀況？大家都是因爲萬不得已的苦衷，才做出違背眞心的行爲。世界用這種

方式馴服我們，正因爲如此，我們才懂得愛人，也會不惜殺人。

雷威滑步緩緩逼近我。

他目露的凶光似乎在對我說：「退後，拜託你趕快退後，不要害我變成殺人凶手！」看到他的雙眼，我知道我們都正爲了自己的未來，努力設法度過眼前這一關。殺人凶手的悲哀，是我在生死關頭體會到的眞相，難以向任何人說明，也無法用言語表達。這個眞相就像是只有我和雷威才能看到的狐火，無論死的是哪一方，終將封閉在死者內心，並且如影隨形地糾纏得勝者，讓他一下子衰老一百歲。

雷威完全無意後退。他不想成爲殺人凶手，但更不想成爲虛張聲勢的人。他必須對得起他的同夥，也必須對得起即將在他內心甦醒的文學靈感。

換句話說，不見血就無法收場。

雷威步步逼近，踢到了一顆小石頭。聽到石頭的聲音，我才發現自己毫無警覺，傻傻地站在那裡。雷威看到我慌張的樣子，察覺事態有了動靜，只是不知道衝上前揮出第一擊是上策，還是靜觀其變更加聰明。最後，他採用了妥協方案。他大步向前跨出一步，向我挑釁。我嚇了一跳，外野傳來嘲笑聲。看到我眨著眼睛，他們奚落說，他要哭了，那個外省仔快流淚了。

但是，我並不是想哭。

起初我以爲是風吹來了桂花，那些小花剛好聚在一起，在夕陽下閃著金光。還是因爲花香的關係，導致光產生了折射？

我揉著眼睛，外野那些人欣喜若狂。別人似乎都沒有看到，發出微弱磷光飄在空中的狐火周圍有好幾朵黃色小花，首先停駐在我鐵尺刀的刀尖上，然後消失在我的右側大腿。

「怎麼了？」雷威冷笑著，「如果你不過來，我就要過去了。」

除了阿婆的預言，我又親眼看到了狐火，我知道自己只有唯一的選擇。

「你這麼想打架嗎？」

聽到我生硬的口氣，雷威臉上的笑容消失了。外野那些人探出身體，嚼著檳榔的傢伙住了嘴。

「我不會放過打破我頭的那個傢伙。」

「那你想怎樣？」

我大聲咆哮著，把鐵尺刀刺進自己的大腿。那不是稍微流點血的程度而已，刀尖深深扎進大腿，這下恐怕連刺進潘家強腦袋裡的鉛筆也會嚇得光著腳逃走。即使我鬆開了手，鐵尺刀仍然沒有掉落。因爲我知道狐仙在保佑我，所以絲毫不感到害怕。

雷威瞪大布滿血絲的雙眼，他那些兄弟也一樣。坐在機車上的傢伙身體向後一仰，不小心從座椅上跌落下來。原本蹲在地上圍觀的傢伙站了起來，站在那裡的傢伙不小心把檳榔汁吞了下去。

「來啊！」我從大腿上拔出鐵尺刀，丟到雷威面前。深紅色的血跡在米色的制服長褲上擴散，順著大腿流了下來，在球鞋周圍形成血泊，「我們空手對打。」

雷威瞪著我，各種思緒像龍捲風般在他內心翻騰。我用實際行動向他證明，我不怕流

血，也不怕刀子，更不怕寡不敵眾，接下來輪到雷威向我證明了。然而，他並不知道如何才能顛覆眼前的局面。

接下來的情況就像是很多武打片的結尾，雖然沒有警笛大作的警車趕來，但幾個老師像小狗一樣大叫著跑了過來。雷威和其他人騎上機車逃走了，那些老師用膝蓋想就知道這件事和雷威脫不了關係。

雷威之前就因為品性不佳被記了兩支大過，這是所有學校都採取的淘汰方式，三支警告相當於一支小過，三支小過就等於一支大過。一旦被記了三支大過就等於被三振，像貓一樣被趕出學校。除了打架和不正當的男女關係，像雷威那種目中無人的態度也被視為反國民黨。比方說，老師要我們寫作文時，我們為了讓老師留下好印象，都會在文末加上一句「反攻大陸」或是「建國必勝」之類的話才交給老師，但雷威從來不寫這種虛偽的話，所以老師對他的印象特別差。

總之，惡名昭彰的雷威因為這件事，在訓導處的生死簿上被記了第三支大過而遭到退學（我被記了一支小過）。

我把傷口用力綁緊後，搭訓導處祝老師的車子去了醫院。那是一輛沿途噴著黑煙的福斯金龜車，車子搖晃得很厲害，我很擔心到達醫院之前，全身的血就會因為搖晃而流光。黃昏時分，我在診療室縫了二十針左右，回到家已經九點多了，接到電話的父親把鞭子浸在水裡等我回家。

「你已經高三了啊！」母親哭喊著，「明年就要考大學了，到底想怎麼樣？」

如果祖父還活著，一定會說：「這孩子身上果真流著俺們山東人的血。」並露出驕傲的眼神看著被鞭子抽打的我。只可惜祖父已經不在，我只能咬緊牙關忍受人生。

第三章　拜狐仙

新年過後，來到了一九七六年，我開始認眞考慮考大學。

想歸想，但我完全還沒開始讀書，只是光想到要是就這樣從全臺灣最爛的高中畢業，一輩子只能當個廢物，我就很想揍人。幸好我讀的那所學校唯獨不缺沒事也能找來痛扁一頓的傢伙。我打了一次又一次無聊的架，好像在蒐集紀念戳記般累積著警告和小過，只要再被記一支警告，就變成兩支大過了。

那個星期天，一大早就不停下著雨。

「橘色的引擎蓋上畫了一隻黑鳥，」午後，趙戰雄突然來到我家，口沫橫飛地說著他在小南門看到的跑車，「車子的底盤都快貼到地面了，眞想讓你也見識一下，和美國電影裡看到的一模一樣！媽的，要怎樣才能開那種車子啊。」

在那個年代，是不是混黑道很好辨認，小戰穿著當時小混混最愛穿的日本學生制服，背上繡了一堆看不懂的日文，喇叭褲就像金魚拖著長長的尾巴。因爲吃太多檳榔，嘴唇都被染紅了。

「那是胖子的車，」我告訴他，「聽說他現在的馬子很有錢。」

「謝家的胖子喔？」

「還有其他胖子嗎？」

「他不是你家明泉叔叔的同學嗎？」小戰說完點了根菸，「也未免差太多了。」

「不要在我房間抽菸啦，」我把窗戶打開一條縫，「謝胖子長得帥啊，所以才能駕馭那種車。」

雖然他叫胖子，但那其實是小時候的綽號。所謂家家有本難唸的經，我家有明泉叔叔，謝家有胖子。說不定胖子的問題更嚴重，說那傢伙是小孩子的天敵都算客氣了。

小時候，我們經常在巷子裡玩壘球，遊戲規則和棒球一樣，但是玩法和正統的壘球不同，是拿一顆橡皮軟球在地上滾，徒手打軟球。把大拇指放在食指根上，彎起指根，看準滾過來的球，抄起來後打飛出去，所以我們的慣用手都被柏油路面磨破，總是傷痕累累。

我們玩著壘球，到了傍晚胖子才終於起床，睡眼惺忪地晃過來，冷不防踢走我們的球，好幾顆球都這樣被他踢不見了。有時候和他擦身而過，會莫名其妙被他罵一頓，或是被巴頭。上午十點，他會吊兒郎當地蹲在阿婆的店門口喝罐裝啤酒。我們都看不起胖子，所以背地裡都直接叫他的綽號。他和明泉叔叔都是麻煩人物，兩人臭氣相投，從中學起就狼狽爲奸。聽說他們曾經大吵一架，大打出手，如果明泉叔叔沒有騙我，他們吵架的原因竟然是爲了「下輩子到底要當印度牛，還是非洲小孩」這件事而意見不合，簡直教人難以置信。胖子長得像電影明星狄龍，而且聽明泉叔叔說，他得天獨厚，上天賜給他「多才多藝的巨鵰」，那些不慎懷孕的女孩都由胖子的父親謝醫師偷偷處理掉，事實就這樣永不見

天日。

「他長這麼大，只有一個女人無法得手。」明泉叔叔說，「他以前並不是現在這樣，也許你不信，但當年的他，曾經是對女人很專一的紅顏美少年。原本打算高中一畢業，就要和他眞心愛著的女生私奔，結果對方放他鴿子。從此之後，他就對女人很無情。」

「對方是怎樣的女生？」

「是我們的同學，會當班長的那種無趣女人……」明泉叔叔的聲音漸漸遠去，我因爲太無聊了，所以問小戰：

「你還在幫鷹哥做事嗎？」

「媽的，眞不知道什麼時候才能買那種車，」小戰咂嘴，「對啦，還在幫他做事啊，最近都在討債，你咧？有沒有用功讀書？不是快考大學了嗎？」

「還有四個月。」

他瞥了一眼完全不見用功跡象的書桌，錄音帶、漫畫、簡單介紹西洋哲學的書散在桌子上。

「上次那小子在幹麼？」他改變話題，「就是被學校開除的那小子。」

「雷威嗎？」我聳聳肩，「可能去當兵了吧？」

「他有沒有說我什麼？」

「他可能根本沒把你放在眼裡。」

這個話題到此結束。

自從祖父被殺，我對任何事都意興闌珊，想要讀書準備考試，又覺得文字和公式宛如掉進眼裡的砂粒，妨礙眼球轉動。每個英文單字都成了重達數噸的鐵塊，一看就累，只有那些難辨眞僞，也不知翻譯是否正確的哲學書勉強合我的胃口。一個叫勒內・吉拉爾（René Girard）的人說，人類無法拒絕暴力，我們只能把暴力集中在一個地方，所有人針對一個人施暴，就會造就一個神聖的犧牲者，世界也因此得以維持正常的秩序。另一個叫雅各・拉岡（Jacques Lacan）的人說，人類只能藉由模仿他人、奪取他人的欲望，才能成爲自己。

如果他們所言正確，戰爭永遠不會從這個世界上消失，復仇的連鎖無法斷絕，因爲我們生活的城市到處充斥著可以成爲範本的復仇戲碼。小說、電影、歌曲，以及那些老傢伙繪聲繪影訴說的陳年往事，當中都充滿了仇恨。

我看向庭院內被雨水打溼的連翹。

轉學後的短短半年間，我已經養成走路時手插口袋，身體微微前傾的習慣，就像鼻子前方懸著胡蘿蔔的馬一樣，不爽的感覺總是懸在眼前。在街上和小太保擦身而過時，我會故意不避開視線。因此，我吃過不少虧，但我毫不在意。我對漫不經心、醉生夢死、碌碌無爲已經得心應手，上個月也在學校的軍訓課上闖了禍，害自己半邊臉腫得像豬頭。先是在拆解、重組步槍時忘了裝上槍口蓋，挨了教官的拳頭。站著打靶時，槍托沒有在肩膀上架穩，射擊的反作用力讓步槍像馬一樣跳了起來，重重打在我的臉頰。反正從頭到尾都是我自作自受。

「你有沒有看過死人？」我問小戰。

小戰垂著眼睛，抽了一口菸，似乎不知道該從何說起。

「只要跟著鷹哥，就算不想看，早晚都會看到，如果我沒有先被幹掉的話。不，」他搖了搖頭，「我還沒看過。」

「我也是。」

我揚起下巴，小戰心領神會地甩出一支菸，用火柴點了火，我把叼著的香菸湊過去。

「在那天之前都沒看過。」

「你很聰明，和我不一樣，」他說，「要好好讀書，去讀大學，別像我一樣。反正這輩子不是踩在別人頭上，就是被別人踩在頭上。」

「即使上了大學也一樣。」

「不一樣，上了大學，就有機會擺脫這種輪迴，拯救被踩的人。就算要踩人，也不需要用自己的腳去踩。」

我默默抽著菸。

「你爺爺的死和你無關，我認識一個本省阿嬤的女兒被殺，兒子也出車禍死掉了，她每天還是去市場賣菜。」

「我知道，但是，總覺得……」

「你爺爺很疼你。」

「是啊。」

「你還記得嗎？小時候我們去植物園的水池釣魚，結果釣竿不是被條子沒收了嗎？我們偷偷溜進派出所，想把釣竿拿回來……」

「記得，結果被發現，挨了一頓毒打。」

「那時候你爺爺的樣子，」小戰噗哧一聲笑了出來，「簡直就像要把那個條子生吞活剝，還說魚生來就是要被人釣的。」

「大家都已經向前走，」我抽完最後一口菸，在空罐內捻熄菸蒂，「就算各有各的苦衷，至少表面上是這樣，就連奶奶也開始打麻將，只有我……我發現，全家只有我沒看過死人。明泉叔叔說，他小時候曾經看過共產黨把國民黨士兵丟進大鍋子裡煮來吃，負責攪拌鍋子的人稍微戳了一下，肉就從骨頭上剝下來了。」

「我也聽他這麼說過，但……」

「對，是他在吹牛，」我笑了笑，「別擔心，很快就會恢復老樣子。」

小戰把香菸丟進空罐，幾乎在同時，房門打開了。父親探頭進來，用力吸著鼻子。

「伯父好。」

「小戰，你是不是在抽菸？」

「喔，我沒……」

「你再不學乖，小心我揍你，」父親說完看向我，「秋生，要出門了。」

「要去哪裡？」

「去拜狐仙，」父親說，「小戰要是沒事，也一起來吧。」

中華商場是中華路上南北向綿延超過一公里的三層樓鋼筋水泥綜合商業大樓，共有八棟，分別以忠、孝、仁、愛、信、義、和、平八德命名，那一整排店面都很相似，足以讓客人迷失方向感，就連當地人也經常找不到之前去過的店。站在中華商場的灰色走道上，簡直就像在照兩面相對的鏡子，很快就會暈頭轉向。隔成小間的店面內飄出煮飯的味道，販售著不知誰會買的洋裝、二手書、獎盃和軍用品，也有家庭以店爲家，在店裡生活，接近一絲不掛的小孩在走道上跑來跑去，洗乾淨的衣服晾在那裡，女人尖聲笑著，幾個老人在喝茶下棋。不小心走進這個區域，會被居民漠無表情的眼神嚇得心神不寧。即使是晴朗的天氣，中華商場上空都好像烏雲密布。如果要把這裡設定爲電影的舞臺，最適合那種把不小心迷路的客人拉到店後方，用殺豬刀大卸八塊的故事。

幾年前，祖父在中華商場內擠滿住家那一區二樓租了一間店面，聽說有人半夜在那家店裡看到黑影幢幢，或是店裡沒有人，卻傳出打麻將的聲音，甚至有人看到一個身穿白衣的女人站在那裡，所以很久都沒有人敢租。那些尖酸刻薄的街坊說，以前住在那裡的一家之主是無可救藥的賭徒，甚至把老婆拿去典當，準備孤注一擲，最後非但無法把老婆贖回來，還欠下了三代都無法償還的賭債，夫妻倆都上吊自殺了。你看，繩子就掛在那根橫梁上，兩個人一起上吊了，之後，這一帶就出現很多詭異的事，連累了周圍的店家。名叫點心世界的大型餃子店不管廚房再小心，還是經常發生客人投訴菜沒煮熟，或是吃到沒煎熟的餃子。

這不是絕佳地點嗎？因爲祖父打算在那裡祭祀鬼魂。

在臺灣，祭祀鬼魂並不稀奇。祭祀土地公、菩薩和航海守護神媽祖這些正統神佛的廟稱爲「陽廟」，民衆在那裡焚香、磕頭，祈禱闔家平安、心想事成、萬事如意。此外，像是《三國志》中的武將關羽，或是爲了拯救溺水者而犧牲的小狗，由於生前功德無量，當他們死後成爲鬼魂，也成爲人們信仰的對象，祭祀他們的廟就稱爲「陰廟」。民衆在那裡焚香、跪拜，許下實際的願望：保佑我中獎；祈禱那個有妻小的男人娶我；我要詛咒住在哪裡的某某某……

主宰陰廟的鬼魂和陽廟的神佛不同，爲信衆實現願望時會要求回報。如果信衆沒有回到廟裡還願，實現許願時的承諾，鬼魂就會生氣，進而採取報復行爲。經常聽到廟主說，當上老大的黑道兄弟坐著黑頭賓士車，拿了一大疊鈔票到廟裡還願。祖父設置的神壇當然屬於陰廟。

中華商場的人都很高興，因爲如此一來，終於可以轉禍爲福了。祖父的狐仙不僅可以趕走之前在商場內肆虐的鬼魂，來參拜狐仙的香客在這裡花錢，對生意也或多或少能帶來幫助。點心世界沒有再發生餃子煮不熟的狀況，客人都豎起大拇指，對餃子店的味道讚不絕口。

祖母起初對丈夫在這種蠢事上散財唉聲嘆氣，小梅姑姑也基於相同的理由怒不可遏，但在黃健忠醫師那件事情之後，母女倆都主動協助神壇的營運。她們一有空就去打掃、賣線香和紙錢，揩油神壇的香油錢買漂亮衣服。神壇也差不多在這個時候被稱爲狐仙廟。

黃健忠是三軍總醫院的外科醫師，很愛狗，飼養了當時臺灣很少見的杜賓犬。那是在《六犬大盜》這部電影上映的幾年前發生的事，黃醫師的杜賓犬失蹤了，他六神無主地四處尋找，也請教了算命先生，求神拜佛尋找愛犬的下落。不知道他從哪兒得知了狐仙的事蹟，五月某個晴朗的星期一早晨，一臉憔悴的黃醫師突然上門。他兩眼都有很深的黑眼圈，垂頭喪氣。那是設置神壇後的兩、三年，所以是一九六九年到七〇年之間的事。

生性懶惰、剛好失業的明泉叔叔當時負責守神壇，聽明泉叔叔說，黃醫師明確發誓，只要能找到愛犬，他願意付十萬元酬謝。我父親當時當高中老師的月薪才五千元，十萬元的金額的確很誇張，只是對愛狗人士來說並不稀奇，黃醫師一定覺得是在爲被綁架的兒子支付贖款。

兩個月後的某天傍晚，黃醫師再度一臉憔悴地現身，這次腿上打了石膏，還拄著拐杖，在狐仙面前傾訴了很長的時間後，從懷裡拿出一個厚實的信封，遞給明泉叔叔。如果那天不是小梅姑姑剛好去神壇，明泉叔叔一定會暗槓那筆錢，我們也就無法得知這件事的眞相。小梅姑姑納悶不已，向黃醫師了解到底是怎麼回事。

「上次來拜了之後，我找到了我的狗，」黃醫師無力地攤開雙手，好像在向狐仙辯解，「我應該馬上來還願，但是工作太忙了。」

在黃醫師第一次來拜狐仙的五天後，杜賓犬和當初失蹤時一樣，又自己跑回來了。杜

賓犬步伐輕盈地衝進公寓，聽到管理員打招呼，「汪」了一聲作爲回應，搭上電梯，在十二樓走出電梯，按了自家門鈴。當黃醫師開門時，牠立刻撲了上去，舔遍他的臉。

「當時，我發自內心覺得太好了！沒想到會發生那種事……」

接下來的一個月，黃醫師和他的愛犬度過了平靜充實的時光，但在他家的廚房漏水之後，事態急轉直下。等前來修理的水電工離開，他發現狗又不見了。黃醫師內心感到極度不安，因爲誰都知道，那些水電工雖然做事勤快，但他們是外省人，而且是廣東人。

「你們是本省人嗎？」

「不，祖籍山東。」

「喔，山東嗎？」黃醫師對著小梅姑姑擺擺手，「那妳應該知道，管他多老實，廣東人就是廣東人！」

聽到黃醫師這麼說，小梅姑姑和明泉叔叔立刻心領神會。有一首打油詩是這麼說的：「廣東人怕饅頭，饅頭怕山東人，山東人怕狗，狗怕廣東人。」至於爲什麼會害怕？廣東人怕饅頭，是因爲他們吃不慣饅頭，但狗怕廣東人，是因爲廣東人會把狗吃了。

「當我趕去水電行，他們已經殺了我的狗，正在吃香肉火鍋。他們堅稱不是狗肉，但狗肉的味道絕對騙不了人！」

明泉叔叔點點頭，毫無顧忌地說，他以前在軍隊時也吃過，有一次還抓了附近的黃狗斃了煮來吃，至今仍然難以忘記當時的好滋味。黃醫師聽了，頓時痛哭失聲。

「既然這樣，爲什麼現在送錢過來？」小梅姑姑問了理所當然的疑問，「狗不是已經

死了嗎？」

「因爲之後衰事連連，」黃醫師用拐杖敲了敲右腳的石膏，「我的腿摔斷了，手術失敗，病人死了。我覺得最近實在諸事不順，就去找了一位高僧，高僧說，有狐靈附在我身上！」

祖父死後，狐仙廟拉下了鐵捲門，大門深鎖。

父親開了鎖，拉起鐵捲門，盤踞在神壇周圍的黑影見光後立刻散開了。風吹了進來，塵埃在白光中起舞，陳年蜘蛛網像煙霧般搖曳。

父親命令我和小戰徹底打掃。黑道兄弟都很虔誠，小戰專心一致地開始打掃。我們吸了大量帶著霉味的空氣，一起把狐仙廟的每個角落打掃得一乾二淨，虔誠地把色彩鮮艷的神壇擦得一塵不染，還燒了很多紙錢。

我們三個人把紙錢丟進冒著火杜的燒金桶，各自對祖父說話。爸爸，如果你在九泉之下被小鬼欺負，就用這些錢打點一下。這裡的一切都很好，不必擔心。爺爺，你可以用這些錢去地府的理容院，希望那裡有可愛的女鬼。葉爺爺，我是小戰，我也在追查凶手，如果有什麼消息，會告訴秋生。爸爸，我們都很好，明泉乖乖去中山北路的大廈當了管理員，小梅升上了主編。你知道宇文的手臂骨折的事吧？在手傷好之前不能出海，所以目前住在迪化街的店裡。爺爺，奶奶今天去龐奶奶家打麻將了，別擔心，我會陪著奶奶。南無阿彌陀佛，南無阿彌陀佛……

「好了，」父親神清氣爽地說，「我們拜完狐仙就回家。」

我們點了線香，對著神壇三拜九叩。

我很認眞地許願，如果可以將凶手繩之以法，我會洗心革面，用功讀書，考進好大學，成爲一個出色的大人。狐仙，拜託一定要讓凶手得到報應。如果我有朝一日變成有錢人，一定會建造一座像樣的廟，不讓狐仙委屈住在這麼狹小的地方。請狐仙保佑，請狐仙保佑！

和父親道別後，我和小戰去逛了中華商場的幾家唱片行。我買了六十分鐘的卡帶，把想要錄音的曲目寫在紙上，交給了根本不把客人當客人的店員。這種店家還提供從販售的唱片中挑選出喜愛的歌曲製作精選輯的服務，小戰一臉無聊地翻著唱片。

「還可以錄一首。」

穿著KISS合唱團T恤、態度傲慢的店員很不耐煩地等我挑選最後一首歌。他坐在收銀臺內，很想繼續吃剛才吃到一半的便當。我告訴他，要錄老鷹合唱團的〈Desperado〉，他挑起眉毛，用力點頭，用工整的字在最下方寫下了歌曲名。

離開唱片行後，我們在雨中的西門町閒逛，討論著到底要去看電影，還是去撞球，或是去玩最近流行的越獄大逃亡遊戲。遊樂場有許多體格精壯、叼著菸，圍在遊戲機前的小學生，一看到我們，就向我們要零錢。小戰走過去巴他們的頭，引來他們的不滿。眞善美劇院前，有一個斷腿的男人把香氣撲鼻的玉蘭花和芝蘭口香糖排在地上販售，聽說這些攤販背後都有黑道，會向他們抽頭。

小戰突然停下腳步，在小販前蹲了下來。我以爲他想吃口香糖，沒想到他隨便買了幾張愛國獎券，沒有向我解釋，又轉身走開了。

「喂，你幹麼買獎券？」

「助人爲樂啊，我經常向那個小販買東西。」

「但你從來沒有買過獎券吧？」

我們走向廣州街。

以前祖父曾經告訴我，狐仙只會助努力的人一臂之力。自己不努力，求神拜佛也無濟於事，因爲狐仙只會分享一丁點好運而已。

我認爲爺爺說的沒錯，我也差不多該用功讀書，準備考大學了。如果我不展現積極的態度，狐仙怎麼知道我許的願到底有幾分眞心？

「喂，」我突然想到一件事，忍不住問小戰，「你剛才許了什麼願？」

小戰不敢正眼看我，直視著前方。雨還在不停地下。

「你是不是許願要讓你中獎？」

「……」

「你來祭拜我爺爺，竟然想著胖子的車子！」

我和小戰在小南門道別，回到家後，躺在床上，仰望著天花板。

祖父的死或許沒有我想的那麼嚴重，每天都會發生不幸的死別，但人們仍然想要中獎，去看電影，聽唱片，關心失蹤的狗。

日子就是這麼過的。

我整理了散亂在書桌上的垃圾，難得打開了參考書。想用功讀書考大學，我所剩的時間已經不多了。

第四章　開著火鳥撞到鬼

小戰買的愛國獎券竟然中獎了，人生眞是難以預料。

放學後，我在等公車，一輛很囂張的橘色跑車快速駛來，輪胎發出刺耳噪音。車子直接朝我衝來，幸虧我及時後退，跳到人行道上，否則差點被撞到。跑車的後輪一撇，在距離我五公分的地方停了下來。

在公車站等車的學生全緊張不已，低沉而凶猛的引擎聲，彷彿是畫滿整個引擎蓋的那隻黑鳥在吼叫，銀色的水箱護罩不停震動。是和胖子相同的車款。

我把肩上的書包往地上用力一摔，瞪著駕駛座上的人影。開車的人必定和胖子一樣騷包。距離考大學只剩下不到兩個月，我知道這種時候不該惹是生非，但即使我不想惹麻煩，麻煩也會不看時機自動找上門。

我最近根本沒有招惹任何人。這兩個月來，我低調過日子，避免和任何人發生衝突。只要看到小太保，就馬上移開視線，整天埋頭讀參考書。制服的釦子每一個都按規定扣好，在公車上還禮讓座位給老人。我眞心打算遵守和狐仙之間的約定。

「喂！」

車上的男人叫了一聲，我握緊還留在手上的書包背帶。書包裡雖然沒有鐵尺刀，但裡面放了一本厚字典。車上的男人要是想找我麻煩，我就用書包甩他的臉。

「喂！」那個人從駕駛座探出身體，打開副駕駛座的門，沒想到竟然是趙戰雄。「秋生，上車啊。」

「你……這車是……」我看了看小戰，又看著車子，「和謝胖子的一模一樣……這輛車是怎麼回事？」

「我向胖子買的。」

「啊？」

「先上車吧，」我這個朋友不耐煩地招手，「上車再慢慢聊。」

我慌慌張張地上了車，小戰把排檔桿移到正確的位置，猛然用力踩下油門。引擎發出吼叫聲，排氣管噴著火，整輛車子簡直就像是一顆橘色子彈，五秒鐘就衝破了時速八十公里，我整個人被壓在副駕駛座的椅背上，慌忙尋找安全帶。

喔喔喔喔喔，太猛了啊！

擋風玻璃前方的街景像箭頭般越縮越小，路旁的杜鵑花接連飄舞起來，探頭目送我們離開的學生轉眼之間就被飛舞的花瓣淹沒了。

自從上次一起去祭拜祖父之後，我和小戰已經有兩個月沒見面。一問之下才知道，他當時買的每張十元的愛國獎券竟然中了三十萬。在我洗心革面、努力用功讀書的兩個月期間，他已經偷偷去了駕訓班。

「在報紙上看到中獎號碼時，我還懷疑自己看錯了！」小戰笑得合不攏嘴，「反正是天上掉下來的錢，所以要痛快地花完它。」

「你去叫胖子把車子賣給你嗎？」

「我問他哪裡可以買到這種車，他一臉不屑地問我：『你問這種事幹麼？就憑你這個小混混，混一輩子也買不起這種車。』所以我就從口袋裡拿出一大疊鈔票丟在他面前，直接用錢嗆他，你以爲我買不起嗎？眞想讓你看看那傢伙當時的嘴臉，簡直就像餓狗一樣，好像隨時會伸出舌頭流口水。他問我：『你哪來這些錢？』我回答說，關你屁事。他就以爲我當上了鷹哥的得力助手，馬上換上一張拍馬屁的臉，說如果我想要這輛車，他可以賣給我。」

「你花多少錢買的？」

「他一開始唬弄我，說要賣四十萬。」

「胖子已經開了兩年了啊。」

「所以我先確認了里程數，發現已經開了六萬公里，這樣最多只能賣十萬，他說：『小戰，這也太離譜了，你不知道這輛車嗎？它可是龐帝克火鳥啊。』聽他這麼說，我馬上知道那傢伙急著用錢，所以我就拚命殺價，最後以十四萬七千元成交了。」

「你不是中了三十萬嗎？剩下的錢呢？」

「我給了我媽十萬，她感激得幾乎把頭磕到我腳上了。」

「所以……」

「沒錯，」小戰露出滿臉笑容，「還剩下五萬多。」

「小戰，太棒了！」我發出歡呼聲，拍了儀表板，「我就知道你是狠角色！」

「叫我戰哥！」

「戰哥！」

小戰大笑，更加用力踩下油門，火鳥就像忠實的看門狗一樣吼叫著，令周圍的車子聞風喪膽。每次遇到紅燈，我們都想和旁邊車道上的車子尬車，但誰都不理我們。我們住臺北，並不是加州，根本不可能搖下車窗追女生。一旦這麼做，即使不至於挨揍，我們自己也會陷入嚴重的自我厭惡。更何況根本不會有女生坐上陌生男人的車子，所以我們連想都沒想。

畢竟那是一九七六年。

但車上的收音機可以接收到美軍電臺，火鳥沿途播放著海灘男孩的歡樂歌曲，穿梭在街頭。每次號誌燈轉綠，我們就立刻衝出去，大肆咒罵在後照鏡中越來越小的後方車輛，不時超越公車大按喇叭，然後在座椅上捧腹大笑。我們在中山北路上狂飆，在攤販忙著夜市開張的士林徘徊。

世界分成火鳥和火鳥以外的世界，我們在最前方奔馳。

街頭漸漸染上暮色，來往的車輛打開了車頭燈。我們避開下班車潮，將車子駛向郊外。當車流量變得稀少後，原本筆直的道路開始彎彎曲曲，最後來到了蜿蜒的坡道。小戰抱著方向盤，身體左右搖晃，和連續彎道奮鬥。

陽明山的杜鵑花已經謝了，我們感受到過度興奮後漸漸落寞的空虛。

「開慢點，你不要命了嗎？」

我不悅地說道，小戰順從地聽從了我的意見。空虛會傳染。

車子沿著坡道緩緩上升，如同隨著氣流飄浮的鳥。來到坡道頂端的停車場時，小戰對著臺北的夜景停下火鳥。周圍沒有其他車子，當他熄了車頭燈，晚開的杜鵑花也隱入了黑暗，只有街燈冷冷地浮現在擋風玻璃前方。眼下是一片車流、不斷變化的霓虹燈、大樓和夜市熱鬧的燈光，收音機中傳來我從來沒聽過的哀傷歌曲。

小戰點了菸。

「警察那裡有沒有消息？」

我搖了搖頭。

事件發生至今已經快一年了，父親起初還經常去警局打聽情況，但對總是虛應故事的周警官越來越不爽，終於不再抱希望。周警官只會說，這種事急不得，既然是仇殺，一定會找到凶手，目前偵查工作也有進展，即使凶手可以躲過法網，也騙不過閻羅王。這些話完全發揮不了安慰的作用，而且也藉此暗示偵查工作遇到了瓶頸。父親怒氣沖沖說，臺灣的警察就是這副德性，只會等被害人的幽靈出現在他們夢中，告訴他們誰是凶手。

「你不要露出那麼沮喪的表情，」小戰開朗地說，「我肚子餓了，老子有的是錢，我們去吃大餐。要不要去萬華『開查某』？你還是在室男吧？」

「你有沒有去向狐仙還願？」

「我都有向那個斷腿的男人買獎劵啊，那天又不是第一次買。」

「你的意思是說，和狐仙無關嗎？」

小戰聳了聳肩。

於是，我不僅加油添醋地說了黃健忠醫師的杜賓犬那件事，還搬出明泉叔叔的朋友來嚇唬他。明泉叔叔的朋友用愛國獎券中獎的獎金開了一家餐廳，沒想到他老婆勾搭上店裡的員工，偷了店裡的錢遠走高飛。

「這還只是小意思，去年還發生了一件事──」

我故意壓低嗓門，編了一個鬼故事繼續嚇唬他。「有一個男人來我家的狐仙廟許願，祈禱生意興隆，結果他的生意很快就步上軌道，數錢數到手軟，但他像你一樣，沒有去狐仙廟還願，你知道結果怎麼樣？他渾身長滿奇怪的疹子！怎樣的疹子？總之就是很噁心，不小心擠破會流出很臭的膿汁。他一直去榮總看病，但就是治不好。陳家的毛毛不是在榮總當護士嗎？大概是上個星期吧，她說那個人的疹子已經長滿了喉嚨深處，最後因為無法呼吸而送了命。」

不知道小戰是否覺得喉嚨不舒服，連續吞了好幾次口水。

「總之，運氣好的時候更要小心，千萬不要以為幸運是靠自己的能力得來的，必須隨時記住，到底是誰讓你得到這份幸福。」

趙戰雄亂了方寸，菸一口接著一口抽，似乎想要用菸燒掉喉嚨深處長出來的疹子。即使在黑暗中，我也知道他的眼神飄忽不定。看到他慌張的樣子，我都想緊緊抱住他了。他

頻頻看向身後，似乎很擔心狐仙來向他討債。小學三年級時，毛毛帶我和小戰去公共廁所，比我們大兩歲的毛毛把一頭長髮垂在臉前，用喉嚨深處擠出來的呻吟聲裝神弄鬼，我們嚇得半死，小戰的尿噴得像噴泉一樣。

「我問你，現在還來得及嗎？」他的聲音變了調，「我還沒說好要什麼時候去還願。」

「這要看你當初是怎麼許願的，」我用嚴厲的口吻說道，「你當初對狐仙說，如果願望實現，你會怎麼還願？」

「我說不管是裸奔或是叫我做什麼都可以。」

「啊！你竟然說叫你做什麼都可以？」

「怎、怎麼了……」

「既然這樣，可能不只要裸奔而已。」

「但已經過了兩個月啊。」

「既然這樣，那就等著瞧吧。」

「……」

「我想應該不會發生什麼事啦，」我聳聳肩，表示我有點在意，但既然你不想還願，我也拿你沒辦法，「這只是迷信啦，迷信，但不知道三十萬的不幸會是怎樣？有這麼一大筆錢，你的鷹哥應該願意去殺人吧？」

小戰渾身抖了一下，冷汗從臉頰流下來。照理說，我應該見好就收，卻還是忍不住

說：「聽說這種事眞的很靈驗。」

小戰放聲大笑，笑聲中帶著哭腔。他用顫抖的手發動引擎，悶不吭氣地回轉，駛向山下。

「你要去狐仙廟嗎？」

他緊閉雙唇，瞪著車頭燈照亮的柏油路，猛然轉動方向盤，用力咬著指甲。從他的表情可以發現，他把裸奔和三十萬元的不幸放在天秤上衡量後，終於知道後者嚴重多了。最後，他甚至開始唸著：「南無阿彌陀佛、南無阿彌陀佛。」

「我是開玩笑，開玩笑的啦。」我用拳頭輕捶他的肩膀，「不會發生什麼衰事啦，如果在中華商場裸奔，警察會來抓你喔！」

不光是狐仙，所有的牛鬼蛇神都折磨著小戰的靈魂，他根本聽不進我說的話。

來到蜿蜒山路的半山腰時，背後突然出現燈光。兩個車頭燈突如其來地映照在後視鏡中。

「來了！」小戰猛然跳了起來，車子開始蛇行，「媽的，眞的來了！」

「別緊張，只是車子而已！」我還不想這麼早死，大聲叫著，「我騙你的！我剛才說的都是騙你的！」

小戰抱著方向盤，前傾著身體開車，車子就像老時鐘的鐘擺一樣，在車道分隔線左右搖擺。

「拜託你鎭定一下！」

我轉頭看向後車窗，明亮的車頭燈衝破流動的霧靄衝了過來。引擎發出很大的聲音，下一剎那，後方那輛黑色車子就出現在我們旁邊，我看到了引擎蓋前方的賓士標誌。我以為只有有錢老頭才會開賓士，沒想到車速開得這麼快。

但是，現在不是欽佩別人的時候。我們和對方並排行駛，占滿了整個車道，而且相距不到十公分。我看向車速表，發現超過六十五公里。在這種山路上開這麼快，簡直就是自殺行為。撞車後飛向空中的F1賽車閃過我的眼前。那年八月，尼基．勞達在F1賽車中發生意外，全身燒傷，然而當時才五月，我當然無法預料到尼基．勞達即將面臨的噩運。

小戰害怕地鬆開踩油門的腳，火鳥慢慢落後，沒想到對方也放慢了速度，兩輛車子再度並行。

我揉著眼睛。如果我沒看錯，一個圓滾滾的眞人屁股探出那輛車的後方車窗。

賓士車的後車座露出一個眞人屁股行駛在山路上！

從副駕駛座探出腦袋的男人笑著對我們喊著什麼。雖然聽不到，但絕對不是什麼溫馨的內容。他露出為難的表情，伸手打向後車座車窗外的屁股，屁股扭動起來。那是如假包換的眞人屁股。當賓士車加速超越我們時，副駕駛座的男人哈哈大笑，向我們揮手道別。那個屁股優雅地從小戰的臉旁掃過，如果小戰想摸，伸手就可以摸到。

此舉惹惱了小戰。他瞪著眼睛，撇嘴咂舌，和前一刻還對黑暗感到惶惶然的那個小戰完全判若兩人。被鬼小看只能認衰，被人小看是可忍，孰不可忍！他全身充滿了鬥志，動作俐落地換了檔，用力踩下油門。引擎發出「轟」的巨響迅速轉動，車速表的紅色指針一

下子跳了起來。排氣管噴火，火鳥張開了火焰的翅膀。我的身體被壓在椅背上，車頭燈切換成遠光燈。火鳥燃燒著柏油路面，猛追在前方黑暗中若隱若現的紅色賓士車尾燈。

照理說應該是這樣。

我張大嘴巴，想要大喊：「開慢點，別追了，如果你非要去追，先讓我下車！」但實際說出口的卻是：「咦？怎麼回事？」

「幹恁娘！」小戰重新打檔，拚命踩著油門，「這輛破車是怎樣啊？」

無論怎麼威脅或是好言相勸，火鳥只是基於慣性緩緩向前滑動，完全不想展翅飛翔，最後終於完全停在山路正中央，無論主人怎麼打、怎麼罵，它就是悶不吭氣。

車頭燈內飄著白煙，車內的空氣尷尬到極點，簡直就像聽了完全沒有笑點的笑話，不知道該笑還是該生氣。我差點就讓小戰看到了內心的膽怯，所以故意逞強說：

「小戰，你在幹麼？他們走了啊！」

「少囉嗦！」他不是逞強，而是怒不可遏，「怪我嗎？啊？」

「不，我不是這個意思。」

「誰能忍受被那種傢伙看輕！」

「對啊，對啊。」除了附和，我還能做什麼？「去改造一下這輛車，讓速度變得更快！」

但我下次不會再坐你的車了。我把後半句話吞進肚子。

小戰踢開車門下車，掀起引擎蓋。白煙冒了出來，顛倒的黑色火鳥擋住了擋風玻璃。

我聽著小戰在引擎室內胡亂攪動的聲音，從副駕駛座的車窗仰望夜空。

雖然看不到月亮，但稜線遠方星星滿天。

我突然感到很懷念，莫名有一種想哭的衝動。我已經很久沒有這樣仰望星空了。

以前吃完晚餐後，我經常和祖父一起去植物園做運動，在那裡半蹲甩手，或是把腿架在鐵欄杆上拉筋，還有一項踢腿運動。我會脫下鞋子，抓住鐵欄杆踢腿。有一次踢得太猛，不小心用力踢到鐵欄杆，痛到倒在地上打滾，結果被祖父罵了一頓。我不是叫你要小心嗎？這怪不了別人，全都要怪你自己！雖然沒有去醫院，但我覺得左腳的小拇趾應該踢斷了。我的腳足足痛了好幾個月，連走路都有困難。祖父持續用治療跌打損傷的藥油擦我的腳，疼痛漸漸消失，也可以走路了，但現在左腳的小拇趾都無法順利彎曲。

當時，我忍痛仰望的夜空中，也有一顆星星在閃爍。

無能為力的事就是無能為力，不知道的事就是不知道，無法解決的問題就是無法解決，但只要忍耐，所發生的一切在我們內心就會漸漸不再疼痛，即使無法修復，也會深深埋進心裡，然後成為守護我們的瑰寶。

爺爺，對嗎？

「我認輸了，」小戰回到車上，「我看不出哪裡有問題。」

為了謹慎起見，他重新發動引擎，沒想到真的發動了。火鳥順從地抖動身體，似乎隨時準備飛翔。方向燈亮了，雨刷也可以活動。

我們忍不住面面相覷。

「我想……」

「別說出來！」

「因爲你剛才開太快了，所以狐仙保護了我們，」我分析給他聽，「因爲你是狐仙的囊中物。」

小戰咂了一下舌。

我們再度上路，開了沒多久，車頭燈照到散落一地的玻璃碎片，柏油路上的剎車痕跡衝向道路外，前方是一個斷崖。小戰小心謹愼地轉動方向盤，轉過連續彎道後，看到了路上的保險桿和輪胎的輪蓋，路面被油和沙子弄髒了。有剎車痕跡的彎道就在正上方，我們繼續放慢速度，緩緩駛過下一個彎道，又沿著下坡山道繞回來。開了一段路後，看到剛才那輛賓士像死魚般翻覆在路上。

小戰停車，我們走出車外，仰望沿著山坡而建的道路。山路像霜淇淋般勾勒出螺旋狀，通向山頂。

「在那裡。」小戰指著最初發現剎車痕的彎道，「從那裡像跌下樓梯一樣翻下來。」

我們茫然地站在那裡，雖然知道應該馬上去救他們，但從那麼高的地方摔下來，不可能還活著。想像到車內慘不忍睹的景象，就不敢走過去。

「我去叫救護車，你去看一下情況。」我下定決心說道。

「不，我去叫救護車，你去看情況。」小戰堅持不肯讓步，「你不會開車啊。」

我目送著火鳥迅速離去，忍不住擔心小戰是不是不會回來了。我走向翻覆車的方向，但隨即又停下腳步，在相同的地方走來走去。

「喂！」

我戰戰兢兢地叫了一聲，對自己充滿不安的聲音感到很受不了。我拋開雜念，跑向翻覆的賓士車。

「喂，你們沒事吧？」

的確慘不忍睹。

那輛車至少墜落三次，車軸彎了，車頂被壓扁，車窗粉碎，一扇也不剩下，車身就像被揉成一團的色紙，連馬路中央的分隔線都被磨掉，可以想像翻覆的車子嚴重往旁邊滑去。雖然撞到護欄停了下來，但連續彎道的山路上只有這裡設置護欄，臺北市政府到底在幹什麼啊？如果整條山路旁都設置護欄，這輛賓士就不會摔得這麼慘。所以我們無法相信市政府，更談不上尊敬。

汽油漏在柏油路上，旁邊的電線冒著火花。我曾經在電影中多次看過這樣的場景，知道這些火星將引燃汽油發生大爆炸。我伸手抓住冒著火星的電線，用力扯下來。火星掉在汽油上，但並沒有引燃，我的手甚至沒燙到。

「你們沒事吧？」

我趴在地上，對著車內問道。駕駛座和副駕駛座的男人頭朝下被車頂壓住，我用手肘敲掉剩下的車窗玻璃碎片，上半身鑽進車內，先把副駕駛座上的男人拉了出來。他剛才向

我揮手說再見或許並不是看不起我，而是為此生道別。

「你振作一點，救護車馬上就來了！」

血從男人的鼻孔流出來，摔車時到處碰撞的臉一片發黑，頭上也流著血。我把他拖離地上那灘汽油，讓他躺在地上。他沒有意識，可能撞到了頭，所以最好不要隨便移動。

我又回到車輛旁，從後座把露出屁股的男人拉出來。他是一個長相粗獷的年輕人，大約二十五歲左右，褲子脫到膝蓋，露出的屁股奇蹟似的毫髮無傷。他痛苦地皺著整張臉，意識也不清楚，但還活著，而且還有呼吸，我鬆了一口氣。他半夢半醒地微張著眼，口齒不清地說：「別鬧了，不要在這裡拿出來，趕快藏起來！」我罵他：「你這個蠢貨，趕快把屁股藏起來。」然後把他拖到第一個男人那裡。

我繞到駕駛座旁，摔出車外的女人趴倒在路旁。我跑過去時，她緩緩坐了起來。因為她低著頭，所以瀏海遮住了她的臉。她留著西瓜皮，後頸的髮際理得很短。

「喂！妳沒事吧！」

女人抬起頭，美得讓我大吃一驚。時間彷彿暫停了，我看著她出了神，一時忘記自己在幹什麼了。她臉色鐵青，車禍造成的衝擊讓她的一雙大眼睛變得空洞。她穿了一件水藍色短袖洋裝，肩膀的位置像白雪公主的禮服般蓬了起來，胸前沾滿了血。

「妳受傷了嗎？」我扶著她的背，「救護車馬上就來了，妳再撐一下。」

她茫然注視我的雙眼終於聚焦，輕輕點了點頭，我也對她點點頭，急忙爬向駕駛座。

「喂，振作點！」

無人回應。

我把頭伸進車內，忍不住倒吸了一口氣，一大片玻璃刺進了司機張開的眼睛，他的脖子扭成奇怪的角度。雖然是因爲頭朝下被車頂壓住的關係，但扣除這個因素，他的脖子顯然已經斷了。

我察覺到背後有動靜，發現身穿水藍色洋裝的女子，雙手撐在地上向車內張望。

「妳不要看。」我立刻擋住她的視線，遮住駕駛座，「妳還可以走嗎？」

女人微微偏著頭，似乎聽不懂我在說什麼。這時，我隱約感覺到哪裡不太對勁，並很快就察覺了原因。她看起來和我差不多年紀，留著標準的西瓜皮，簡直和畫在學生手冊上的女學生一模一樣，所以一定是高中生。無論怎麼看，她都不像是會坐這些人的車子夜遊的女生，而且她身上的衣服就像是以前的人，差不多是我媽媽那一代的人出門做客時穿的衣服，腳上穿了一雙現在沒有人穿的黑色皮鞋，白色蕾絲襪在腳踝的地方向下反摺。

我扶著她站起來，發現她纖細手腕上的手錶破了。她的手相當冰冷，我指著兩名傷者躺著的位置，想要請她去那裡等，就在這時，車頭燈光照了過來。

火鳥沿途按著喇叭，駛到我面前停了下來。

「秋生，沒事吧？」小戰踢開車門衝下來，「救護車馬上就來了！所有的人都救出來了嗎？」

我摟著女生的肩膀，咬著嘴唇，費力地搖了搖頭。

「幾個人受傷？」

「四個人。」

小戰伸長脖子，看著並排躺在地上的兩個人。

「所以還有兩個人在車上嗎？」

「不，」我眨了眨眼，「只有一個人。」

「你不是說，有四個人受傷嗎？」

「不是四個人嗎？」

我們互看著。

「那裡躺了兩個人，」小戰指著傷者，露出不悅的表情，「所以車上還有兩個人，不是嗎？」

「只有一個人啊。」

「這樣不是只有三個人嗎？」

「啊？」我很不耐煩，「這裡不是還有一個女生嗎？」

「女生？」小戰東張西望，然後惡狠狠地說，「你別鬧了！」

「怎麼？你……？」

「幹麼整我啊？」

「你眞的看不到嗎？」我看了看站在我身旁的女生，然後瞪著小戰，「雖然她站著，但她也受傷了啊。」

小戰瞪大眼睛，發出尖叫聲，拳頭揮向我。

「王八蛋，你在搞什麼啊？這種時候開什麼玩笑？」

我的下巴挨了一拳，生氣地踢向他的肚子。我們相互叫罵著，扭打了一陣子。

「小戰，別鬧了！你到底怎麼了？」

「我才想叫你別鬧了！整我就這麼好玩嗎？啊？」

「你在說什麼啊？我哪有整你！」

「根本沒有女人啊！女人在哪？」

我轉頭看向女人剛才站的位置，立刻說不出話。水藍色洋裝好像煙霧般，消失得無影無蹤。

「咦？奇怪，剛才還在啊。」

「你夠了沒？這樣嚇我有這麼好玩嗎？」

小戰吐出混著血絲的口水，得意地挺起胸膛，直到我對他說：

「啊，看到了，看到了，她不是坐在你車上嗎？」

他抖了一下，全身緊繃起來，僵硬地轉頭看向火鳥。

那個女生坐在火鳥的後座，她像牡丹般美麗，發出藍白色的磷光。

幾秒鐘過去了，小戰發出彷彿全身的血液冰凍般的驚恐慘叫打破寂靜，簡直就像有一把冰冷的刀子刺進身體，觸碰到心臟。他用比剛才用力好幾倍的拳頭打過來。

「少騙我！」小戰揮著拳頭，幾乎哭著說，「我才不會上你的當！」

「你夠了沒！」我只能被迫應戰，「至少先把她送去醫院啊！」

「嗚啊啊啊啊！」他好像發了瘋似的撲過來，把我按倒在地，然後騎在我身上，大聲尖叫，同時揮拳打向我的鼻子。「怎麼可能有鬼！怎麼可能有鬼！」

我從來不知道小戰這麼會打架，我巧妙地用腳把他踹下來，然後騎在他身上揍他。當我們扭打成一團時，聽到了救護車的聲音。救護員上前勸架時，我和小戰都已經頭破血流，鼻青臉腫，救護員以為我們發生車禍受了傷，差點把我們推上救護車。

「有幾個人受傷？」

救護員問道，我立刻回答：「四個人。」小戰也同時回答：「三個人。」

「王八蛋，你還在亂說話！」被救護員從背後架住的小戰像鬥牛般撲了過來，「你也一起去醫院檢查一下腦袋！」

「你說什麼！」

我掙脫救護員的手，朝他的左眼用力揮了一拳，留下一個好一陣子都消不了的瘀青。

警局因為這件事，表揚我們「英勇救人」，還頒給我們獎狀和紀念原子筆。

之後，新聞報導了當天晚上的車禍造成了三人傷亡，但我不相信。臺灣的電視臺都是國營的，只有小戰這種傻瓜才會對國營電視臺的報導照單全收。

第五章 她傳遞的訊息

在陽明山遇到車禍的兩星期後的某一天，我在小南門看到了小戰的車子。那輛橘色火鳥沒有熄火，停在一輛車斗上裝滿水果的小貨車旁。

走近一看，只聽到身穿白色三件式西裝的謝胖子正在向水果攤販殺價，完全不見小戰的身影。我假裝和水果攤販阿九養的九官鳥說話，豎起耳朵聽他們說話。

「我從來沒看過水果攤的木瓜賣這麼貴，」胖子正在找小南門一帶的老實人阿九的麻煩，「好吧，那這樣好了，我也不殺你的價了，你再送我兩顆芒果。」

這就叫做厚顏無恥。芒果比木瓜貴多了，買木瓜要求送芒果，簡直就像買雞蛋要求別人送雞。胖子盛氣凌人地對著低聲下氣的阿九吆喝著，不知羞恥地提出非分的要求，甚至還要求試吃。他看到我正在教九官鳥說：「中華民國萬歲！」突然跑來教訓我：

「喂！不要教九官鳥這種話！就因為有你這種人，所以全臺灣的九官鳥都在喊『中華民國萬歲！』你腦袋有病嗎？還有，看到長輩要打招呼！」

反正這個人就是臉皮厚，我叫了一聲「胖子叔叔」，向他鞠了一躬。

「明泉最近在忙什麼？」

胖子從西裝胸前口袋拿出梳子，梳著抹了髮油而發亮的頭髮。黝黑的臉和潔白的牙齒看了就令人作嘔，而且渾身散發出濃烈的香水味。他八成要去泡妞。

「他很好啊，」我回答說，「他在中山北路當大樓管理員。」

「最近有沒有新的錄影帶？」

他問的是明泉叔叔珍藏的A片，我立刻回答「不知道什麼錄影帶」。如果不小心說溜嘴，胖子一定會告訴明泉叔叔，明泉叔叔肯定會向我爸告狀。我已經滿十八歲了，即使被知道也不會怎樣，但就是不希望父母知道我關於性方面的知識，萬一被人以為我在性癖好上和胖子所見略同，那可眞是衰到家了。

明泉叔叔有一臺當時很昂貴的VHS錄影機，宇文叔叔在七大海域航行的同時，為他蒐集各種A片，所以明泉叔叔的收藏品無論數量還是品質，以及從文化人類學多樣性的觀點來衡量，都値得刮目相看。如果海關查到那些A片就會被抓，所以宇文叔叔每次都冒著生命危險為他帶A片。

「你見到明泉，叫他和我聯絡。」胖子梳完了頭，看著水果小貨車車門旁的鏡子確認自己的帥樣，「你在這裡幹麼？」

「啊？」

「啊？」他惹人厭地模仿我的語氣，「啊什麼啊？你不是快要考大學了嗎？還不趕快回家讀書？」

「喔，不是啦，因為我看到小戰的車子停在這裡。」

「這是我的車子，王八蛋。」

「啊？但是……」

「我又向他買回來了，你有意見嗎？」我垂下眼睛，胖子嘴角上揚，「聽說你們開著我的車救了人？」

「是啊，」我挺起胸膛，害羞地抓著頭，「我們只是做了該做的事。」

「幹！座椅上都是血，他媽的，你們要怎麼賠我？」

九官鳥被他的罵聲嚇到了，拚命喊著：「中華民國萬歲！中華民國萬歲！」

我驚訝地張大了嘴，胖子斜眼瞥著我，從白色長褲屁股後方的口袋裡拿出鱷魚皮夾，把錢塞給阿九後，搶走了裝了木瓜和芒果的塑膠袋，甚至沒說一句道謝的話。然後，他改變語氣問我：

「趙戰雄為什麼突然想賣車？是不是把車子弄壞了？」

「不，應該沒有。」

我瞥了一眼又重回胖子手上的火鳥。雖然不是我的錯，但還是覺得有點對不起小戰，想必他以為這輛車被女鬼纏上了。擋風玻璃反射著耀眼的陽光，即使張大眼睛，在昏暗的車內也找不到人影，我不禁有點寂寞。

「算了，」胖子咂了一下嘴，把水果丟進車子，「也要謝謝他讓我賺了一筆。」

「你用多少錢向他買回來的？」

「問得好！」胖子得意地笑了起來，豎起右手大拇指和小拇指，彎著的三根手指上戴

了兩個很粗的金戒指，「這個數字、這個數字。」

「六萬？」我瞪大眼睛，「真的假的？」

「王八蛋，看來你知道我賣他多少錢。沒錯，我的車子借那個傻瓜一個月，就賺了八萬七千元。」然後他壓低嗓門，似乎不願被阿九聽到，「那個王八蛋最近出手很大方，是不是在高鷹翔手下發達了？」

「他好像混得不錯啊，聽說已經殺了一、兩個人。」我隨便唬弄胖子，胖子大罵我是騙子。

「臭小子，你要我嗎？那個王八蛋敢殺人，這個賣水果的也可以殺人了！」

雖然他嘴上這麼說，但似乎也不敢完全排除這種可能性，所以拚命眨著眼睛。我猜想這點應該是胖子的痛處。他不甘當個小人物，卻又成不了大器，難怪整天心情都不好。

「媽的，我才沒有閒工夫和你在這裡耗！」

胖子匆匆跳上火鳥，一溜煙逃走了。

老實人阿九忍不住嘆氣。

我感覺到身後有動靜，正在指尖轉動的原子筆滑掉了。

原子筆在筆記本上彈跳了一下，掉在書桌上，發出刺耳的聲音。放在地上的錄音機傳來〈Desperado〉的間奏，桌子上發出滴答聲響的鬧鐘即將指向凌晨兩點，也就是說，我已經用功讀書整整四個小時。

我原本正在做模擬試題，抬頭看向背後，房門關著，電風扇規律地搖著頭，發出低沉的噪音。房間另一側的書架躲在黑暗中，緊緊貼著牆壁。三更半夜，家中寂靜無聲，根本沒有東西會分散我的注意力。

黑暗中，只有檯燈照亮的書桌周圍一片光明，彷彿是這個宇宙唯一的希望。

我用力伸著懶腰，再度低頭準備做模擬試題，卻無法順利集中已經渙散的注意力。不管再怎麼絞盡腦汁，正確答案就像怯懦的小孩一樣躲著不敢出來見人，只有呵欠和屁頻頻出來放風。

雖然才五月中旬，但這一陣子無論白天晚上的氣溫都超過三十度，五月沒有人開冷氣，所以我也打開窗戶透氣。夜晚的空氣很沉重，溼答答的，遠處傳來狗叫聲，就連狗叫的聲音似乎也滲著汗。

不一會兒，老鷹合唱團的歌靜靜終了，我覺得時間差不多了，決定今晚到此結束。我闔上學習評量，把筆丟到一旁，然後伸手準備關掉錄音機。錄音機靜靜捲動沒有錄到歌曲的空白部分，在錄音帶轉動的沙沙聲中，夾雜著「啪嗤、啪嗤」的雜音，下一秒，一個女人的聲音震撼了喇叭。「葉秋生，救命，救救我！」

我嚇得差一點從椅子上跌落，當錄音帶捲到底，播放鍵自動跳起時，我又嚇了一跳。窗簾無聲地飄動，檯燈的燈光像蠟燭般晃動。一陣寒氣貫穿身體，窗外吹來一絲溫熱的夜風，我卻感到寒冷刺骨。

有東西在我背後移動，我整個人僵在那裡，屏氣斂息，全神貫注，那絕不是我的心理

作用。我聽到了窸窸窣窣，好像衣服摩擦般的聲音。有什麼東西在我房間裡！

我用力吞著口水，只有眼珠子左右移動。之所以沒有回頭，是因爲我不想刺激長舌頭可能垂到胸前的那個東西。這時，一陣陰風吹在我的脖子上，我渾身汗毛倒豎，忍不住回頭看。

「哇！」

我雙腳一踢，這次眞的連同椅子一起翻倒了。房間內響起哐噹巨響，我的後腦杓用力撞到了書桌。

「嗚哇嗚哇嗚哇嗚哇……」

「在幹麼啊？吵死了。」父親的怒罵聲從後方房間傳來，我根本無暇理會。

那傢伙在影子搖晃的黑暗深處。

我瞇起剛才太用功讀書的眼睛，發自內心希望只是自己的心理作用，但檯燈的燈光放大了牠邪惡的影子，讓牠看起來比實際大好幾倍。牠停在牆上一動也不動，只是緩緩移動觸角，觀察我的動靜。

「出、出現了！」我驚慌失措地大叫，「蟑螂！蟑螂！」

巨大的影子抖動著身體，下一剎那，宛如開花般張開了黑色的翅膀。

「嗚哇啊啊啊啊！」

牠直直地撲向我。

「別、別過來！」我在房間內抱頭鼠竄，「奶奶！奶奶！」

蟑螂被逼入絕境就會飛起來，背水一戰的蟑螂絕對不會退縮，通常都像日本零式戰機一樣展開特攻。

「奶奶！奶奶！」

走廊上傳來啪答啪答的腳步聲，房門用力推開，拿著拖鞋的祖母衝了進來。

「那裡！」我伸出食指，在虛空中胡亂指著，「那裡啦！就在那裡、那裡！」

穿著小碎花睡衣的祖母雙眼發亮，拖鞋一閃。沒中。蟑螂像梅塞施密特戰機般在滿頭髮捲的祖母頭上盤旋，矮小的祖母趁牠進入低空飛行時出手。拖鞋一閃，接著又一閃。祖母咂著嘴，蟑螂準備在牆壁迫降，祖母搶先把拖鞋甩了過去，蟑螂一轉身，再度飛向空中，朝我飛來，我只能像狗一樣爬到房間的角落。

祖母的銳利雙眼就像把敵機鎖定在十字線正中央的王牌飛行員，如果祖母去開戰機，令人聯想到她一頭銀髮的美麗愛機上，一定有好幾排象徵她擊落敵機數量的星星。敵人將對祖母心生畏懼，爲她取一個類似「白銀貴婦」之類的綽號。

拖鞋發出好幾次呼嘯聲，白銀貴婦終於逮住了牠。啪答聲在房間內產生了回音，前一刻還在房間內嗡嗡飛舞的蟑螂噴著黑煙墜落了。衆所周知，蟑螂沒這麼容易被打死，祖母立刻趴在地上，對著想要逃去書架下的黑影一陣猛打，終於把牠打扁了。

「打死了嗎？奶奶，有沒有打死？」

「少囉嗦！」祖母把拖鞋塞到我面前，「這種東西有什麼好怕的？你這孩子笨得像豬一樣！我已經打死牠了，沒什麼好害怕的！」

祖母走回自己的房間，我把她的嘮叨也一起關在門外。

我用面紙把蟑螂屍體包起來，丟進垃圾桶，躺在床上看著天花板。臺灣有很多缺點和不足，而蟑螂堪稱討厭之最。接下來天氣越來越熱，恐怕不得不常常和牠們打照面，我曾經親眼看過咬著花生的超猛蟑螂。雖然才剛爲世界除害，消滅了一隻蟑螂，不知道爲什麼，心裡仍然不太痛快。

我突然想到了，撲向錄音機。

我把錄音帶倒帶後，小心翼翼地按下播放鍵，豎起耳朵等待。老鷹合唱團的歌曲播完，空白錄音帶一直轉到最後，播放鍵自動跳了起來。

什麼都沒聽到。

我又試了一次，然後又試了一次，還是什麼都沒聽到，那天晚上就上床睡覺了。

但是，這件事只是開端。

接著是在學校的廁所。我在上課時想上廁所，衝進了廁所的隔間，當我拉出衛生紙準備擦屁股時，發現上面用鮮紅的字寫著「葉秋生，救救我」。

我差點大叫，但拚命忍住，用寫了字的衛生紙擦完屁股，然後沖掉了。鬼（如果這個世界上眞的有鬼）和黑道一樣，一旦被盯上，就會一輩子陰魂不散。我唯一能做的，就是用毅然的態度拒絕他們的要求。

我在深夜用功時，發現參考書的角落出現了紅點。我有一種不祥的預感，翻開下一

頁，發現相同的位置也有紅點，下下一頁、下下下一頁都有。紅點的形狀略有不同，但每一頁上都有。我迅速翻動書頁角落，發現紅點按照動畫的原理逐漸改變形狀，再度變成了「葉秋生，救救我！」這句話。

「不可能，不可能，這個世界上哪有鬼，」我這麼告訴自己，「拜託，別再來煩我！」

很多人都知道，阿婆能通靈。某個星期三傍晚，我路過阿婆的店門口時，阿婆突然衝了出來，用力抓住我的手臂，然後明確告訴我：

「你愛去救伊。」

我愕然不已。就像上次預言我和雷威用鐵尺刀打架那件事一樣，平時我根本聽不懂阿婆在說什麼，但這時候可以明確聽懂她說的每一字、每一句。

「千萬嘸通嘸插洨彼個查某囡仔。」

千萬不要不理那個女生？我嚇得眼珠子都快蹦出來了。阿婆到底在說誰？

「伊不是欲找你麻煩，」阿婆滿是皺紋的臉通紅，看起來像八十歲左右的老太太，也就是說，她看起來比實際年紀年輕了二十歲，「伊希望你鬥腳手，嘛想欲幫助你。」

我哇哇大叫著跑了起來。沒錯，就像五歲的那一天。

阿婆明確說是「女生」。也就是說，糾纏我的鬼魂（假設這個世界上眞的有鬼魂存在的話）是女的？我完全不知道什麼時候惹鬼上身，如果眞有這回事，我只能想到上次車禍時那個穿洋裝的女生。但她不可能是鬼魂，因爲這個世界上根本就沒有鬼，所以她當然不

會是鬼！

五月結束，進入六月後，整個城市都在對我說：「救救我！」那個女生的訊息會突然出現在公車標示目的地的牌子上和電影字幕中，或是從電視新聞的主播口中說出來，甚至出現在擦身而過的女生的愉快閒聊中。夜晚的高樓窗戶上會亮起「救救我」形狀的燈，我簡直快發瘋了。我猜想不久之後，候鳥就會在空中排成「HELP」的字樣。

光是這樣就已經夠可怕了，那個女生每次要求「救救我」時，我家的蟑螂就會氾濫成災。氾濫成災這幾個字還不足以形容災情有多麼慘重，我家的蟑螂源源不絕，簡直就像沙烏地阿拉伯取之不盡的石油。家裡的每個角落都有蟑螂冒出來，一隻變成十隻，十隻變成一百隻，一百隻變成一千隻——雖然這麼說可能有點誇張，但牠們好像按照「蟑螂會」般的方式（如果世界上除了老鼠會，還有蟑螂會的話）增加。即使阿婆所說是眞，她也想要幫助我，我恐怕在得到她的幫助前就會發瘋。

在連續下了三天雨之後的某天晚上，書架下面再度傳來詭異的動靜。一定又是牠們。因爲吃晚餐時，母親不小心打翻了醬油，鬼魂再度透過醬油污漬傳達了她的要求。

我立刻抓起特地放在隨手可以拿到的位置的殺蟲劑，在地上用力噴了一圈。詭異的動靜停止，接著聽到蟑螂在書架下痛苦掙扎的聲音。我渾身發抖，聽聲音，應該不只一隻蟑螂在垂死掙扎，簡直就像被丟了炸彈，街道被燒成一片荒野，傷者的呻吟此起彼落。窸窸窣窣、淅淅沙沙，牠們長滿黑刺的腳正在張牙舞爪，垂死掙扎。

「去死！」

我把殺蟲劑的噴射口伸進書架下方的黑暗，用死亡噴霧對著牠們足足噴了一分鐘。想必其中一隻勇氣十足的蟑螂對著衆蟑螂大叫：「即使留在這裡，也是死路一條。幹恁娘，衝啊！」

試圖起死回生的蟑螂大軍宛如怒濤般爬出書架下方，像洪水般爬滿了整個地上。

「啊哇啊哇啊哇啊哇！」我猛然跳上椅子，「奶、奶……奶奶、奶奶！奶奶！」

一隻大蟑螂飛到握著拖鞋衝進房間的祖母臉上，祖母徒手抓住了牠，把牠撕成兩半，丟在地上。白銀貴婦雖然痛罵孫子沒出息，但我無法不愛我的祖母，她趴在地上的英姿宛如老虎揮拳，毫不留情地打死一隻又一隻蟑螂。

「奶奶，那裡！後面也有！牆壁，牆壁！啊，逃到書架後面去了！」

我的房間頓時變成了屍橫遍野的地獄，斷裂的翅膀、掉落的腳、從擠扁的黑色身體擠出的白色黏液。不一會兒，英勇作戰的祖母動作慢了下來，斜眼看著走投無路的傷殘蟑螂，伸著懶腰，揉揉自己的肩膀。

「奶奶，還有啊！」我哀求著，「妳幫我統統打死啦，不然我睡不著！」

「打不完啊！」

「聽說如果現在不斷盡殺絕，以後會有更大的災情！」

我說的話聽起來像是把殘酷的戰爭正當化，但祖母充耳不聞，俐落地清理戰場。

「多到掃不完」這句話用在此刻眞是太貼切了，總共掃了五畚箕，才終於把蟑螂的屍

體完全清乾淨。我跳下椅子，想要逮住爬去床底下的蟑螂，腳底一滑跌倒了。蟑螂的油脂讓地板變得油油亮亮，好像剛打過蠟。

此時電話鈴聲響起，祖母粗暴地對我揚了揚下巴，「你這個不中用的東西，接電話總沒問題吧？」

我茫然若失地抱著電話。

「你好，這裡是葉家。」

「秋生嗎？」一聽就知道是國際電話的雜音中，傳來斷斷續續的聲音，「明泉有沒有去家裡？」

「他沒來。」

「怎麼了？你聽起來好像沒精神，發生什麼事了嗎？」

「剛才在打蟑螂，」我調整呼吸後回答，「宇文叔叔，你人在哪裡？」

「廣島。」

「你找明泉叔叔有什麼事？」

「他不在就算了。」聽到他警戒的聲音，我立刻想到，一定和A片有關。「家裡沒大人嗎？」

「爸爸和媽媽去看電影了，奶奶在家，但現在很忙。」

「她在忙什麼？」

「在清理打死的蟑螂，」我說，「最近家裡蟑螂超多。」

「有這麼多嗎？」

「眞想讓你看看。」

宇文叔叔沉默片刻，接著叫了一個船員同事的名字，聊了幾句後說「那就拜託你了」，然後又拿起電話。

「明天我有一個同事要下船回臺灣，我讓他帶一些日本的蟑螂屋回去。」

日本的蟑螂屋？我在內心感到納悶。臺灣也有蟑螂屋，臺灣的蟑螂屋是透明的塑膠盒，裡面好像迷宮一樣。蟑螂被放在終點的誘餌吸引，不小心踏進塑膠盒，就永遠別想再走出來。只要去遠東百貨附近，路邊攤販在叫賣的時候，都會秀出裝滿蟑螂的蟑螂屋給客人看。雖然我不太了解日本，但論蟑螂，一定是臺灣的更正宗。我家的蟑螂全是在臺北土生土長，日本的蟑螂屋有辦法對付道地的臺北蟑螂嗎？

太可笑了！

我的冷笑似乎透過電話線穿越大海，傳到廣島。宇文叔叔說：

「死馬當成活馬醫，反正試試看嘛。我看了電視廣告，據說是劃時代的商品。」

於是，五天之後，「恢恢蟑螂屋」就送到了我家。

那是用硬紙板做成的蟑螂長屋，底部塗了黏膠，腦袋空空的蟑螂被誘餌的味道吸引而誤闖禁區後，就會被黏住，想逃也逃不掉。長屋的牆上還畫了可愛的蟑螂，宇文叔叔說的沒錯，的確是劃時代的商品。臺灣的蟑螂屋是塑膠製，必須自己動手把蟑螂打死，然後洗

乾淨後重複使用，但「恢恢」是紙做的，當擠滿蟑螂後，只要隨手丟進垃圾桶就好。太棒了！完全不會髒手。日本人眞是太聰明了。我有一種預感，一九八〇年代將會進入一個免洗時代。

送「恢恢」來家裡的是一個體格強壯的年輕人，手臂上有大力水手的刺青，原本要和宇文叔叔一起去阿拉斯加，但在廣島接獲通知，他太太早產。剛好海運公司的另一艘船要在廣島靠岸後回臺灣，於是他就搭順風船回臺灣了。

「我沒有走海關，偷偷溜進來的。」他告訴爲他倒茶的祖母，「等我老婆的身體稍微穩定一點，再搭其他船去和宇文哥會合。」

那天晚上，我半信半疑地把蟑螂屋放在蟑螂頻繁出沒的各個位置，結果第二天早晨，我被母親的尖叫聲吵醒了。

我衝過去一看，發現我放的四個「恢恢」都盛況空前地擠滿了蟑螂，塗了黏膠的底部已經毫無立錐之地，無論是屋頂還是牆壁，整個「恢恢」都擠滿了蟑螂，而且疊了一層又一層。喂，不要插隊，我們從昨天晚上就開始排隊了！暴躁的蟑螂不顧前面蟑螂的抗議，把牠們推開、踢開，拚了命想要鑽進去。

牠們挪動著噁心的觸角，嘎嘰嘎嘰地抓著彼此的黑色身體。無法擠進「恢恢」的蟑螂大排長龍，穿越客廳，從門縫下鑽了出去。聽水果攤販老實人阿九說，蟑螂的隊伍一直排到過了廣州街的小南門。

「這要怎麼處理？」母親責備我，「不能就這樣丟進垃圾桶啊。」

「媽，妳不是敢碰蟑螂嗎？想辦法處理啊。」

我們害怕不已，愣在那裡，父親走了過來，低頭看著擠滿蟑螂的「恢恢」。

「這要怎麼處理？不能直接丟進垃圾桶。」

我偷瞄著母親，她露出可怕的神情瞪著我。

蟑螂開始推擠「恢恢」，「恢恢」的窗戶伸出許多黑色鋸齒狀的蟑螂腳，簡直就像劍橋大學划船社在划船般，推著「恢恢」前進。「恢恢」動了起來。

我和父母都不知所措，祖母大步走過來，推開父親說：「走開！」伸手抓起已經擠滿蟑螂的「恢恢」。她把我前一天晚上放的四個「恢恢」都撿了起來，即使蟑螂爬上她的手，她也毫不在意。她把四個「恢恢」丟進放在庭院的燒金桶，從廚房拿了炒菜的沙拉油，咕咚咕咚倒了進去。養在庭院的雞都好奇地圍上來，祖母點火柴時，臉上露出電影中殺手般的冷笑。

「轟」的一聲，燒金桶冒出火柱。

我聽到了蟑螂被燒死時發出的慘叫，這當然是我的想像。牠們的身體發出劈劈啪啪的爆裂聲，燒金桶內傳來牠們垂死掙扎的聲音。幾隻身上著火的蟑螂逃了出來，雞看起來都很生氣。父親和母親擔心著火，一隻一隻踩死牠們。燒蟑螂的味道有點像麵粉，像阿婆的店賣的那種高級麵粉的濃醇味道。

「你要看多久？」祖母大聲喝斥我，「趕快收拾一下去上學了，如果考不上大學，這次真的要送你去軍校。」

誰都不可能想到，謝胖子成爲壓垮駱駝的最後一根稻草。

那天的氣溫超過三十五度，我和明泉叔叔一起吃剉冰。大王椰子樹的葉子一動也不動，冰店門口的野狗垂著舌頭，睡得好像死了一樣。

我看著野狗，忍不住打了一個大呵欠。

「你熬夜用功嗎？」明泉叔叔問，「對喔，你下個月就要考試了。」

我不置可否地點點頭，用鐵湯匙把甜甜的芋頭送進嘴裡。

「你的黑眼圈好重，別太拚了。」

我的確熬了夜，但並不是一整晚都在讀書。昨天晚上我在做模擬試題，原本以爲自己寫了正確答案，沒想到發現解答欄竟然寫滿了「葉秋生，救救我」。我驚愕不已，膽戰心驚等到天亮，不知道蟑螂什麼時候會出現。

小孩子在幻景晃動的小巷內玩壘球，每個小孩都和我以前一樣，曬得像黑炭一樣烏漆抹黑。投手用力丟橡膠球，打者徒手抄起球打回去。一陣巨大的歡呼聲。橡膠球勾勒出拋物線，飛向夏日的天空，沒想到噩運等在前方。

那些孩子頓時緊張起來。那是我也很熟悉的緊張感。

胖子今天可能沒有約會，所以打著赤膊，穿著短褲和拖鞋，一副邋遢樣。因爲天氣太熱的關係，一看就知道他的心情很差。他啃著手上的甘蔗，簡直像在對待殺父仇人般用力嚼動，然後把甘蔗渣吐得滿地都是。臺北的街頭被像他一樣的傢伙吐滿了甘蔗渣、檳榔汁

還布滿狗屎，幾乎連走路的地方都沒了。胖子向來覺得如果不毀了別人的一天，自己的一天就毀了，所以理所當然地把滾向自己的球踢飛了出去。

「胖子，你幹麼！」那些孩子像我們以前一樣叫囂著，「媽的！你要怎麼賠我們的球！把球還給我們！」

胖子也和以前一樣，一個勁地笑。

「喂，不是還有一個嗎？」其中一個孩子小心翼翼地說，「那個球不要也被他踢掉了。」

胖子雙眼發亮，丟下甘蔗，猛然跑了起來。那幾個孩子還沒有反應過來，他就用盡渾身的力氣，朝向路旁的另一顆球用力一踢。

咕咚！坐在冰店裡的我也聽到了那陣悶響。

身體前傾的胖子跌在滾燙的柏油路上，幾個孩子大聲歡呼起來。那顆球還在原地，但胖子的拖鞋飛走了。

「活該！」幾個孩子圍著痛得滿地打滾的胖子，「不要以為我們會乖乖被你欺負，你這個死胖子！」

胖子的慘叫聲響徹整條廣州街。

明泉叔叔慌忙衝過去，那幾個孩子大笑著逃走了。明泉叔叔扶起破口大罵的胖子，用腳尖踢了踢那些孩子留下的球。

「那是鉛球啊！竟然還塗了油漆！」

原來如此。那些孩子在鉛球外塗了顏色，僞裝成橡膠球。我感到佩服不已，原來還有這招！結果佩服了太久，剉冰都融化變成了水。

詛咒那些孩子的胖子聲音聽起來好像在說：「葉秋生，救救我！」但我已經搞不清楚狀況了，只是開始覺得，與其一直被那個女鬼糾纏，像胖子一樣毀了一輩子，乾脆去聽聽她怎麼說。一定是因爲聯考的壓力、連日連夜的酷暑和面對蟑螂的恐懼，嚴重影響了我的判斷力。

胖子因爲這件事，導致右腳三根腳趾骨折，女鬼的折磨終於讓我屈服了，決定再度造訪陽明山。

我打電話給小戰，他說即使被亂棒打死，他也不要去，然後掛了電話。

我等到週末，向父母謊稱要去圖書館讀書，走出家門。我走去小南門的公車站，謝胖子的火鳥從後方追了上來。我納悶他的腳怎麼有辦法踩油門，向車內張望，發現開車的是明泉叔叔。聽叔叔說，胖子的腳打了石膏，暫時還無法下床。

「他要我幫他發動一下車子。」

「原來是這樣。」

「昨天小戰來我上班的地方找我。上車吧，你不是要去陽明山嗎？」

「你相信他說的話嗎？」

「這不是相不相信的問題，」明泉叔叔說，「就是會有這種事。」

我點了點頭，坐在副駕駛座上。

「我以前在空軍的時候，」車子開出去後，叔叔自顧自地說了起來，「曾經遇過很多臭蟲，不知該怎麼辦。雖然一直有臭蟲，但那年夏天的情況特別嚴重，全身都被臭蟲咬，癢得不得了。因爲太癢了，大家的情緒都很惡劣，整天打架。我也有好幾次因爲打架而被關了禁閉，但禁閉室裡也有很多蟲子，跳蚤、壁蝨、蚊子、蟑螂，當有人被關進去時，那些蟲子樂壞了，拚命擠過來吸血。因爲被吸了太多血，我走出禁閉室時，體重少了十公斤。」

叔叔一臉哀傷地搖了搖頭，鮮明的景象立刻浮現在我的眼前。從小到大，每次聽叔叔說話都會有相同的經驗。狹小的石造禁閉室、理光頭的明泉叔叔、蠕動的吸血蟲……

「那天晚上，我也獨自被關在禁閉室，因爲那些死蟲子的關係，我拚命抓癢，根本無法入睡。半夜過後，不知道從哪裡傳來喇叭聲。聲音並不大，必須豎起耳朵才能聽到，但那絕對是衝鋒的號角聲。接著，傳來了砰、砰的爆炸聲，有點像爆米花爆開的聲音，你知道那種聲音嗎？我感到很納悶，抬頭一看，黑暗中有什麼東西在閃，而且到處都在閃。這裡也在閃，那裡也在閃。你知道是什麼嗎？我懷疑自己看錯了。因爲到處都是小人，拿著槍在殺蟲子！在黑暗中一閃一閃的是小人的槍發出的光。身穿戰鬥服的小人從牆壁和地板的裂縫中不斷湧出來，接連打死那些蟲子。天花板上也不斷有降落傘降落，那些降落傘很像雞尾酒附的小傘。蚊子歸空軍管轄，陸軍的士兵都舉著像牙籤一樣的機關槍。我跟你拚了。達達達達達達達達！你應該懂吧？黎明的時候，到處都是蟲子的屍體。那些小人去了哪

裡？我怎麼可能知道！總之，我被關禁閉時，小人的軍隊每天晚上都來殺蟲子，多虧了那些小人，我每天都睡得很好。離開禁閉室時，我的皮膚超有光澤。看你的表情，似乎不太相信？我可以對天發誓，我說的句句是眞話。你以後就會知道，軍隊中偶爾會發生這種事。」

二十年後，我在《聊齋志異》中看到了一模一樣的故事。

那是明泉叔叔即將前往墨西哥的一個陰天午後。一九九六年，臺灣第一次實施總統選舉時，想要死守「一個中國」原則的中國共產黨向臺灣海峽發射了數枚飛彈，導致臺灣的股價暴跌，人心惶惶。專家學者每天每夜都在電視和報紙上辯論，有人認為如果執意舉行總統選舉，共產黨這次眞的會打過來；也有人主張這種事根本不可能發生。主張與大陸統一和臺灣獨立的兩派勢力氣勢空前高漲，代表雙方立場的立委每天在立法院大打出手。像明泉叔叔那種膽小鬼聞風喪膽，紛紛逃去國外。

我記得那是九月，我快四十歲，才剛離婚。在爲已經從高中老師退休的父親整理藏書時，剛好拿起那本書。我難得回到家中，庭院內的桂花靜靜地綻放出黃色的小花。我跟你拚了。達達達達達達達！明泉叔叔那天說話的聲音在我耳邊響起。《聊齋志異》中的那個故事叫〈小獵犬〉，把小人士兵換成小武士，機關槍換成小狗和老鷹，就完全是相同的故事了。當時，母親因爲罹患胰臟癌離開人世，我去機場爲明泉叔叔送行時問他這件事，叔叔立刻否認，說他不記得曾經對我說過這種事。

「那天我和你一起發現了藍冬雪的白骨屍體，小人士兵？秋生，這種故事未免太離譜

了。」

總之，那是二十年後的事。

火鳥即將來到陽明山上的連續彎道，明泉叔叔小心翼翼地握著方向盤，車子開得很慢。我們正慢慢靠近車禍現場。

「在哪裡？」

「更前面一點。」

車子緩緩爬上大螺旋狀的山路，左側的懸崖越來越高，右側鬱鬱蒼蒼、長滿青苔的樹木不斷後退。前方的黑色樹林張開大口，傳來聒噪的蟬鳴聲。我忍不住想，如果我是殺人魔，一定會把屍體棄置在這種地方。只要從車道把屍體往裡面一推，茂密的雜草就會遮住屍體。據我沿途觀察，不可能有人偏離大路，特地走進樹林，那裡是棄屍的絕佳地點。

來到可以俯瞰樹林的高度後，煙霧朦朧中的臺北市盡收眼底，夕陽漸漸染紅了山崗，距離魑魅魍魎跋扈肆虐的深夜時分還有很長一段時間，我在心中確信，她不會讓我等待，只要我一到，她就會現身。

隨著漸漸接近車禍現場，心臟緊張得發抖。我和她就像組成了一個弦樂器，她的弦激烈地撥響，我的心與之產生共鳴。轉過幾個彎道，蟬聲戛然停止，所有的聲音都從這個世界消失了。

身穿水藍色洋裝的她佇立在道路正中央。

萬物在夕陽的映照下拉出長長的影子，只有她的周圍煙雲迷濛，彷彿有人用一把大鐮

刀割掉了她的影子。山頂吹來的風搖動樹梢，發出沙沙聲響，但她的西瓜皮文風不動。她靜靜地注視著我，和那天晚上一樣，她的胸口被鮮血染紅了。發生車禍的那天晚上，我以爲是那些傷者的血沾到了她的衣服，直到現在才知道不是如此。那些鮮血是從她的胸口流出來的。

明泉叔叔開車時東張西望，他似乎感覺到了什麼，但好像看不見她。

轉過彎道後，叔叔踩下油門加速。水藍色的洋裝逼近眼前，當火鳥的嘴即將刺向她的瞬間，巨大的黑暗和悲傷呑噬了我。那是一種難以用這個世界上的語言形容的感覺，也可以稱之爲感情。我的內心好像有一道通往那個世界的門，一把冰冷的鑰匙插進了鑰匙孔。巨大的衝擊讓我整個人貼在椅背上，我感覺到那道門用力打開了。

「秋生，你怎麼了！」我知道明泉叔叔踩了緊急剎車，「別鬧了！秋生！秋生！」

我手臂上的瘀青似乎就是那時候留下的。秋生！秋生！叔叔的聲音越來越遠。我內心的那道門把我吸了進去，同時看到她走了出來。此刻，她在我的體內。這是我在昏厥之前所感覺到的事。

之後的事是明泉叔叔在日後告訴我的，所以我無從得知哪些是眞，哪個部分是假。

叔叔說，我並沒有昏厥，而且放聲大笑，嘴裡吐出紫色的嘔吐物，把胖子的車子吐得一塌糊塗。

「簡直把我嚇壞了，你突然像魚一樣全身抖動，然後衝下車子，跑進樹林裡。你眞的

不記得了嗎?」

我搖著頭。

「無奈之下,我只好追著你跑進樹林,不然還能怎麼辦?因爲我從小戰那裡聽說了大致的情況,所以後車廂裡放了鐵鏟,我猜想可能需要挖洞,但是,我根本沒時間去拿鐵鏟,只能追著你跑,連車上的鑰匙都沒有拔下來,沒有被偷走眞是奇蹟。總之,你一直往樹林裡面跑,輕輕鬆鬆地跳越普通人根本無法跳過去的地方。但是,我跑不快,於是,你就在樹林裡唱著歌等我。」

「我怎麼可能唱歌?」

叔叔笑著說:「總之,我們到了車禍現場,太陽已經下山了。不,可能還沒有下山,只是樹林擋住了光,所以那裡很暗。一具身穿水藍色衣服的屍骨躺在一塊巨大的岩石上。衣服雖然髒了,但並不凌亂,雙手握在胸前,看起來就像在熟睡中死去,甚至像是某種儀式,我卻被嚇到腿軟,你倒在那裡一動也不動,我傻住了,不知道該怎麼辦。之後才從周警官口中得知,屍骨躺著的那塊岩石上刻著藍冬雪和張明義的名字。藍冬雪!我以爲自己聽錯了。喂喂喂,難道就是那個藍冬雪?那不是和胖子以前迷戀的女人同名嗎?我之前有沒有告訴過你,他以前和一個女生相約私奔,結果對方放了他鴿子。那個女生就是藍冬雪,聽說她失蹤了,但胖子至今仍然覺得是她臨陣脫逃,所以躲起來了,或是她父母發現她準備私奔,把她送去鄉下了。」

「張明義……」我微微偏著頭,「我好像在哪裡聽過這個名字。」

「你和小戰救人的那場車禍中，不是有一個人死了嗎？」

「嗯。」

「那個人就是張明義。」明泉叔叔突然壓低聲音，「聽藍冬雪的父母說，張明義當時也愛上了藍冬雪。張明義的父親是大公司的老闆，藍冬雪的父母當然希望女兒和張明義交往，但藍冬雪選擇了胖子。小女生都會被胖子的外表迷惑。」

「所以是張明義殺了藍冬雪嗎？」

「這我就不知道了，」叔叔聳聳肩，「事到如今，兩個人都死了，誰都無法知道眞相，而且這種事也不重要了。」

「不重要了？」

「因爲不管活著的人怎麼想，都無所謂了，不是嗎？」

我仔細思考這個問題後表示同意，「有道理。」

「只要死人滿意就好。」

那天之後，我家就再也沒有蟑螂了——如果可以這麼說，不知道該有多好。不到世界末日，蟑螂不會從臺灣消失，但至少不再像之前那麼誇張。那些蟑螂也和我一樣，找回了分寸和秩序。

我也沒有再感覺到藍冬雪的存在。她沒有向我道謝，也沒有把殺害祖父的凶手告訴我，就回到了死亡之門的那一側。這一次，阿婆的預言可能失靈了。

「藍冬雪應該是希望胖子了解眞相，」我把自己的想法說出來，「她並沒有放胖子的

鴿子。」

「有可能。」叔叔走出我房間時，突然想到似的補充，「那具屍骨戴著手錶，指針就停在和胖子約定的時間。」

幾天後，我和從小一起長大的毛毛站在路旁聊天。當護士的她這天剛好休假，打扮得十分漂亮，說晚上約了朋友一起去跳迪斯可。一頭長髮的她用一根像嬉皮般的細繩綁在額頭，穿了一件色彩鮮艷的襯衫和喇叭褲，腳下踩著一雙摩天大樓般的恨天高涼鞋。

我出生時，毛毛的祖父謝醫師爲我接生。我的祖父和謝奶奶一起打麻將，等待他第一個孫子出生。中國人很忌諱別人在自己家裡生孩子，但叼著菸打麻將的毛毛奶奶是個潑辣的女人，對這種迷信一笑置之，揚言：「我從來不相信任何歪門邪道的事！」祖父總是對謝奶奶另眼相看。父親在謝家院子裡不停抽菸，當我出生時，剛滿兩歲的毛毛第一個去通知大家。生了，寶寶生了！

我問毛毛，和張明義一起發生車禍的另外兩個人的情況。她告訴我，其中一人早就出院了，另一個人至今仍然躺在床上，不停地流口水。

「對了對了，上次你家的明泉叔叔來我家，和胖子舅舅聊了很久。」

我點了點頭。

「明泉叔叔離開後，胖子舅舅沮喪了很久，然後拄著拐杖，拿出專門放舊東西的皮箱。我好奇地在一旁看著，發現他從裡面拿出像是卡片的東西，然後看一看就哭了起來。

你不覺得很猛嗎？胖子舅舅竟然哭了！」

「卡片？」

「我也很好奇，所以偷偷拿出來看了一下，你猜是什麼？」

我搖了搖頭。

「二十年前的火車票。」

「……」

「聽說，」毛毛繼續說，「以前爺爺強烈反對胖子舅舅交的女朋友。我爺爺不是醫生嗎？所以也希望胖子舅舅當醫生，覺得和那個女生門不當，戶不對。結果胖子舅舅就在你家明泉叔叔的安排下，準備和那個女生私奔。那兩張火車票會不會是那時候的？我不知道他爲什麼突然想起那麼久以前的事，但我猜想是明泉叔叔對他說了什麼。有時候眞的會發生這種事，就好像很久以前就已經不走的時鐘又突然動了起來，有一天，故事又繼續發展下去了。」

我彷彿看到胖子拎著旅行袋，一個人等待藍冬雪。

他的外套口袋裡有兩張夜車的火車票。這個充滿不安和期待的年輕人，究竟是帶著怎樣的心情等待約定見面的時間分秒逼近，卻又帶著緩慢步伐漸漸走遠？原本屬於他們兩個人的座位空著，火車轟隆轟隆地離開了臺北車站。不知道他內心的愛戀從哪一刻起變成憤怒，變成失望，然後被空洞的現實吞噬？當他終於離開約定見面的地點時，胖子就變成了現在的胖子嗎？

當藍冬雪躺在那塊冰冷的岩石上，仰望著樹木縫隙之間的夜空時，到底在想什麼？胖子在同樣的夜空下空虛地等待，聽不到她發出的慘叫聲。被張明義挖出的心臟，甚至無法讓原本奉獻的對象觸摸，和手錶一樣，永遠停止了跳動。

「秋生，你怎麼了？」

「啊？喔……沒事。」我用力打了一個呵欠，掩飾流下的眼淚，「最近經常熬夜。」

「對喔，你快要聯考了。」毛毛抬眼看著我激勵道，「下次我帶維他命給你吃。」

我沒有吭氣，她瞇起眼睛問：「幹麼？」

「呃，沒有啦……只是覺得妳好像突然變大人了。」

「我先說喔，我對姊弟戀沒興趣。」

「我們只差兩歲啊。」

「我下個月就滿二十歲了，」她得意地揚起下巴，「也有人在追我。」

「是喔。」

「你這是什麼意思？我沒騙你。」

「小時候，妳經常和我還有小戰一起玩得滿身是泥巴，妳還記得嗎？之前打棒球，我不小心用木條弄傷小戰的嘴巴時，妳當投手。」

馬路對面傳來汽車喇叭聲。

「毛毛！」胖子從火鳥中探出身體大叫，「我叫妳買的東西買好了嗎？」

「我放在你房間了，」毛毛大聲回答，然後對我聳了聳肩，「他叫我買紙錢和鞭炮，

可能要去掃墓。」

「水果呢？」胖子問。

「你不是說要自己去阿九那裡買嗎？舅舅，你的腳可以開車嗎？」

「不關妳的事。」

「我好意關心你。」

「哼！」胖子把頭縮回車子，又立刻探出頭，「喂，秋生，你別想動我家毛毛的歪腦筋！」

我還來不及反駁，胖子就把車子開了出去，留下大量廢氣，消失得無影無蹤……我猜想他要去二十年前的傷心地。

我睡得很不安穩，睜開眼睛，周圍還很昏暗，窗簾一動也不動。

窗外傳來賣豆花拉長的叫賣聲。我躺在床上，聽著叫賣聲越來越近。小時候，天還沒亮就起床的祖父經常去買豆花回來給我吃。

穿著背心的祖父拿著碗，在晨曦中叫住賣豆花的。他們互道早安，賣豆花的把熱騰騰的豆花滿滿地裝進碗裡，並問祖父，又是買給孫子吃嗎？祖父回答說，還是你的豆花最好吃，同時想像著睡眼惺忪的我看到豆花，雙眼發亮的模樣。不知道他是否覺得，我葉尊麟也上了年紀，沒想到會有一天用拿槍的手小心翼翼地捧著豆花碗。不知道他是否曾經回想起在戰場上殺得你死我活的日子、為拜把兄弟送終的夜晚，以及身無分文、光著腳來到廣

州街的早晨？

我很愛吃豆花，尤其喜歡祖父在清晨時，一臉得意地為我買回來的那一碗豆花。把湯匙伸進滑嫩的豆花，和煮得甜甜的花生一起送進嘴裡，會覺得全世界的人都愛我，我是主宰世界的小霸王。

天花板漸漸扭曲，我驚訝地坐了起來，用手背揉著眼睛。

「咦？」

淚水不停從臉頰滑落，令我困惑不已。

事件發生至今，這是我第一次流淚。祖父出殯時，我扶著傷心欲絕的祖母。祖母連同我的份一起哭了，所以我沒有哭。當棺材送進焚化爐時，我們家屬大聲祈禱祖父在那個世界也可以過上好日子，但明泉叔叔敷衍的態度很滑稽，我非但哭不出來，還費了好大的力氣才忍住笑。爸爸，來吧，來吧，讓他們好好燒你。明泉叔叔用奇怪的節奏說著悼辭。不能燒不透，一定要燒得徹底。沒錯啊，一定要讓他們好好燒你，只有燒得徹底，才能很快成佛吧。當祖父變成骨灰，從焚化爐出來後，我們小心翼翼地用筷子夾進骨灰罈。小梅姑姑不小心把一小片骨頭掉在地上，從格子水溝蓋的空隙掉進了排水溝。祖母怒不可遏，但格子水溝蓋被鐵螺絲牢牢固定，所以只能放棄那塊骨頭。看顧焚化爐的老人在骨灰中發現了好像祖母綠般的結晶，說這是舍利子，還說只有燒高僧時才會出現這種舍利子，代表死者生前積了很多功德，讓家屬感到高興不已。我覺得這種話不太可信，猜想一定是高溫燃燒鈣質產生的化學變化，想著想著又錯失了流淚的時機。

我把臉埋進枕頭，不讓任何人聽到我的嗚咽。

眼睛無法處理決堤的熱淚，淚水從鼻子和嘴裡流出來。鼻子深處很熱，嘴裡鹹鹹的。我一直深信人只有難過的時候才會流淚，在祖父火葬後的數週，我曾經以爲也許自己並不覺得難過。我們深信的大部分事情，都是按照別人的標準來衡量，所以很容易產生這樣的誤解。

我衝出房間，去廚房拿了碗，衝出去追賣豆花的，把院子裡的雞都嚇飛了起來。

賣豆花的推著兩側各掛了一個大桶的腳踏車，用臺語慢悠悠地叫著：「豆～花、豆～花。」他發現我，立刻豎起腳架，停下腳踏車。

「要熱的嗎？」

「我要冰的。」

他從其中一側大桶子裡舀出熱騰騰的滑嫩豆花，裝進我遞給他的碗裡，然後從另一個大桶子裡舀出甜湯和煮熟的花生，最後打開載貨架上的木盒子，裝了滿滿的冰塊。

「即使天氣再熱，你爺爺也不會買冰的，」他重新戴好草帽，親切地用帶著臺語腔的國語說道，「因爲他怕你吃壞肚子。」

聽他說話的語氣，他已經知道祖父離開人世。不僅如此，我猜想他應該也知道死因。廣州街有很多早起、嘴巴不饒人的老人，在我買豆花時，聽到植物園傳來老人在清晨跳國標舞的音樂，也看到郭爺爺快步走過，他每天清晨都打太極拳。

「但是，不要悲觀失望，」賣豆花的繼續說，「人間本來叫苦境，快醒快悟免傷心。

我的孩子也死了，只剩下腦袋不太靈光的小兒子。即使這樣，也要一碗一碗賣豆花努力活下去。雖然賺不了大錢，但至少可以餬口。這件事很重要，不是嗎？如果逃避今生的痛苦，在那個世界也無法當清靜的鬼魂。」

我點了點頭，問他要多少錢。

葉秋生，謝謝你。

「啊？」一陣溫熱的冷風吹在我的脖頸上，我嚇得縮起身體。「你剛才說……？」

「我說十元啊。」賣豆花的皺著眉頭，「怎麼了？有這麼驚訝嗎？我的豆花比別人的好吃，卻沒有賣得比別人貴啊。」

「喔，不是啦……」我眨著眼睛，接過碗，把十元硬幣放在他的手上，「我在想其他事。」

「喔，快要聯考了。」

我點了點頭。

「用功讀書很重要，但也別太拚了。」賣豆花的臉被太陽曬得黝黑，完全感受不到絲毫鬼魅的陰氣，「我猜想你爺爺也會這麼說，在人世的成功只是暫時的。」

我捧著豆花的碗回到家裡，母親剛好打開臥室的紗窗。她推開不太靈活的紗窗回到房間，很快又用雙手捧著什麼東西回到了窗邊。好像是重要的東西，或是什麼易碎品。我和

院子裡的雞都看著母親，母親用力張開雙手，好像要擁抱剛升起的太陽。

一隻蟑螂從她手中起飛，宛如幸福的青鳥。

第六章 美妙的歌曲

那天放學回到家，一陣似乎怕被別人聽到的竊竊私語傳入我耳裡。

「聽說他曾經有好幾次和早晨在植物園做運動的老人發生激烈衝突。」

「是嗎？」

母親和周警官在客廳談話，周警官發現我，立刻站了起來，似乎覺得該離開了。

「你要走了嗎？」母親也跟著站起來，「要不要再喝一杯茶？」

「不，今天只是來了解一下情況。」

「周警官！」我來不及放下書包，急忙問道，「爺爺的事，有什麼新進展嗎？」

母親呃著嘴，用眼神示意我「大人談事情，小孩子不要插嘴」，但我不爲所動。

「沒關係，沒關係，」周警官擦著臉上的汗，安撫母親，「目前知道你爺爺生前曾經和別人發生爭執。」

「和誰？」

「不好意思，這就不能透露了。」

「去植物園的老人嗎？」

「我的意思並不是說凶手就在他們之中，」周警官爲難地笑了笑，「我今天來這裡只是想確認一下，這些事是否屬實。」

「但你會去查他們的不在場證明吧？」

「當然。」

「他們可能僱用別人動手。」

急著離開的周警官只是笑了笑，那張不大的嘴像牡蠣一樣閉得緊緊的。

無奈之下，我只能一直糾纏母親，要她告訴我是怎麼回事。

「到底是怎麼回事啦，告訴我又不會怎樣！」

「你不必管這種事，趕快去讀書。」

我不顧一切地追問正忙著做晚餐的母親，因爲我太糾纏不清，母親終於忍無可忍，舉起了菜刀。

「趕快回自己的房間去，你再囉嗦，我就一刀砍死你。」

我灰頭土臉地回到自己的房間，把書包丟在地上。

母親蔡玉芳是湖南人，躲避戰火四處逃亡時，曾經在山上被老虎襲擊。當時，母親才十歲左右，身上背著年幼的妹妹，走去樹林撿木柴。從灌木叢中衝出來的老虎雙眼燃燒著憤怒，身體像一頭小牛那麼大，喉嚨深處發出可怕的吼叫聲，一步一步緩緩走向母親。背上的妹妹感受到異狀，突然放聲大哭起來。母親撿起掉落在地上的木柴，舉起雙手瞪著老虎，然後對老虎說：

「現在不行。」

我很喜歡聽這個故事，從小就問過母親好幾次，當時說的這句話是什麼意思，母親每次都回答說，她也不清楚。總之，母親瞪著老虎，只說了一句：「現在不行。」老虎嗅聞了母親的味道，然後轉身消失在樹林深處。

「我猜想牠肚子並不餓，」母親說，「可能剛吃過死人。」

《水滸傳》中有武松打虎的故事，我從很久以前就不覺得武松是男人，在我心目中，武松並不是勇猛的豪傑，而是威風凜凜的女中豪傑，就連吃人的老虎見到這個女中豪傑也會嚇破膽。說白了，我沒有勇氣真的惹惱母親，所以只能乖乖回房間讀書。

當時母親背在身上的圓芳阿姨，目前和家人一起住在屏東，過著幸福的生活。我曾經問過圓芳阿姨老虎的事，但她什麼都不記得了。

周警官說的事就像一根小刺，始終卡在我心裡。

明泉叔叔回家裡吃晚餐時，我把他找去院子，想要套他的話。

「對了，上次周警官來家裡，」我不動聲色地開口，「說曾經有人和爺爺發生爭執。叔叔，你知道什麼嗎？」

「爸爸到處和人結怨。」

「周警官說，對方是植物園的老人。」

明泉叔叔點了點頭，似乎在說，原來是那件事，但他什麼都沒告訴我。我持續向叔叔

暗示想聽更多，叔叔對我的認眞態度只是一笑置之。

「你想太多了，老人吵架就像在打招呼。」

「誰知道呢？」

「不不不不，不可能、不可能！」

「……」

叔叔的口風向來不緊，他的反應讓我驚訝。對明泉叔叔來說，不管是任何種類的祕密，都像是青蛙遇到下雨，忍不住想要呱呱呱地大聲唱歌，沒想到這次卻保持沉默，不願多說什麼。難怪我越來越覺得大人都在隱瞞什麼。

我內心的疑問和肯定就像在坐翹翹板，一下子往這一側傾斜，一下子又倒向另一側。在我認爲植物園的老人不可能殺害祖父的翌日，又肯定只有他們才會下此毒手。我完全無法專心讀書，內心煩躁不已，所以也不時在學校打架，而且每打必贏。

我的不悅變成了一顆未爆彈。那天，我在這種危險的狀態下逗弄阿九的九官鳥，毛毛叫住了我。

「中華民國萬歲、中華民國萬歲……喂，你這隻笨鳥趕快說啊。」

落日餘暉染紅了廣州街。

聽到有人叫我的名字，回頭一看，打扮入時的毛毛站在那裡。她帶了兩個和她一樣打扮得漂漂亮亮的女生。其中一個是住在附近的胖妹，另一個是毛毛的妹妹瑋瑋。

「秋生，你怎麼了？」

「什麼怎麼了？」

「你不是像傻瓜一樣在發呆嗎？」

胖妹和瑋瑋笑了起來。胖妹從小就很胖，當時還戴著閃亮亮的牙齒矯正器，之後移民去美國，成爲知名模特兒。

「反正我就是傻瓜啦。」

「發生什麼事了？」毛毛壓低聲音問我。

「沒事啦。」

「你受傷了。」

「妳少囉嗦，我不是說了我沒事嗎？」

九官鳥諂媚地大叫著：「中華民國萬歲！」我眼神凶惡，全身殺氣騰騰。我剛和別人打贏一架，歪著的嘴角上貼著ＯＫ繃。

我用反抗的態度轉身離開，留下那幾個女人的抱怨聲和九官鳥的叫聲。

「葉秋生，你是不是自以爲很帥？」胖妹問，「今天是毛毛的生日，你說話不能客氣一點嗎？」

「生日快樂！」我對著背後叫道，「這樣妳就沒意見了吧！」

我繼續大步向前走，有人從後方用力打我的頭。

「好痛！」

「你到底怎麼了？」毛毛雙手扠腰，「你到底在不爽什麼？」

「和妳沒有關係。」

「當然有關係啊，你這個笨蛋！」

「啊？」

「想當年我是看著你出生的。」

「那又怎樣？」

「印第安人有一句諺語：既然幫了別人的忙，就要一輩子幫到底。」

「……」

「總之，看到弟弟這麼生氣，我怎麼可能袖手旁觀？」毛毛高舉拳頭，「來，說來聽聽，雖然我不知道是誰惹毛了你，你帶我一起去揍他！」

毛毛一臉嚴肅。

她應該眞的會這麼做。小學四年級時，我被一個六年級的學生欺負到哭，當時也是毛毛出面幫我搞定。她找到欺負我的那個學生，立刻甩了對方兩巴掌。對方嚇得翻白眼，毛毛耀武揚威地說，如果想打架，我隨時奉陪。然後他們在操場上扭打成一團，直到老師來把他們拉開。

我覺得內心的疙瘩一下子消除了。

毛毛穿著淡紫色短裙，用嬉皮般的髮帶綁著一頭長髮，穿著袖子透明的花俏襯衫，腳踩恨天高涼鞋，眼睛塗得很黑，擦著鮮紅色的口紅。

我的心臟好像絆了一跤似的加速跳動，她的香水味掠過我的鼻子，我們之間的距離如

此接近。

毛毛瞇起眼睛問：「你在發什麼呆？」

「喔、喔喔……不，沒有啦。」雖然我一出生就認識她了，卻好像第一次見到她，「剛才對不起，我心情不太好……祝妳二十歲生日快樂。」

「到底發生了什麼事？」

毛毛抬眼問我，模樣可愛得令人驚訝。

口哨聲吹向張大嘴巴的我。剎那間，我以爲是自己在無意識中吹了口哨，慌忙把嘴巴閉了起來。誰都知道這種富有抑揚、聽起來黏答答的口哨聲所代表的意義。

幾個拍著籃球路過的男人盯著毛毛。他們看起來像是大學生，吹口哨的男人一臉不懷好意的笑容回頭看著毛毛。

「吹什麼口哨？」毛毛揚起下巴大聲問道，「如果這麼想吹，去對著路旁的狗吹啊？想要耍帥，小心挨拳頭。」

那個男生嚇得在人行道踩空，搖搖晃晃跌到車道上，差點被車子撞到。車子對著他按喇叭，他的同伴立刻放聲大笑。拿著籃球的男人用籃球輕輕打向口哨男的腦袋。

「別以爲我好欺負，」毛毛揚起嘴角，然後轉頭看著我，「所以呢？」

「啊？」

「你是爲了什麼事情心情不好？」

我驚慌失措，但還是老老實實地把因爲周警官和明泉叔叔而產生的疑問告訴了她。任

何事我都願意做，只要她不發現我內心的慌亂。

「所以，」毛毛露出沉思的表情，「你認爲是植物園的某個老人殺了葉爺爺嗎？」

我搖了搖頭。連我自己都搞不清楚是在回答她的問題，還是表示我並不知道。

毛毛注視著我，我也凝視著她。如果在電影中，這時就會大音量地響起浪漫的音樂，兩個人的嘴唇很自然地貼在一起，但現實中當然不會發生這種事。毛毛轉身跑向胖妹她們。我在鬆了一口氣的同時，也有一點點難過。她從剛亮起燈的「牛肉麵」「魯肉飯」燈箱看板下跑過去，對著胖妹她們說著什麼。胖妹指了指我，露出怨恨的眼神回答了幾句，毛毛又說了幾句，然後向胖妹和瑋瑋道別，回到我身旁。

「我們現在去植物園。」

「啊？」

「事到如今，只能自己著手調查。」

「是這樣沒錯，」我忍不住猶豫，「妳不是打算出門嗎？」

「本來要去跳舞而已。」

「那……」

「大德不踰閑，小德出入可也。」

「……」

「好像是孔子說的話？只要能夠把握大原則，即使在小事上稍微踰矩也沒關係。也可能是孔子的弟子說的話，總之，這是眞理。」

「妳看過《論語》嗎？」

「我只看對自己有用的部分，快走吧。」說完，她不耐煩地向我招手，「反正每年都可以過生日，無所謂啦。」

那天毫無斬獲，但翌日早晨起，我上學前都會先去植物園一趟，這麼做當然是爲了打聽消息。去學校的公車站剛好在植物園的後門，對我來說很方便。

植物園的正式名字叫臺北植物園，正門在南海路上，但廣州街上也有一個小小的後門，我平時都從後門進去。

推開綠色的旋轉門走進植物園，散步道兩旁種植了各種不同的熱帶植物，有一大片臺灣原生、菲律賓原生、中南美和非洲原生的花草和灌木以及棕櫚樹。松鼠在樹梢上奔竄，水池中有吸引小孩子釣魚的小魚游來游去。這裡是附近居民休憩的場所，不同的時間帶可以觀察到不同的人。早晨擠滿了來打太極拳、做體操、跳國標舞的老人；中午有許多學生在蓮花池旁寫生，也有學生來這裡郊遊，無所事事的人坐在長椅上發呆，有時候也會見到彈琴的算命師。入夜之後，這裡就是情侶的天下。

我利用等公車的短暫時間，努力尋找證據，想要佐證周警官說的話。我拿著祖父的照片問那些在跳國標舞和做體操的老人，老人都很渴望和別人聊天，所以我很快就蒐集到很多目擊證詞，只不過都是一些負面消息。如果我是警察，一定會把祖父抓去拘留所關兩、三天，他在植物園內惡名昭彰。我認識這個人啊，他有時會去找岳先生麻煩。那些老人說

起話來口無遮攔。對，肯定沒錯，就是那個乖僻的老頭。你是他的孫子嗎？最近都沒看到他，他怎麼了？

「請問你剛才說是岳先生？」

「每天早上，不是都有人在蓮花池那裡唱歌嗎？」

每天早上有很多人在植物園唱歌、跳舞，我怎麼知道是哪些人？另一個身上有豆蔻香味的老人接著說：

「你爺爺老是說他們吵死人了、吵死人了，整天罵他們。」

「岳先生曾經有一次大動肝火，還說如果在四十年前，絕對會幹掉你爺爺。」

事到如今，我已經忘了自己那時候爲什麼熱心尋找凶手，簡直到了偏執的程度，只知道自己坐立難安，總覺得如果沒有採取行動，不好的東西就會不斷在體內累積。也許是我不想面對聯考而逃避現實，也可能是狡猾地爲萬一聯考失利找好藉口。到時候就可以說，我很用功讀書，但想到殺了爺爺的凶手竟然大搖大擺地活在世上，就嚥不下這口氣。我的模擬考沒有達到志願學校的錄取標準。

雖然我很愛祖父，但越了解祖父的爲人，就越來越無法尊敬他。祖父對自己人徹底寬容，發揮鋼鐵般的忠義，對他人卻極度無禮，簡直無禮透頂。我曾經聽說這樣一件事：祖父在颱風過後去植物園散步，看到蜂巢掉落在地上。祖父盯著蜂巢打量，其他老人撿起蜂巢，把蜜蜂的幼蟲挖出來吃，還叫住路過的人一起吃。祖父大聲喝斥說，你們這些野蠻人！文明的光什麼時候才能照到這座島上！聽到那些老人談論祖父，我總是抬不起頭。

我走到蓮花池畔。

那裡有兩組老人在唱歌，兩組人都把錄音機的音量調到最大，一組人唱的是臺語歌，另一組人唱日本歌。我向一個長得像獸面瓦的阿姨打聽，她用臺語對我大聲吼叫，把我趕去了另一組人那裡。那一組的老太太隨著小提琴伴奏擺動身體，唱著〈朦朧月夜〉。拉小提琴的就是岳先生。

岳先生察覺我的視線，對我露出笑容。他穿著運動衣褲，看起來很溫厚。我向他欠身打招呼，聽了一會兒充滿鄉愁的日本歌，然後才搭公車去學校。

翌日，我也去了植物園，還是沒有機會和岳先生聊天，只聽了兩首優美的日本童謠就結束了，沒有發現任何會加深我疑問的現象。唯一的新發現，就是我在聽童謠時腦海浮現毛毛的臉，竟然感到手足無措。

第三天，岳先生沒有出現在植物園。我胡亂唱著日本童謠，想著改天要唱給毛毛聽，然後就搭公車去上學了。

這種情況持續了一個星期。

直到我已經不需要伴奏也能唱出〈朦朧月夜〉，才終於有機會和岳先生說上話。有個奇怪的高中生每天早晨上學前都會來到這裡，邊啃著塑膠袋裡的早餐邊聽他們唱歌，這肯定會成爲老人們的話題。於是，岳先生終於主動找我說話。

「最近經常看到你。」

我把吃到一半的包子塞進嘴裡，向他鞠了一躬。

「你喜歡日本歌嗎？」

「對，」我急忙咀嚼包子，「都是很美的歌。」

「我們這個年代的人，接受的都是日本教育，」身穿灰色運動服的岳先生說，「所以我們在懷念過去。」

我在課本上看到，一八九五年至一九四五年的五十年期間，因為甲午戰爭戰敗，臺灣被割讓給日本，接受了日本殖民統治。日本推行同化政策，臺灣的學校都用日文進行教育，理所當然地造就了像岳先生那樣，視自己為日本人、把日本視為故鄉的日文世代。他們對日本的感情非比尋常，第二次世界大戰時，甚至有人志願為大日本帝國而戰，因此有大約三萬人在戰場上送命，也曾遭到美軍的轟炸。岳先生那個世代的人認為自己是日本人，願意為了國家、為了昭和天皇奉獻自己的生命。

但是在敗戰的同時，日本立刻放棄了臺灣。你們是臺灣人，臺灣人終究是臺灣人，不是日本人，希望你們幸福。在此之前視自己為日本人的那些人，內心的自我應聲崩潰。雖然身為外省人的我這麼說有點奇怪，但國民黨被共產黨趕出大陸，流亡到這座島上，對他們來說，簡直就是屋漏偏逢連夜雨。國民黨馬上開始鎮壓臺灣人，不僅禁止說日文，甚至禁止說臺語。在臺灣出生，也在臺灣長大的我，也因為這個原因不太會說臺語。

「我……」我把嘴裡的食物吞下去，「我是葉尊麟的孫子。」

岳先生皺起眉頭。

我在開口之前仔細觀察著岳先生，期待可以在他的身體某處看到說謊的跡象。比方說

眼瞼的痙攣和眨眼、視線飄忽或是冒汗。很可惜，我完全沒發現任何徵兆，岳先生只是對我感到訝異。

「我聽說我爺爺生前和你……不好意思，我事先調查了你，我聽說爺爺生前經常和你吵架，所以想了解你是怎樣的人。」

「生前？他去世了嗎？」

「他去年被人殺了。」

岳先生驚訝地張大了眼睛。

「你該不會以為是我……」

「不，」我搖了搖頭，「我來這裡之後，立刻知道你不會做這種事。」

「為什麼？」

「我說不清楚。」

「說不清楚？」

「如果硬要說的話，我覺得你很有自制力。或許是因為你很會拉小提琴的關係。學樂器的人，不是需要有很強的自制力嗎？」

岳先生和顏悅色地問：「你是說，玩音樂的沒有壞人嗎？」

「我沒有這麼說，但我覺得只有我爺爺和他的拜把兄弟會殺人，你和我爺爺屬於不同類型的人。」

「你光憑這一點，就認為我不是凶手嗎？」

「嗯，只是直覺而已。」

「你是高中生嗎？」

「下個月要聯考。」

「你很誠實。」

「呃……」

「你很單純，天眞爛漫，還不了解這個世界醜陋的部分。我在戰爭期間也曾經殺過人，」岳先生說，「我當年參加了日本軍，在緬甸打仗，而且是志願參戰。」

「這樣啊。」

「但是，我可沒有殺你爺爺。」

「我知道。」

「既然你知道，為什麼每天早上來這裡？」

「不知道。」我想了一下後補充說，「可能我想聽歌吧。」

岳先生目不轉睛地注視我，然後把我帶到離其他人有一小段距離的長椅上。

我們並排坐在長椅上，看著含苞待放的蓮花池。

「我並不是無法理解你爺爺把我們當成眼中釘的心情，」岳先生毫無預警地如此開口，「你們是外省人，你爺爺在大陸時，應該參加過抗日戰爭。」

我點了點頭。

「在他眼中，懷念日本統治時代的人，是奴性已經深入骨子的叛徒，可能覺得就像奧

地利人和捷克斯洛伐克人唱德國歌曲，緬懷納粹統治時代一樣。」

他說話的語氣很平靜，可以感受到他散發的知性和風骨。

「你知道霧社事件嗎？」

「我知道。」

那是一九三〇年，臺灣原住民反抗日本統治的武裝抗爭事件。原住民最初攻擊了派出所，殺害了大約一百四十名日本人，總督府立刻派了軍隊和警察，徹底進行武裝鎮壓，在暴動平息之後，日本人持續進行報復，殺害了約一千個臺灣人。

「我當然不會說日本統治時代一切都很美好，但是，我們這些人或多或少都受過日本人的幫助。目前拿著麥克風的宋先生，小時候在日本人經營的咖啡園工作，宋先生家境不好，無法上學，日籍的咖啡園老闆爲他出了學費，宋先生才能讀到高中畢業，目前是一家小公司的老闆。在我小時候，中江先生也經常請我吃飯……你爺爺是怎麼死的？」

「不知道。聽警察說，應該不是隨機殺人。」

「所以是預謀殺人？」

「目前完全不知道凶手是誰，」說到這裡，我突然想起一件事，「請問有沒有一位周警官來這裡了解情況？」

「不，沒有人來找我。」

我領悟到周警官既不想用心查案，也並非値得尊敬的人。他在母親面前暗示岳先生他們的事，至今已經過了好幾個星期，未免太怠忽職守了！雖然我不認爲臺灣所有的警察都

和周警官一樣，但也不認為這個國家的未來會光明燦爛。

「我爺爺生前是一個缺點比優點多的人。」

岳先生看向蓮花池。

「但是，我們在意的並不是他的優點或缺點。」

「和我們緬懷日本的感覺很相像。」

「對。」

「你爺爺總是悶悶不樂，」岳先生說，「他內心應該還抱著希望。」

「希望？」

「焦慮和焦躁感是希望的另一面。」

我似乎能夠理解岳先生想要表達的意思。對祖父來說，那場戰爭還沒結束，所以才會小心翼翼地持續擦拭那把毛瑟手槍。正因如此，他和李爺爺、郭爺爺一樣，無法適應臺灣的生活，也根本不想適應。他總是逼迫自己，不讓憤怒的火熄滅。祖父在離開大陸時就停止走動的時鐘，在殺回大陸之前，永遠都無法再度啓動。

我低頭看著自己的手錶，為自己的失禮向岳先生道歉。

「你要去搭公車了嗎？」

「對。」

「歡迎你有機會再來。」

我再度鞠了一躬，無精打采地走去公車站。我的偵探遊戲在這天早晨畫上句點，之後

我沒有再去找過岳先生。

多年之後，我自學了日語，因爲工作關係在臺灣和日本之間頻繁往返，或許當時的經驗對我產生了某種程度的影響。

誰知道呢？

即使是現在，當我眺望火紅的夕陽映照在霧霾籠罩的臺北街頭，內心都會突然想起〈朦朧月夜〉。

春風輕拂　仰望天際

黃昏曉月　暗香淺淺

每次都是岳先生的小提琴，爲純潔的歌聲伴奏。

然後，我會稍微想到毛毛。來，你說來聽聽。那天，毛毛二十歲生日的那一天，爲我握緊了拳頭。雖然我不知道是誰惹毛了你，你帶我一起去揍他！

我應該是從那個時候起，不再把她當成兒時玩伴，她在我眼中已經變成一個女人。

第七章 聯考失利和初戀

不知道該說果然不出所料，還是絲毫沒有意外，我的大學聯考名落孫山。那年九月，我進了陸軍官校，但我對這所學校並沒有太多回憶，因爲只讀了短短半年，我就自行決定退學了。

雖然早有心理準備，但爲了培養紀律、愛國心和嚴格的階級觀念，陸軍官校內學長欺負學弟根本是家常便飯。

我們一年級學生眞的和狗沒兩樣，唯一勝過狗的待遇，就是不會被抓去煮來吃，而且惡劣的學長上面還有更惡劣的學長，所以那些惡劣學長也會充分把握時間發洩怒氣。有一次，我衝進廁所想用力咒罵白天集體訓練時用軍靴踹我肚子的學長，結果那個學長先到了，正在捶牆、踢牆，大聲痛罵他的學長。我立刻轉身走出廁所，躺在自己的床上，目不轉睛地盯著天花板。人類受到他人的惡劣對待時，往往不是把怒氣發洩在當事人身上，而是不得不轉嫁在更弱小的人身上，我難以接受這種情況。當我變成學長之後，就會身處欺負學弟的立場。學校要求我們學會絕對服從的精神，和同學一起承受被欺負的團結心和歸屬意識。將憤怒的矛頭指向無辜的人這種巧妙的自我欺騙，將一代一代傳承下去。雅各·

拉岡說，人類只能藉由模仿他人、奪取他人的欲望，才能成爲自己。他說的完全正確，人類就是因爲這樣，一再重蹈戰爭的覆轍。

我當然不是基於如此高尚的情操而決定退學，是踹向肚子的軍靴、無情的耳光和永無止境的伏地挺身讓我退縮了。這樣根本是在虛耗人生！我受夠了。我在過年休假返家後，就再也沒有回去學校。

「你不回軍校，到底有什麼打算？」父親板著臉問我。

「還沒決定，」我態度惡劣，「只知道那不是我想做的事。」

「那你想做什麼？」

父親越來越不耐煩，我當然不可能回答，我想親手逮到殺害祖父的凶手。這句話當然不假，我覺得自從祖父被殺之後，我好像越來越萎縮。聯考失利後，更覺得前途茫茫。至今爲止的人生中，用雷威的鐵尺刀刺進大腿是最燦爛的刹那，讀陸軍官校時，我整天撫摸著傷痕自我安慰。我覺得可以藉此回想起當時的決心，那給我一種好像拿到了一把新鑰匙的成就感，於是，心情就會稍微輕鬆一點。

「無論你想要做什麼，在這個國家，眞正的人生都要等到當完兵才開始。」父親用陳腔爛調的大道理說服我，「只要從軍校畢業，誰都可以當上少尉，任何人都可以！」

「所以呢？」

父親瞇起眼睛。

「成爲職業軍人，殺害無辜的人，然後像爺爺一樣被人幹掉嗎？」

父親憤慨不已，但這次已經對兒子絕望，甚至懶得去拿鞭子了，態度也變得豁達，好像在趕野狗般甩著手說：「你給我滾出去！我不想再看到你，不管你想去當兵，還是去當遊民，都隨你的便。大不了就跟著宇文叔叔出海去。」

「好啊！」我虛張聲勢地說。雖然我自以爲是大人，但畢竟才十九歲，「我也不想住在這種家裡！我再也受不了你的自卑感了！」

「自卑感？你在說什麼？」

「因爲爺爺特別疼愛宇文叔叔，讓你很不爽，」我一說就停不下來，「所以你才拚命讀書，努力考上好大學，想要得到爺爺的認同。爺爺的確認同你，認同你是葉家第一個大學生，但我們談的是爺爺有沒有像疼愛宇文叔叔和明泉叔叔那樣疼愛你。」

父親的臉越來越紅，眼眶溼潤。我似乎說中了他的痛處。這樣就夠了，但我的嘴巴卻無法立刻停下來。

「你有什麼資格看不起宇文叔叔？高中老師比船員了不起嗎？你有什麼資格看不起搏命生活的人！」

我的話還沒有說完，母親就衝了過來，用渾身的力氣甩了我一巴掌。啪的一聲，我的臉頰好像炸開了，頓時眼冒金星。積了滿嘴的不滿和抱怨都被打了出來，我拚命眨著眼睛。

「閉嘴！」另一側臉頰也挨了重重一巴掌，「你以爲自己是誰啊？只不過長高了點，就敢和父母頂嘴！快道歉，趕快跪在地上向爸爸道歉！」

我嚇得愣在原地，母親以為我還在反抗，對我點了點頭，似乎在說，既然你要採取這種態度，那就別怪我不客氣。「你等著！」母親說完這句話，走進房間裡，當她回來時，手上拿著父親的鞭子。

「你再說一次看看——有自卑感的——不是你自己嗎——連軍校——都讀不下去的人！」

母親用鞭子抽我，一字一句地說道。鞭子的呼嘯聲切割了一字一句。鞭子每抽一次，我就發出慘叫聲，抱頭鼠竄，縮著身體後退。

「好痛！」

「搞清楚了沒？——」咻。

「痛啊！」

「用這種態度——」啪。

「哇！」

「對父母說話——」咻。

「痛死了！」

「會有什麼下場——」嘩。

「很痛欸！」

「高中老師——」咻。

「別打了！」

「當然更加了不起。」嘩。

「如果妳再不住手，我眞的要生氣了！」

「生氣？——」咻。

「很痛欸！」

「有種就生氣啊。」啪。

「暫停！」我像棒球選手一樣，用兩隻手擺出T字，「流血了！流血了！」

「你還不跪下嗎——還不道歉嗎——那我就打死你——你這種孽障——我要親手殺了你！」

母親怒氣衝天，在家裡追著我打，最後還是大驚失色的父親出面制止。

我忍無可忍，衝出家門。這是躲避鞭子唯一的方法。

「你永遠別再回來了！」

母親的怒罵聲衝破紗窗，鳳梨和蘿蔔像炮彈一樣飛來。

我只能全速逃命。

街頭仍然彌漫著農曆新年的味道，鞭炮屑隨風飄舞，滿地都是沖天炮的木籤。節慶時都免不了放煙火，但也經常因此釀成火災。那一年，我們小時候稱爲鬼屋的房子燒掉了。那是去阿婆的店途中會經過的一棟黑門房子，雖然沒有任何傳說，也沒有人曾經在那裡看到什麼，但因爲那道黑門的關係，小孩子都很避諱。沒有人看過鬼屋裡長什麼樣子，就連

對附近一帶的事無所不知的邵奶奶，也不知道那棟房子的屋主是誰。當那棟房子被燒毀之後，才知道那道黑門是鬼屋的後門，正門和我家一樣，是紅色的大門。燦爛的陽光照在廢墟上，院子裡的草皮看起來很舒服。

街上也出現了想要騙取小孩子壓歲錢的香腸攤販。這種攤販在烤香腸的同時，還會準備玩骰子的碗公或是小鋼珠臺，和攤販比賽，一旦贏了，就可以吃到大香腸。做著發財夢的小孩子總是擠滿攤位，但聽說這種攤販賣的香腸裡灌的都是老鼠肉。

我漫無目的，決定去找李爺爺。

李爺爺家位在小巷深處，照不到陽光的院子裡養了一隻沒有霸氣的雞。因為養了很久，漸漸有了感情，所以不忍心殺了吃掉，結果那隻雞也越來越老。這隻老雞看盡其他雞被欺負的雞生百態，經歷過大風大浪，所以眼中充滿深沉的悲哀，對於小事根本不為所動。院子裡的玉蘭花不合時宜地開了，飄來沁人花香。

李爺爺、郭爺爺和明泉叔叔，以及趕在農曆新年前回國的宇文叔叔正在客廳打麻將。我叫著兩位爺爺的名字，向他們打招呼，他們馬上叫我倒茶，去阿婆的店買香菸，差遣我去跑腿。

忙完之後，我坐在麻將桌旁看明泉叔叔打牌。打麻將最能反映一個人的性格，明泉叔叔說大話比誰都厲害，膽子卻很小，每次都只做一些像落穗般的小牌，在一旁看了也感到無趣。

「秋生，軍校怎麼樣啊？」

郭爺爺把牌打出去後，用拖著長音的山東腔問道。

我張了張嘴，但被李爺爺搶先回答：

「打仗要去學校學什麼？俺完全搞不懂，誰有飛機，誰就可以打勝仗，國家只要多存點錢，買很多飛機就好。」

「李大爺，你老糊塗了嗎？」明泉叔叔打著邊張牌，語帶嘲諷，「共產黨可沒有空軍，但還是把我們打敗了。」

「你懂個屁！」

「到了最後，到處都是支持共產黨的勢力，」郭爺爺笑了起來，「共產黨那些王八蛋太窮了，買不起內褲，結果護士只救那些沒穿內褲的王八蛋。即使有再多飛機，也照輸不誤。」

「因爲蔣介石不愛惜士兵，」李爺爺碰了明泉叔叔打的牌，「不是連負責新疆的陶峙岳總司令都丟下不管了嗎？俺忘了敵軍的將軍叫什麼名字？」

「叫王震。反正是俺們輸了，不能因爲老蔣沒有把分散在中國各地的士兵都集中起來一起帶來臺灣，就責怪老蔣。因爲本來就不可能做到。」

郭爺爺用嚴肅的口吻說完這句話，四個人開始默默打牌。在香菸的煙霧繚繞中，只聽到打牌聲。

祖父加入國民黨之後，就和李爺爺成爲拜把兄弟，他也是我們全家能夠搭上前來臺灣的軍艦的恩人。他拋下自己的妻兒，交給他的拜把兄弟郭爺爺。郭爺爺也把自己的家人託

給其他拜把兄弟，不知道在逃難路上發生了什麼事，從此天人永隔。之後，郭爺爺就一直是孤家寡人。對我的祖父來說，家人也不是最重要的。他爲了完成和戰死的許二虎——命令祖父把共產黨活埋的男人——之間的約定，冒著生命危險把許二虎的兒子宇文叔叔從大陸帶到了臺灣。

「啊喲，是秋生啊，你來了啊？」

李爺爺的太太從裡面的房間走出來，摸了摸我的頭，遞給我裝了壓歲錢的紅包。

「謝謝李奶奶，恭喜發財。」

「恭喜發財，恭喜發財。」李奶奶說完，立刻轉身背對我，「秋生，幫我把拉鍊拉起來。」

我爲她拉好洋裝背後的拉鍊。李奶奶可能要出門打麻將，化好了妝，腋下夾了一個黑色串珠包，戴了一頂濃密的黑色假髮。

「學校怎麼樣？」

「呃，正在和爸爸談……」

「老頭，我去陸太太那裡，」李奶奶根本沒在聽我說話，「秋生，多吃點糖果。」

「喔，好啊。」

「要吃很多很多，知道嗎？」

「現在日子眞的好過了，」郭爺爺在碰牌的同時大聲說道，「以前在大陸，大家都很窮，過年的糖果要一直放到正月十五充場面。小時候都會忍不住偷吃，經常被大人罵。」

「麻將也一樣啊，」李爺爺說道，「想當年俺剛來臺灣時被憲兵抓到，連配給票也被沒收了。」

政府目前仍禁止賭博，所以李爺爺家有一個大衣櫃，可以躲四個大男人。麻將桌上也墊著毛毯，不光是爲了減少洗牌的聲音，更因爲一旦憲兵上門，就可以立刻把整副麻將包起來，完全不留下任何賭博的痕跡。

宇文叔叔自摸胡牌，麻將桌上響起笑聲、罵聲和丟籌碼的聲音。

四個人嘩啦嘩啦地洗牌，然後又俐落地砌牌。老人的手好像在彈鋼琴似的摸著牌，一百三十六張牌砌成了綠色、背面朝上的牌牆。擲骰子後，四隻手接連抓牌。

「喂，老太婆，這個月的會錢是誰標到的？」李爺爺用嘶啞的聲音問，「這個月好像要標尾會？」

尾會是互助會最後一次標會，標完之後，那個互助會就算是完成了使命。尾會的會錢是所有會員連本帶利的錢，所以金額也最可觀。

李奶奶照著鏡子，檢查著口紅回答說：「是葉太太。」

「啊？」我驚訝地問，「我媽也有加入那個會嗎？」

「如果你日後想要讀大學，不是要用錢嗎？」

「……」

「秋生，你媽媽知道你在軍校撐不下去。」

我感到相當難過。

我辜負了父親的期待，也無法回應母親的期待，不知道自己想要什麼。雖然要等當完兵才能決定未來，但並不代表我內心沒有焦慮。我並不害怕共產黨，不，說到底其實也有點害怕，但如果共產黨眞心想攻打臺灣，不消五分鐘，臺灣就會化爲一片焦土，所以害怕共產黨，就像擔心巨大的隕石或是核彈一樣毫無意義。我的焦慮更卑微、更模糊，無法具體描述。面對漫長的未來，我感到不知所措。

我下意識地用手指摸向大腿上的舊傷，曾經在槍林彈雨中救爺爺一命，也讓宇文叔叔躲過海盜襲擊的狐火正在我的體內，但無論我如何撫摸，狐仙都始終保持沉默。

室內的空氣漸漸緊張起來，大家的牌都做得差不多了。明泉叔叔的手牌是條子清一色。他這輩子難得做這麼大的牌，緊張得眼睛都紅了，額頭冒著冷汗。如果他胡了這一把，對明泉叔叔來說，這個新年就是最棒的春節，希望他不會在胡牌之前就心臟病發作翹辮子。我探頭看了旁邊宇文叔叔的牌，他聽二餅和五餅對倒。

李爺爺露出老鷹般的眼神，觀察別人打的牌。

「所以，秋生，」郭爺爺異常開朗的語氣，讓所有人都心生警戒，「軍校到底怎麼樣？」

「我在想……」

「宇文，這個就拜託你了，」李奶奶調整著假髮，把一封信遞給宇文叔叔，「什麼時候可以寄出去？」

「船後天出發，四、五天後，我會幫妳從日本寄出去，」宇文叔叔把信直接交給我，

「秋生，放在我外套口袋裡。」

我一看信封，上面寫著中華人民共和國山東省青島市的地址，收件人是馬大軍。

一九七七年，雖然看似天下太平，但臺灣和中國仍然在打仗，兩岸之間必須藉由第三國才能進行交流。通常都必須透過在日本或美國的親戚朋友轉信或轉寄物品，我家當然是由當船員的宇文叔叔負責這項任務。

「我記得爺爺以前經常和這個叫馬大軍的人通信，他是誰啊？」我問。

「是你爺爺以前的拜把兄弟，」郭爺爺說完，李爺爺接著說，「打仗的時候，就是他帶你們全家人到青島港。明泉，如果沒有馬大爺，你現在還在大陸當野蠻人。」

明泉叔叔轉動著眼珠子，似乎在說：「又來了。」

「他是一個很有骨氣的人，」郭爺爺對我說，「打架的時候總是一馬當先，俺和你爺爺親眼看到，馬大軍殺了劉黑七的一個手下。」

「放屁！」李爺爺大吼道，「劉黑七是個讓人聞風喪膽的土匪頭子，如果有人敢殺他的手下，那隻瘋狗就會把全村的人都殺光。你還說馬大軍曾經殺了劉黑七的手下？」

「那個男人招惹馬大軍的女人，聽到他們在吵架，我們趕過去幫忙，結果馬大軍把菜刀捅進那傢伙的肚子。」

李爺爺吐著口水，似乎在說，從來沒聽過這種大話。

「馬大軍爲什麼還在大陸？」明泉叔叔問，「他把我們交給李大爺後就不見了。」

「因爲他是共產黨，」李爺爺一邊摸牌，一邊說道，「但是，加入什麼黨並不重要，

他在敵營也有很多朋友，所以才能夠活下來。」

「許二虎也一樣，」郭爺爺瞥了宇文叔叔一眼，「他被共產黨抓到，差一點槍斃時，宇文啊，是馬大軍讓你爸爸逃過一劫。」

喜歡喝可樂的宇文叔叔大口喝著可樂，痛苦地皺著一張臉，什麼話也沒說。他皺著眉頭，一臉嚴肅地看著自己的牌。我猜想他透過麻將，看到了我難以想像的日子。

祖父從戰場衝到許家時，許家陷入一片血海。宇文叔叔的父親許二虎在淮海戰役中陣亡了，祖父趕去他家，想要把他的家人從戰火中救出來，但是他的妻子和兩個女兒已經慘遭殺害。

「乾爹趕到時，我躲在糞坑裡。」宇文叔叔幽幽地說，「我聽到媽媽和妹妹的慘叫聲，但我無能為力，只能躲在那裡。」

「你還是孩子，能做什麼？」兩個老人憤憤不平，「別為這種事自責，笨蛋。」

「當時我已經十六歲了，自以為是大人，但無論乾爹問我什麼，我都答不上來，全身不停發抖。『你是許宇文嗎？』『我是你爸爸的部屬。』『來，你跟我走！』──我甚至無法回答。我當時想，也許這個人是冒充我爸爸下屬的壞蛋，是準備來殺我的，但我覺得即使這樣也無所謂，當時我的腦筋一片空白。」

「戰爭就是這樣！」兩個老人異口同聲，「你殺我全家，我也殺你全家，當時就是那樣的時代。」

身穿灰色軍服的男人衝進家裡，殺害了母親和兩個妹妹──宇文叔叔在船即將到臺灣

時，才終於開口說了這句話。當時，宇文叔叔第一次放聲大哭。他流了很多淚，祖父甚至擔心他會被自己的淚水溺死。也許就像我那天早晨一樣。賣豆花的在朝霧中的叫賣聲，與宇文叔叔的母親和妹妹的慘叫聲重疊，在我耳裡，好像遙遠的汽笛聲般餘音裊裊。

既然那些人身穿灰色軍服，應該是國民黨的殘兵。很久以後，祖父這麼告訴我。至於眞相，沒有任何人曉得，在那個時候，誰是誰根本不知道，甚至有國民黨員冒充死去的共產黨留在大陸。灰色的軍服？哼！可能是土匪從陣亡的士兵身上偷來的衣服，也可能是共產黨冒充國民黨！

「不管是國民黨贏，還是共產黨贏，」郭爺爺用力把牌往桌上一拍，「原本以爲仗打完了，大家都還是朋友。」

「誰都沒想到在臺灣一住就是這麼多年。」李爺爺鬱悶地附和著，「原本以爲只是稍微避一下難，很快就可以回到故鄉了，到時候就可以和馬大軍一起找出殺害許二虎全家的人，讓他們血債血還！」

「馬大軍之後也過得不輕鬆吧？」

「對啊，他信中說，朝鮮戰爭時在前線躲過了子彈，文化大革命時，去農村挑了十年肥。之後去瀋陽造火車，最近好不容易才回到青島。」

「好了好了。」明泉叔叔大聲說道，似乎已經聽夠這些煩心事了，「打牌打牌。」

明泉叔叔雖然做了一副大牌，但那一局和局，沒有人胡牌。都已經勝券在握，他發自內心感到懊惱。明泉叔叔人生中所有事都這樣。

我又看他們打了一會兒麻將，回到家裡乖乖向父母道了歉。

春節假期結束後，我進入了碌碌無爲的生活。

我沒有回陸軍官校上課，但我心裡自有盤算，必須盡可能在軍校保留學籍。這麼一來，就可以繼續擁有學生的身分，不必馬上去服兵役。只要能夠撐過七月，就可以再度參加聯考。一旦這次能順利考上大學，就可以繼續拖延四年再當兵。

在我不去學校一個月後，陸軍官校寄了一封信，催促我去復學。我看了之後，立刻撕碎丟掉了。兩個月後，學校又寄來一封相同的信，我甚至沒有拆信，就直接撕碎丟掉了。

父親見狀，起初忍不住皺眉頭，但大概是我不在家的時候，母親發揮耐心說服了他，到了四月，他同意我重考，而且還提供了讓我能一直拖延到七月的建議。

「你千萬不要去辦退學手續，否則一定會被關禁閉。」

陸軍官校寄來的第三封信是辦理退學手續的方法，但也直接被丟進了垃圾桶。

我用功讀書，決心要成爲葉家第三個大學生，努力不讓父母失望。事實上，在五月之前，我幾乎所有的時間都埋首在書桌前。我已經沒有退路了，眼前只剩下兩條路，無法進大學，就必須去當兵。

這天，我正在自己房間讀書，客廳傳來一陣騷動。我好奇發生了什麼事，同時聽到祖母叫我。

「秋生！你過來一下，秋生！」

我走去客廳，發現祖母和母親拉著臉色蒼白的毛毛的手，讓她坐在椅子上。

「發生什麼事了？」

「有奇怪的男人在跟蹤她。」

正如祖母所說，毛毛嚇壞了。她在下班回家的路上，一直聽到有腳步聲跟著她，她情急之下逃進我家避難。母親爲她倒了熱茶，毛毛拿著杯子的手在發抖。

我立刻光著腳衝了出去，在附近和電線桿後方尋找是否有可疑的人影。我撿起一塊破磚，跑到從我家看出去剛好位在死角的大馬路街角。溫熱的夜風吹過無人的小巷，只有蟲子圍著電線桿的昏暗燈泡飛來飛去。

「不是我的心理作用，」當我額頭冒著汗回到家，毛毛對我說：「我跑的時候，腳步聲也追上來了！」

我點了點頭。

祖母等毛毛心情平靜後，命令我說：

「你送毛毛回家。」

來到昏暗的小巷，她走路時緊貼著我。我感到心神不寧。小時候我們經常搭肩走路，我家和她家都有一張我們還是幼兒的時候，宇文叔叔抱著我們拍的照片。

「臺北也變得不太平靜了。」不知道是否想掩飾內心的緊張，毛毛感覺比平時多話，「秋生，你知道嗎？上個月青年公園有人被殺了，也是一個女人下班回家遭到強暴後被殺

了。不久之前，不是有小偷去小戰家偷了電視嗎？結果小戰氣得帶了一票兄弟，到處去找那個小偷。」

我偷瞄她的側臉。她翹捲的睫毛和小時候一樣，還有堅挺的鼻子、臉上的雀斑，總是微微張開的嘴唇也沒變。和以前不同的是，不知道從什麼時候開始，我必須低頭看她。她襯衫下的胸部也漸漸挺了起來。

「最近還好嗎？聽說你不讀軍校了？」

「我打算再考一次大學。」

「你想去大學讀什麼？」

「文學……或是讀日文也不錯。」

「日文？」

「現在還不知道。」

「是喔。」

「我只是有這種模糊的想法。」

「快考試了，你有用功嗎？」

「有啊。」我在回答時，雙眼緊盯著站在路燈下的三個人影，「妳也常去跳舞嗎？」

「你去過嗎？」

我搖了搖頭。

「很好玩啊，下次一起……」

「陳雅慧！」其中一個人影走了出來，叫著毛毛的名字，「這小子是誰？」

「梁傑利？」毛毛立刻就認出對方，嬌小的身體充滿怒氣，「你在這裡幹麼？剛才是你們在跟蹤我嗎？」

「這小子是誰啊？」

「關你屁事啊！」

我看了看火冒三丈的毛毛，又看了看那個男人。對方看起來二十多歲，身上散發出和胖子一樣的空氣，所以一眼就知道他不是好東西。不，他比胖子更糟糕。胖子雖然會玩弄女人，但總是單獨行動，這傢伙竟然還帶著另外兩個人跟蹤毛毛。

「妳不是說今天有事嗎！」

「當然有事啊，」毛毛用鼻子發出冷笑，「等一下要帶狗去散步，還要去餵流浪貓。」

「喂！」梁傑利制止了想要衝上前的同夥，「我勸妳別小看我！」

「你腦筋有問題嗎？還是腦袋壞掉了？我不是跟你說過，我不會和你交往嗎？」

「是因爲他的關係嗎？」他又把矛頭指向我，「這小子比我好嗎？他根本還是小鬼啊！」

「梁傑利，你別得寸進尺！」

毛毛那張不饒人的嘴巴像機關槍一樣，吐出連我這個男生都想要捂住耳朵的惡言惡語，她徹底侮辱梁傑利，連他私處的一根毛都被她罵得一無是處。毛毛是胖子的外甥女，

知道該怎麼對付這種類型的男人。也許她平時向胖子學會了如何對付這種花花公子的方法。

幾個男人衝上來圍住我們，兩個人站在我兩側，揚起下巴瞪著我。

「妳到底在不爽什麼？」梁傑利仍然不善罷干休，「那我陪妳去吃飯，之前不爽的事一筆勾銷。」

「我要怎麼說，你才聽得懂？我只是以護士的身分和你接觸，對你完全沒意思。如果我有什麼舉動讓你誤會，我向你道歉，你別再做這種事了。」

「是因爲我是臺灣人嗎？」

「是你本身的問題。」

「無論如何都不行嗎？」

「我只能對你說抱歉。」

「廢話少說，妳給我過來！」

梁傑利抓住毛毛的手，毛毛尖叫起來。

「幹！」我推開面前的男人，揮拳把梁傑利打倒，「不是叫你住手了嗎！」

背後有人撲了上來，梁傑利站起來時，也對著我的臉揮了一拳。

「靠腰！」

「秋生！」毛毛甩了那傢伙一巴掌，「你幹麼！」

「他媽的！」梁傑利瞪大眼睛，揮手把毛毛打倒在地，「妳這個賤女人，少給我在那

裡囂張！」

我發出沒意義的吼聲，頭撞向梁傑利，揮拳打他的臉，腳踢他的肚子，踹向準備過來抱住我的男人腹部，把坐在地上的毛毛拉了起來。

「毛毛，快跑！」

我們拔腿跑了起來，那三個男人在背後大叫，很快就聽到他們追上來的腳步聲。

我拉著毛毛的手，穿越熟悉的廣州街巷弄，順手把腳踏車和木箱推倒，雖然讓他們栽了跟頭，但他們並沒有放棄追趕。狗吠叫著追上來，大人都跳著閃開，叫著我的名字破口大罵。

「他媽的！別跑！」叫罵聲從背後傳來，「我要打斷你的腿！」

我完全不知道跑到了哪裡，只是緊緊握住毛毛的手，知道她已經精疲力竭。事到如今，也許只能停下腳步，和他們打一架了。對方有三個人，應該不至於打斷我的腿，但我也至少得賠上一顆牙齒。

天無絕人之路，不知道是上天保佑還是菩薩加持，我們跑過阿婆的店門口時，看到小戰正在臭豆腐攤的桌子旁和朋友喝酒。

「小戰！小戰！」我把肺部僅剩的空氣全吐了出來，「救我啊，小戰！」

正裸著上身喝啤酒的小戰探出身體，把杯子用力放在桌上站了起來。他那些身上有很多刺青的兄弟也跟著站了起來。

「幹恁娘！」包括小戰在內的五個混混痛毆了追兵，「哪個王八蛋敢碰我的兄弟！」

我停下腳步回頭一看，梁傑利他們落荒而逃，小戰和他的兄弟緊追在後。小戰的兄弟中，有人拿著打破的啤酒瓶。

毛毛喘不過氣，彎著身體用力喘息。我也和她差不多。

「已經沒事了，」我努力調整呼吸對她說，「小戰會搞定這件事。」

她前後搖晃著身體，連續點了好幾次頭。

「原來妳上次說的話是真的。」

「上次？」

「妳不是說有男人追妳嗎？就是胖子去……」我把藍冬雪的名字和口水一起吞了下去，「就是剛好遇到胖子要去掃墓的那天。」

毛毛似乎並沒有想起來，但在急促的呼吸之間吐出一句：「沒有一個好東西。」

雖然一點都不好笑，但我覺得她說話的方式很滑稽，忍不住哈哈大笑起來。

毛毛也跟著我大笑。

我們靠在對方身上盡情地笑。我笑得有點喘不過氣，不禁想起了父親和母親剛談戀愛時的往事。母親一個人去看電影，突然有一隻手從後方座位伸了過來，想要搶走母親的皮包。母親嚇得說不出話，用全身的力氣保護皮包。搶匪用力搶奪皮包，小聲威脅母親說他手上有刀子。

「當時，你爸爸救了我，」有一次，母親這麼告訴我，「遇見命中註定的人，就連壞事也變成了助力。」

那次之後，毛毛下班後有時會來我家。奇怪的是，我一天的時間分配也會配合她的造訪進行調整。我並沒有刻意，但在毛毛來家裡的兩、三個小時前，我讀書特別專心，完全不關心讀書以外的任何事。當她的聲音從客廳傳來，我的專注力也剛好燃燒殆盡。我在書桌前用力伸懶腰，揉著肩膀進入休息時間。和毛毛天馬行空地聊一會兒，然後再送她回家。有時和她聊書的事，有時也會去吃剉冰。

時序進入六月，濃烈的暑氣籠罩了整條廣州街，就連椰子樹也因爲夏天即將到來而垂頭喪氣。

某個星期四的黃昏，我在院子裡看著雞發呆，也不是刻意在等毛毛。當時，我穿著宇文叔叔從日本買回來的運動短褲，那條白色褲子兩側有水藍色的線條，很好看，穿在身上很透氣。宇文叔叔擔心尺寸不合，還買了另一條不同尺寸的運動短褲，印著很有日本風格的白色波浪。一看到那條褲子，我立刻想到很適合時髦的毛毛。當她走進我家，我說那件運動短褲太小了，要送她當禮物。

「太好了！」毛毛興奮得跳起來，「這條短褲眞漂亮。」

「日本人太厲害了，臺灣人不會想到在短褲上印圖案。」我對自己說的話有點懂，又好像聽不太懂。

「秋生，我們要不要去吃東西？」

「好啊。」

「那我去換一下衣服。」

毛毛歡快地跑走了，十分鐘後，她穿著我送她的運動短褲回來了。

「將將將！」她在我面前轉了一圈，「好看嗎？」

我點了點頭，把祖父的速可達推到路上。

雖然我只敢偷瞄，但她從短褲下露出小麥色的腿真的太美了。她頭上戴著好像籃球選手般的髮帶，那正是我心目中的理想搭配。她就像是穿著溜冰鞋的加州女孩。

我們一起騎車去萬華夜市，在很久以前，小戰用磚頭打雷威腦袋的那個攤位買了豬血糕，大口吃了起來，在燈紅酒綠的街上閒逛。

毛毛無憂無慮地挽著我的手，時而發出歡笑，時而突然跑出去，買了裝在塑膠袋裡的果汁回來。夜市像往常一樣充滿活力，讓我們慶幸自己生在臺灣。大聲喧嘩的人向攤販問價而不買，大聲嚷嚷著，額頭冒著青筋殺價。廚師叼著菸，把鐵鍋放在噴火的瓦斯爐上，大火炒著菜，到處都飄來香噴噴的煙。在有好幾家蛇店那一帶，攬客的店員嘴巴被檳榔汁染紅了，把眼鏡蛇從籠子裡抓出來，大聲向參觀的人說明蛇肉的功效。滋補強身、壯陽益腎，而且還會讓皮膚光滑溜溜！毛毛雙眼發亮，看著挑釁著蛇的男人。喂，那位小兄弟，要不要來一杯蛇膽酒？一杯才一百元而已！

「秋生，你對未來有什麼打算？我是說，等你大學畢業之後。」

我看著她，再看著我們不知道什麼時候牽著的手，然後才開了口。

「我爺爺不是被人殺死了嗎？」

毛毛直視著我。

「現在已經平靜多了，」我繼續說，「即使如此，有時候還是會覺得何必活得這麼辛苦。我是最先發現的人，看著爺爺沉在浴缸裡，完全不知道爺爺爲什麼非得被人以這種方式殺害，也難以理解爲何會有人用這種方式殺人。臺北雖然有很多壞人，但我們生活在這裡，在某種程度上也能樂在其中。小時候，父母不是經常恐嚇我們，如果不聽話，就把我們賣給人口販子嗎？但內心根本沒有當眞，不過，這種惡劣的現實是眞實存在，而且就在我們身邊。也許惡劣的現實才是這個世界的眞相，我們能夠活到今天也不過是運氣好而已。即使去上了大學，讀文學那種東西，以後也無法養家餬口。無論再怎麼認眞規畫未來，也許很快一切又要重來……妳了解我的意思嗎？」

「你覺得現在做的一切都是白費力氣？」

「嗯。」

「但是，每個人都一樣。我也一樣啊，整天都想辭職。」

「嗯。」

「正因爲這樣，我們才和別人在一起，」她的手用力握住了我，「因爲有太多事無法一個人承受。」

我緊緊握住毛毛的手。我知道手掌流著汗，但不知道是我的汗，還是毛毛的汗。在擁擠的人群中，只有我們兩個人。這件事令我感到自豪，覺得此刻自己握住了很重要的東西。我很想把她拉過來，緊緊擁抱她。如果不是坐在路邊吃海鮮的明泉叔叔叫我，我可能

眞的會這麼做。

包覆著我和毛毛的透明而輕盈的膜啪地一聲破裂了，喧嘩聲頓時傳入耳朵。我們好像被燙到般，立刻甩開對方的手。

最糟糕的是，胖子也在那裡，而且桌上放了好幾個啤酒空瓶。

「你們什麼時候變成這種關係了？」

明泉叔叔不懷好意地笑著問道，我和毛毛異口同聲地否認。

沒有沒有，我們不是你想的那樣。對啊，明泉叔叔，你在說什麼啊，完全沒這回事。

「喂，葉秋生！」醉眼矇矓的胖子用魷魚腳指著我說，「我不是警告過你，不要動我家毛毛的腦筋嗎？如果你敢對毛毛有邪念，我會親手殺了你！」

我和毛毛互看著，但並不是只有我們覺得胖子的態度很奇怪。

「你什麼意思啊？」明泉叔叔把身體倒向胖子，「你對我家秋生有什麼意見嗎？」

「反正秋生就是不行！」胖子用力拍著桌子，「這個王八蛋……這個王八蛋……」

我感到十分驚訝，因爲我並不知道自己哪一件事惹毛了他，只是我從小到大曾經惹毛過他無數次，我猜想可能是其中哪一件事讓他一直耿耿於懷。

胖子閉上眼睛，陷入漫長的沉默，大家都以爲他睡著了，沒想到他猛然張開眼睛。

「你們爲什麼穿成這樣？」他口齒不清地問道，「喂，明泉，他們穿的是……呃，那個吧，就是你上次送我的……呃，日本的內褲吧？」

毛毛瞪大了眼睛，臉漸漸變成像燙熟的蝦。胖子搖搖晃晃站了起來，「嘿呦！」一聲

把短褲往下拉。

「你們看！」

他裡面穿著和我送給毛毛完全一樣的運動短褲。

「那是日本的內褲啊！」胖子甩著魷魚腳，「你們穿著內褲，說著你愛我、我愛你嗎？笨蛋！我怎麼可能把我心愛的外甥女交給這種呆子！」

毛毛轉身跑走了，我立刻去追她，身後傳來胖子和明泉叔叔拍著手哈哈大笑的聲音。

「葉秋生，你想打我家毛毛的主意，一百年後再說吧！」

原來是內褲，難怪這麼涼快透氣。

毛毛眼中含著淚水責備我，說我是變態，竟然送內褲給根本不是自己女朋友的女生。她從來沒有這麼丟臉過，問我要怎麼負責！

因爲這件小事，我和毛毛正式開始交往。當然是我提出的。因爲一旦成爲男女朋友，送內褲就不能算是變態了。

「你是認眞的嗎？」毛毛用含淚的眼睛看著我。

「因爲我應該……喜歡妳。」

「你比我小耶。」

「才小兩歲而已。」

「我討厭年紀比我小的男生。」

「但我喜歡妳啊。」

「那……」她擦著眼淚，「你前面還有兩、三個人在排隊，等我搞定他們之後再輪到你。」

「太過分了！」

她噗哧一聲笑了起來。

男人和女人之間很難預料會因爲什麼契機而在一起，因爲什麼原因而分手。話說回來，日本人爲什麼要做那種很像運動短褲的內褲？如果連內褲也可以這麼巧妙地僞裝成運動短褲，怎麼可能分辨誰是好人，誰是壞人！

過沒多久，我在晚上帶毛毛去了植物園。

竹林中、水池畔以及植物園內的涼亭欄杆上都坐滿了情侶，値得一看，堪稱是植物園才有的夜間景象。情侶們就像停在電線上的痲雀，用書和雜誌遮住臉，互訴衷腸、耳鬢廝磨。也有人用夾克蓋住頭，死守兩個人的世界。植物園的涼亭對我們來說，是確認彼此的關係超越友誼，並且簽名、蓋章的地方。

我和毛毛不時瞄著卿卿我我的情侶，保持著適當的距離，在植物園內繞了一圈又一圈。我牛仔褲後方的口袋裡有一塊平時從來不會帶的手帕，打算爲毛毛鋪在屁股坐下的地方。

皎潔的月光亮晃晃地灑在植物園，棕櫚樹在夜空中勾勒出清晰的影子。徐徐涼風吹來，樹葉發出輕柔的沙沙聲。已經晚上十點多了，納涼的人搖著扇子在園內散步。水池裡

魚兒蹦跳，圓月在水面搖曳。

毛毛聊著工作和朋友的事，而我幾乎都在聽她說話。

「對了對了，上次那傢伙，就是糾纏我的那個傢伙，他是榮總的實習醫生，已經惹哭了好幾個護士。自從被小戰他們收拾之後，他安分多了。因爲臉腫到像豬頭，所以一直戴著口罩。昨天我在走廊上遇到他，他都不敢看我。」

我心不在焉地「喔」「嗯」「是啊」附和著，並且張大眼睛尋找涼亭。一看到可以坐的空位，就故意走得很慢，期待毛毛能夠察覺我的用意。但她並沒有抓住我的手，拉著我大步走去涼亭，用一隻手抱著我的背，奪走我的吻。

植物園內很難找到理想的空位，而且一次又一次從我依依不捨的眼角溜走。當我們繞了一圈，發現被其他情侶搶走時，我懊惱得牙癢癢的。

兩圈變成了三圈，三圈又變成了四圈。

我們滿身大汗，但並沒有叫苦。想到毛毛和我一樣，我就勇氣倍增，但這份勇氣無法改變任何事。涼亭周圍飄出很多粉紅色愛心，到了明天早晨，清掃員就會用掃帚打掃乾淨。我們很有耐心地在熱帶植物叢間散步。

「我累了，」毛毛終於暗示想要回家，「而且口也渴了。」

「喔……那差不多該回家了？」

我咒罵著自己的笨拙，率先走向後門。

這個世界上的男人到底是用什麼方法把女朋友帶去涼亭的？如何才能不讓女生察覺背

後想要接吻的企圖？他們是如何完成這種無恥的事？

多年之後，我在搭計程車時，曾經看到這樣的景象：一對男女坐在機車上，坐後方的女生手在騎車的男生大腿之間遊走。那個女生看起來很普通，張開穿著短裙的雙腿，用力夾住男生的腰。她的手始終沒有閒著，從後方繞到男生的大腿之間又揉又搓。男生若無其事地騎著機車，我搭的計程車在羅斯福路轉彎，他們也走出了我的人生。

時代以驚人的速度前進，讓我們成爲落伍者。植物園當年的涼亭還在，只是已經看不到青春期的年輕人在涼亭周圍如蒼蠅般打轉。但在當時，放眼望去，都是那樣的年輕人。那是能夠清楚分辨淑女和妓女的時代。

「葉秋生！」

聽到毛毛賭氣的聲音，我回頭一看，她站在剛才的地方一動也不動。

「散了一整晚的步，就這樣結束了？」她說話時，雙手扠在腰上，「你以爲我這麼閒嗎？」

我大驚失色，連忙找各種理由辯解。

她用下巴指向涼亭。

在卿卿我我的情侶之間，剛好有一個理想的空間。金銀花芬芳的香氣撲鼻而來。

我用力點了點頭。

我們就像進入叢林的探險隊般走了進去，在那裡坐了好一會兒。

第八章　十九歲的災難

我和毛毛約了四點半看電影，我剛走出家門，就差一點被趙戰雄的機車撞到。

「哇！」我立刻跳開了，又差點掉進水溝裡，「小心點，眼睛長在哪裡啊？」

小戰用力甩後輪，調轉了機車的方向，輪胎刮到柏油路面，冒出白煙。

「幹恁娘！」他猛催著油門大叫，「秋生，上車！」

「小戰，怎麼了？」

「我有東西想給你看，快上車！」

「不，我等一下有事……」

「葉爺爺的皮鞋之前不是被偷了嗎？」

「啊？」

「我記得是一雙藍色皮鞋，對嗎？」

我跳上了機車後方的座位。

「有一個傢伙倒了鷹哥的會！」小戰轉動油門握把，前輪微微懸空，「我們查到了那傢伙的下落，所以就上門討債！結果在他家看到了那雙鞋，怕是我看錯，想帶你去看一

下，但我從來沒看過那種藍色皮鞋！」

「那傢伙人在哪裡？」我大聲叫著問道，不讓聲音被風和引擎聲蓋過去，「該不會要去他家，拜託他給我們看鞋子？」

「你去了就知道了！」

小戰回答完這一句，踩下離合器進了一檔，開始專心騎車。

我們從植物園後方的和平西路來到羅斯福路，經過臺大，然後一路往南。來到景美後，小戰熟門熟路地在巷弄內飆車，車後拖著長長的白煙。

我們來到一片昏暗的區域，那一帶都是已經倒閉的社區工廠，兩側是老舊的大樓。幾道敞開的鐵捲門內，滿身油污的男人正在製作、加工零件，也有人在吃飯、打瞌睡。切割鐵皮的刺耳聲響和電視的聲音此起彼落，卻聽不到人的聲音。

來到巷底後，小戰停下機車，一個叼著菸的小混混叫著「戰哥」，向他打招呼，推開關著的鐵捲門。小戰沒看他一眼就帶我走了進去。進去之後，他叫著「鷹哥」和幾個人的名字，向他們打完招呼後，用手肘戳了戳我，我也鞠了一躬，叫了一聲「鷹哥」。

裡面比我想像中更大，空蕩蕩的，看起來像倉庫。一走進去，幾個男人停止聊天，但他們的聲音沒有立刻消失，在灰塵瀰漫的空間產生了回音。

高鷹翔和同夥的四個人圍在桌子旁吃便當。他燙著釋迦頭，短袖襯衫的前方敞開，流著汗的胸前刺青還沒完成，只刺了線條而已。正如傳聞中所說，他的左手沒有小拇指。

「你是小戰的朋友喔？」高鷹翔大聲咀嚼著，用筷子指著我，他說的是臺語口音很重

的臺灣國語，「你爺爺被殺了夠？」

他說話的方式好像菜市場的菜販。我點了點頭，雙眼盯著日光燈下的椅子。

一個男人被綁在椅子上，顯然被狠狠教訓了一頓。在日光燈下無力癱在椅子上的樣子，簡直就像電影一景，混著血絲的口水從他被打破的嘴角滴了下來。

咚的一聲，我的心臟用力跳了一下。轉頭一看，高鷹翔把一雙藍色皮鞋丟在桌上。

那是爺爺的皮鞋。

「這雙鞋子是你阿公的夠？」

他說「鞋子」的時候，發的是「誰祖」的音。可能我的表情太滑稽了，幾個男人發出竊笑。

「沒錯嗎？」

「這雙鞋子是我叔叔從義大利買回來的，」我回答，「在臺灣買不到。」

幾個男人都點著頭，

「這傢伙夠，竟然敢倒偶的會。」高鷹翔啃著雞腿，道地的臺灣人在說「我」的時候都會變成「偶」，「一百萬、一百萬，等於是愛國獎券特等獎的獎金。」

我和小戰等著他把嘴裡的食物吞下去。

「欸，叫他起來。」

高鷹翔把白飯扒進嘴裡時命令道，小戰立刻消失在倉庫深處。我猜想會像電影演的那樣，用水把那個人潑醒。我果然猜對了。小戰拎了一桶水，猛然倒在椅子上那個男人身上。

男人張大嘴巴呼吸，扭著身體用力咳嗽。水從他淋溼的臉上滴了下來。

「欸，你偷這雙鞋子時，殺了一個歐哩桑齁？」

男人用矇矓的雙眼巡視四周，然後微微抬起頭，點了一下。高鷹翔得意地張開雙手。

阿弟仔，這下子你終於可爲你阿公報仇了。他們一夥人紛紛激勵著我，但我能夠聽懂的話有限，只知道他們在說，我可以自己動手，他們也可以幫忙，反正這傢伙活不到明天。

小戰把手放在我的肩膀上。

「我可以和他說話嗎？」

高鷹翔聳了聳肩，大口吃著便當。

我低頭看著椅子上的男人，很難從他扭曲的臉判斷出歲數，但從他微禿的頭髮來看，應該是五十多歲。他腫起的雙眼眼神渙散，無力張開的嘴因爲被打得太慘，已經閉不起來了。手腳被膠帶綑住，火柴棒般細瘦的手腳像紙一樣蒼白，腳上只穿了一隻如兒童鞋般的球鞋。

「那雙藍色皮鞋是你的嗎？」

沒有反應。

「所以是你偷的嗎？」

男人的腦袋微微動了一下。

「是不是在哪裡買的？」

沒有反應。

「是從迪化街的布行偷的嗎？」

他看起來好像在點頭。

「到底是不是你偷的？」

這次他明確點著頭。

「你記得是幾月幾日偷的嗎？」

他搖了搖頭。

「你去那家店偷了幾次？」

漫長的沉默後，男人微微動著嘴唇。我又問了一次，這次聽到他回答：「兩次。」

「你殺了當時也在店裡的老人嗎？」

沒有反應。

「欸！」高鷹翔大喊，「在問你啦，你偷這雙鞋子時齁，有沒有殺一個歐哩桑？」

男人微微抬起頭，然後又無力地垂下去。

「看吧。」

「你在迪化街的布行殺了老人嗎？」我再度向他確認，「你偷皮鞋時，殺了我爺爺嗎？」

男人點了點頭。

「現在你滿意了吧？」高鷹翔不耐煩地問，「一定就是他啦，太好了齁，阿弟仔。」

我轉頭對他說：

「殺我爺爺的不是這個人。」

高鷹翔停下正在咀嚼的嘴，半睜眼睛看著我。

「我爺爺的店在前年兩度遭竊，分別是一月和四月，皮鞋是在四月被偷的，但我爺爺是在五月二十日到二十一日之間被殺的。」

「所以哩？」

「所以……」我面對高鷹翔，「這個人不可能在偷皮鞋時殺我爺爺。」

「這傢伙的記憶……」高鷹翔似乎不知道接下來該怎麼用國語說，指著自己的頭，手指轉動，「躺？」

「鷹哥，這人不是你的會腳嗎？」我說，「你應該很了解他，你覺得他會殺人嗎？」

「他是我麻吉介紹進來的會腳，」他揮了揮手，似乎不把我的話當一回事，「否則怎麼會讓這種賊仔入會。」

「我不覺得他有辦法殺我爺爺。」

不光是高鷹翔，他的麻吉也都露出可怕的眼神。

我走到他們的桌子旁，拿起祖父的皮鞋，穿在被綁在椅子上的男人腳上。鞋子根本沒辦法穿上去，男人的腳踝無力地下垂，鞋子掉落在地上。

「我爺爺比他高很多，」我蹲在地上，轉頭看向高鷹翔，「體格也很壯，不可能被這種像豆芽菜的老頭用那種方式殺害。」

我的眼前閃過祖父雙手雙腳被綁住，身體彎成「く」字形，沉入浴缸底的樣子。我想

要站起來，卻感到一陣暈眩，這種小偷沒能耐用那種方式殺了祖父。小戰慌忙過來扶住搖晃的我。

「靠腰，你是說，鷹哥說謊嗎！」隨著怒罵聲，有人用力拍桌子。「凶手不一定只有一個人啊，我們是好意幫你，你罩子不放亮一點，小心連你也一起做掉！」

「你恬恬，嚇驚遮款囝仔又賺無半仙錢！」高鷹翔用臺語制止了他的痲吉，然後又用國語對我說，「欸，阿弟仔！」

「是。」

「人被逼到絕路，什麼事都幹得出來啦，」他用下巴指著被綁在那裡的男人，「就算是這種貨色，以前也曾經殺過人啊。」

我看了一眼如同落湯雞的男人，他仍然低著頭，顯然在嗚咽。水從他全身滴落，在椅子下方形成一灘水痕。

「即使這樣，你仍然堅稱不是他殺了你阿公嗎？」

「他殺過幾個人？一個人？兩個人？」

「啊？」他露出可怕的眼神。

「我爺爺至少殺過五十個人。」

不光是高鷹翔，其他人也都露出緊張的神色。

「是在打仗的時候，」我努力注意自己說話的語氣，「他曾經襲擊幾個村莊，把村民都活埋了。」

「那被人幹掉也是罪有應得。」其中一人很不屑地說道，其他人也紛紛表示同意。用炸彈炸死人和用菜刀捅死人是兩回事啊。

「我想要說的是，我爺爺遇過太多被逼得狗急跳牆的人。」

「你說什麼？」

我指著小偷說：「我爺爺不可能死在這種人手上。」

「算了啦！」小戰抓住我胸前的衣服，「鷹哥爲你這個陌生人兩肋插刀，你別再得寸進尺了！」

「這件事我很感激。」

高鷹翔目不轉睛地看著我，然後對著小戰努了努下巴。小戰用憤怒掩飾快哭出來的表情，鬆手推開我。

「就當作是他殺的不就好了嗎？齁？」

「……」

「這麼一來，你的心情也會很暢快。」他破顏而笑，抓著麻吉的肩膀搖了搖，「這阿弟仔腦筋不清楚，齁！」

幾個黑道兄弟都笑了起來。

「滾吧。」高鷹翔也笑了，但他的眼睛沒有笑，「我們還有事要做啦，沒時間和你玩。」

男人丟下筷子和保麗龍的便當盒，從地上撿起鐵錘和菜刀，紛紛聚集在被綁的那個男

人周圍。我步步後退，他們看著男人的眼神無光，簡直就像肉販看到肉一樣空洞。

「我欲返去辦公室。」高鷹翔走出倉庫，「莫在遮動手，嘸通未記遮的厝頭家是阮阿姑。」

我急急忙忙拉著小戰的手臂，想要把他帶出去，高鷹翔大喝一聲：

「小戰，你也去啦！」

小戰的身體抖了一下，渾身緊繃。

「你也差不多要開始做下一階段的事了，齁！」

圍在小偷周圍的男人露出平靜的眼神看著我們，等待接下來發生的事。

高鷹翔踢著鐵捲門，外面的人把鐵捲門拉了起來。我聽到他走出倉庫時，叫人把車子開過來。

小戰搖搖晃晃準備踏出一步，我用力把他拉回來。他轉過頭，臉上似乎帶著問號，又似乎不知道我為什麼會在這裡。他眨了眨眼睛，掙脫我的手，退後了兩、三步，往那幾個人走去。

小戰的背影一步一步遠離，我無助地目送著他即將跨越他絕對不能踩的紅線。

視野模糊起來，起初我以為自己在哭，但並非如此。飄浮在小戰頭頂上的光球在日光燈下顯得模糊。

我還來不及思考，身體就已經採取了行動。

那種感覺和之前把鐵尺刀刺進自己大腿時完全一樣，我好像被推了一把似的衝了出

去，衝到剛才那幾個男人圍著吃便當的桌子旁，撿起掉落在地上的鐵管。

「小戰，住手！」我揮著鐵管，衝向那幾個男人，「不要做這種事！」

幹恁娘，活得不耐煩啦！那幾個男人叫罵著。他媽的，去死啦！在好像捅了馬蜂窩般的一片混亂之中，那幾個男人舉起鐵錘，準備敲我的頭，或是準備用刀子捅我。

我踢倒了綁著小偷的椅子，讓敵人也跟著跌倒。王八蛋！我不顧一切地揮著鐵管，對準他們的腦袋敲了下去。滾開，死流氓！

「不是我！不是我！」小偷哭喊著，「我沒有殺你爺爺！」

「快去騎機車！」我抓住小戰，把他推向鐵捲門的方向，「小戰，快走！」

狐火飄過眼前，視野立刻變成一片白色。鐵錘揮向我搖晃的殘像，把鐵捲門打凹了。小戰聽到這個巨大的聲響頓時亂了方寸，慌忙把鐵捲門往上抬。我單腿跪在地上，用盡全身的力氣揮著鐵管，打向敵人的小腿，然後連滾帶爬地衝了出去。

「秋生！」機車的引擎大聲吼叫著，排氣管噴出白煙，「秋生，快上車！」

我在千鈞一髮之際拉下鐵捲門，擋住蜂擁而來的敵人。當氣瘋了的黑道兄弟再度拉起鐵捲門時，我已經跳上機車後座。

小戰用力轉動油門握把，高高抬起前輪衝了出去。

「衝啊！衝啊！」我回頭看著白煙中的敵人，把鐵管丟向衝在最前面的傢伙，「去死啦！」

小戰不斷踩離合器換檔，我們以時速八十公里在巷弄內狂飆。

一輛貨車攔腰撞上計程車，擋住了去路，兩個男人站在滿地玻璃碎片上破口大罵。我緊張地回頭張望，幸好並沒有看到追兵。小戰搖晃著雙手，機車開始蛇行，駛過一輛不知所措地停在那裡的黑色車子旁時，我和坐在後車座上的高鷹翔四目相接。機車撞到了黑色車子，撞飛了後視鏡。高鷹翔從車窗內探出腦袋，大聲咒罵。

我們繞進幾乎只有貓才能通過的防火巷，沿途繼續狂飆。我的眼角掃到一輛警用機車，不禁嚇出一身冷汗，幸好並沒有看到警察。說不定小戰甚至沒發現警用機車，我也沒有告訴他。

回到羅斯福路後又騎了一會兒，小戰才終於想到車速的問題。

隨著車速漸漸變慢，身體反而開始發抖。柏油路面散發的熱氣讓我汗流浹背，但身體深處卻是冰冷的。小戰也一樣，他的牙齒不停打顫。

街道越來越擁擠，不一會兒，路上就擠滿了車子，無法順利飆車。大量速可達像老鼠一樣在車陣內穿梭。小戰氣鼓鼓地將機車龍頭左轉，我們面對著漸漸沉落的巨大夕陽，沿著汀州路緩緩西行。

「幹！」小戰捶著龍頭，「王八蛋，現在該怎麼辦？我們會被幹掉啊！」

「小戰，你鎮定一點！」

「幹恁娘，都怪你！」

「開什麼玩笑！」我也火了，「那你說當時該怎麼辦？啊？你有膽量殺人嗎？」

小戰大吼一聲，沿途發出吐血般的咆哮聲，再度開始狂飆。旁邊的機車都嚇得搖晃，

叫罵聲和喇叭聲同時響起，但我沒有阻止小戰，希望他痛快地發洩。小戰又連續叫了幾次，終於安靜下來專心騎車。他在南海路右轉準備回家，我要求他直走。

「要去哪裡？」

「去迪化街。」

小戰沒有多問，騎著車筆直前進，在中華路右轉。來到這裡之後，只要直走就可以到迪化街。當中華商場出現在左側時，我要求他停車。

「現在又要去哪裡？」

「你跟我來。」

我們衝上中華商場的階梯，快步經過外側走廊。打赤膊的老人都從店鋪裡走出來，訝異地看著我們。

狐仙廟的鐵捲門拉了起來，年輕女人把線香高舉在額前拜狐仙。小梅姑姑在神壇後方寫稿。她是編輯，不管在哪裡都可以工作。她一發現了我們就立刻皺起眉頭。小戰叫了姑姑後，打了招呼。

「怎麼了？」小梅姑姑拿下眼鏡，站了起來，「秋生、小戰，你們又打架了嗎？」

「小梅姑姑，」我抓住姑姑說，「迪化街的鑰匙借我一下。」

「什麼？」她的眼神飄忽，「發生什麼事了？」

「小梅阿姨！」小戰也在一旁叫著，「現在沒時間解釋，別問這麼多，快把鑰匙借給我們！」

「沒時間？」姑姑愣了一下，立刻產生反彈，大聲咆哮，「臭小子，你以爲自己在跟誰說話！你以爲個子長高了，我就打不到你嗎？」

小戰抓著頭，剛才在拜狐仙的客人立刻逃走了。

「小梅姑姑，小梅姑姑，」我設法安撫像公雞一樣怒髮衝冠的姑姑，「現在眞的沒有時間，小戰惹毛了高鷹翔……」

「高鷹翔！」姑姑大叫著，臉色大變地痛毆小戰，「我早就知道會出這種事！你現在要怎麼辦？那傢伙是徹頭徹尾的人渣！他從中學就開始混黑道，殺人放火，無惡不作！怎麼辦？啊？趙戰雄，你現在要怎麼辦？」

「好痛喔！」小戰縮起身體掙扎，「所以我說現在很傷腦筋啊！別再問了，趕快把鑰匙借給我們！」

「你自己找死！」小梅姑姑繼續揍小戰，也順手打我。「高鷹翔！有人只是在加油站按了幾聲喇叭，那個畜牲就把對方從車上拉下來，用刀子捅人家的肚子！眞搞不懂爲什麼沒有判他死刑！」

「喂，很痛欸！」我猛然抓住姑姑纖細的手腕問，「妳爲什麼知道得那麼清楚？」

「爲什麼？」小梅姑姑推開我的手，巴我的頭，「因爲我們讀同一所中學啊！」

「啊？所以你們是朋友？」

「我怎麼可能和那種雜碎當朋友！他是明泉的同班同學。」

我和小戰都縮成一團，垂頭喪氣地不吭氣。小梅姑姑最後各打了我們的頭，重重地嘆

了一口氣，從鑰匙圈上拆下鑰匙交給我。

「別怪我沒告訴你們，你們去向明泉求救也沒用，他和胖子當年都被高鷹翔欺負得很慘。」

小梅姑姑沒有多問，似乎默許我和小戰在風波平息之前躲在迪化街。我們向她道了謝，她好像在趕蒼蠅般揮了揮手，走去神壇後方。

我和小戰點了線香，向狐仙三拜九叩後，跳上機車，再度在馬路上狂飆。

那天晚上很晚的時候，我出門買晚餐，順便在雜貨店的公用電話打電話給毛毛。接電話的胖子難掩喜色地說：「毛毛說不想和你說話，你們怎麼了？」

我掛上電話。

回到如今只剩下縫紉機架臺、垃圾和宇文叔叔少許私人物品的布行，小戰抱著膝蓋坐在床墊上。我把大腸麵線放在他面前。

「你眞的以爲那個偷鞋賊殺了我爺爺嗎？」

他沒有回答，我坐在機車上，吃著自己的大腸麵線。我們把機車推進店內。

隔天晚上去買晚餐回來時，我又打了電話。接電話的是毛毛的妹妹瑋瑋，她好奇地問：「姊姊說不想和你說話。葉秋生，你和姊姊怎麼了？」

我又掛上電話。

回到店裡，小戰露出黯然感傷的眼神抽著菸，我把魷魚羹米粉放在他面前。

「你知道高鷹翔想要殺了那個偷鞋賊嗎？」

他還是悶不吭氣，我坐在機車上，很快把自己的份吃完了。

隔天晚上我又出去打電話，接電話的毛毛的媽媽用有氣無力的聲音說：「毛毛和朋友出去了。對了，葉秋生，胖子應該提醒過你，你不要來糾纏我家毛毛。」

「對不起，但是……」

「我不會讓我女兒和你交往。」

「……」

「你也要想想家世的問題，我們雖然都住在廣州街，但你和毛毛完全生活在不同的世界。」

電話喀嚓一聲掛斷了。

毛毛的母親是胖子的姊姊，其實她在廣州街一帶的風評很差。不光是李奶奶，就連我的祖母也說，她年輕時曾經同時搞上好幾個男人。她的父親謝醫師忍無可忍，不由分說地安排她去相親，她幾乎是在娘家受到軟禁的狀態下生下了毛毛，結果突然改邪歸正，好像卡到陰的那個鬼離開了她。她不僅不再亂交男朋友，為了贖罪，還努力向女兒灌輸貞操觀念，要求女兒背誦她自創的有關珍惜自己身體髮膚的格言。之前有男生在學校掀毛毛的裙子，她就會衝去男生家，抓起對方媽媽的頭髮扭打成一團，這件事在廣州街家喻戶曉。她眼中只有女兒，即使在路上遇到熟人，也從來不打招呼，難怪老人都不喜歡她。這也是因果報應。那些老太太在打麻將時討論著，胖子到處玩女人，所以她也被那些男人玩。而

且，謝醫師年輕的時候也不是省油的燈……

小戰抽起菸，看著漫畫放聲大笑。

眞是夠了。

我已經陪著他在這裡窩了三天，白天除了睡覺，只能看牆壁，或是在心裡痛恨對方，再不然就是拿起兩年前的報紙從頭看到尾。每次去廁所，就會忍不住想起祖父。我沒辦法準備聯考，也見不到毛毛。

我把買來的涼麵朝小戰的臉上丟去，結果裝芝麻醬的塑膠袋破了，和涼麵一起砸到他的臉上。

「你、你幹麼？」

「少囉嗦！」

我們打了一架，發洩內心的鬱悶。

小戰朝我的臉打過來，我抱著他的脖子，用力向上擰。小戰整個身體撞過來時，我敞開身體，拳頭打向他的臉。他流著鼻血，然後我們眞的打了起來。我大叫一聲撲向他，他踹向我的肚子，反過來撲向我。我們在地上扭打、滾動，但沒忘記揮拳，也挨了拳頭。一個拳頭打到我的太陽穴，所有東西看起來都是雙重的。

「我是想幫你啊！」

「你少來了！」我把他壓在地上，「你是不想弄髒自己的手，所以希望我收拾掉那個偷鞋賊！」

小戰啜泣起來，我把他踹開後，吃完自己的涼麵。

隔天晚上我又打了電話。雜貨店瘦巴巴的老闆娘看到我每天晚上都來打電話，忍不住向我提出忠告：「對女孩子不能這樣死纏爛打。」我點了點頭，把硬幣丟進電話後開始撥號。這次終於是毛毛接的電話，她語氣堅定地親口告訴我，她不想和我說話。

「等一下，」我急忙對著電話解釋，「我並沒有忘記和妳約好要看電影，但因爲小戰捲入了麻煩。」

電話的彼端陷入沉默。不一會兒，傳來她充滿懷疑的聲音。

「什麼麻煩？」

我繼續往電話裡投零錢，把大致的情況告訴了她。我發現自己和毛毛說話時，心情就漸漸平靜下來，說完整件事，零錢都用完了。

「這三、四天，小戰嚇得不敢出門。」

雜貨店老闆娘看到我在所有的口袋裡摸零錢，忍不住遞給我幾枚硬幣救急。我用眼神向她道謝後，把她的好意投進了電話。

「他好像不打算再回高鷹翔那裡，但如果想金盆洗手，就要砍掉小拇指……他不知道該怎麼辦，而且也不知道砍掉小拇指能不能解決問題。」

「你沒事嗎？」

「目前還好。」聽到她的聲音中已經沒有怒氣，我終於鬆了一口氣，這時，內心脆弱的部分吐出了洩氣的話，「但在問題解決之前，我可能會先發瘋。」

「畢竟那裡曾經發生過那種事。」

「晚上睡不好，只要閉上眼睛，就會忍不住想爺爺的事。小戰那傢伙又整天說夢話……我很想見妳。」

「那我們見面吧！」毛毛說，「我現在就去你那裡。」

「不，不行，萬一發生什麼事……」

「那你來找我。」她急切地說，「去植物園好嗎？」

雜貨店老闆娘看到我雀躍地對著電話回答，朝我豎起了大拇指。毛毛指定了地點後，我掛上電話，跑了起來。

我衝到馬路上，響起一陣汽車喇叭聲。我在人群中穿梭奔跑，因爲跑得太快，如果不抓住騎樓的支柱，甚至無法轉彎。騎機車到植物園只要二十分鐘左右。我難掩興奮，還沒到布行，就不停地叫著小戰的名字。

「小戰！小戰！機車借我一下……」

兩隻腳自動停了下來，興奮的心情突然消失，好像被潑了一盆冷水。我一時無法理解到底發生了什麼事。

「小戰……？」

鐵捲門被人撬開了。

小戰不見蹤影，留在空罐上的香菸還冒著煙。

鐵捲門可能是被撬棍撬開的，拉開一半的鐵捲門下端好像溼掉的紙箱般翻了起來。

店裡並沒有翻亂的痕跡，但是留下了好幾個腳印，放在店內的機車也沒有任何損傷。看到縫紉機架臺下方沾到了血，我差點昏倒，湊近一看，聞到了類似薄荷的味道。原來那是檳榔汁。

「小戰！」

我的聲音被吸進屋內，我追著自己的聲音衝進浴室，拍打牆壁上的開關。天花板的日光燈發出聲音閃爍著，浴缸在視線中斷斷續續地浮現。我一時以爲看到了小戰沉在黑暗的水底，心臟快要蹦出來了，幸好滿是污泥的浴缸裡沒有人。

我愣在原地片刻，然後衝到門口，卻不知道自己在找什麼，失魂落魄地跑來跑去，只知道我的朋友出事了。我從變形的鐵捲門鑽回店裡，踢著一個縫衣機架臺。因爲架臺用螺栓鎖在地上，所以完全踢不動。

「幹！」

我巡視店內，跑向以前是帳房，如今用來堆放舊報紙的高臺，接著搬開紙箱和空瓶……找到了！

我拿起已經生鏽的活動扳手，衝向剛才的縫紉機架臺。根據螺栓頭的大小調整扳手的渦輪，然後用力轉動。我咒罵著鏽住而轉不動的螺栓，但內心非常確定，祖父死了之後，沒有人打開過這裡。扳手還留在原來的地方，就足以證明這件事。

我一次又一次踢向架臺，試圖鬆動螺栓，然後用力轉動扳手。汗水從臉上滴了下來，

扳手頻頻打滑，螺栓的頭也變了形。我每次都更換角度，讓扳手咬住螺栓六角形的頭。一旦角被磨平，就無法再轉動了。我踢著縫紉機架臺，小心翼翼地轉動扳手。螺栓漸漸向我屈服，當我感受到終於跨越難關時，手掌已經變成了紫色。

螺栓發出尖銳的摩擦聲，接下來要一氣呵成。我把扳手丟到一旁，徒手直接拔掉螺栓，然後站了起來，用盡渾身的力氣踢著架臺。架臺以剩下的另一個螺栓爲中心慢慢旋轉，我持續踢著架臺，直到地下的暗洞完全露出來。

一隻大蟑螂爬了出來，我不以爲意，把手伸進了暗洞，拿出祖父的毛瑟手槍。雖然祖父死後有將近兩年沒有保養，但那把槍在日光燈下發著光，好像每天都有人擦拭保養。我回想起小時候看著祖父擦槍的動作，總算把彈匣從彈倉抽了下來，正當我再度把手伸進暗洞，想要拿放子彈的凡士林瓶時，指尖碰到了什麼東西。

是一張照片。

那是一張褪色的黑白照片，一家四口站在看起來像是公家機構的壯觀建築物前，面無表情地看著鏡頭。摺痕的地方顏色有點脫落，也沾到了很多手垢，但可以看到建築物的牆壁上大大地寫著「祝占領青島」。也就是說，這是抗日戰爭時期在山東省照的。我以爲是祖父年輕的時候，可是定睛細看照片中的男人，卻發現那並不是祖父。男人瘦得像竹竿，手臂上戴著稜角紋的臂章，仔細一看，才發現那是日本的太陽旗。我以爲是祖父小時候的照片，然而當我凝視著照片中的男孩，卻察覺他完全不像祖父。坐著的女人似乎是那家人的母親，旁邊的女生緊緊依偎在她身旁。這張照片的整體感覺，讓我覺得這家人似乎在害

怕什麼。背後用墨水褪色的鋼筆字寫了字。

「一九三九年、青島、王克強一家四口，於日軍占領下的青島市政府前——王克強……」

我忍不住小聲嘀咕起來。我好像在哪裡聽過這個名字，卻怎麼也想不起來。王克強、王克強……因爲這個名字很普通，所以我並沒有太在意。

我再度仔細打量照片。我的祖母是祖父的第二任太太，也許照片中的女人是祖父的第一任太太，被祖父拋棄後，嫁給了這個王克強。但據我所知，祖父的第一任太太無法生育。那個瘦巴巴的男孩看起來五、六歲，穿著鬆垮垮的外套，戴著遮耳毛皮帽，一臉不高興地皺著眉頭。

一輛機車呼嘯駛過布行前。

我把照片塞進牛仔褲屁股後方的口袋，從暗洞裡拿出凡士林的瓶子，把子彈一顆一顆塞進彈匣。高中的軍訓課曾經多次訓練，我不僅順利裝好了子彈，甚至知道子彈的名字。那是四十五口徑全金屬包覆彈，一旦進入體內，會攪動內臟，在體內造成拳頭大的空洞。看到使用和人體具有相同彈性的動物膠所做的實驗照片時，教室中到處響起掩飾恐懼的口哨聲。

我把彈匣裝回手槍，槍插進腰間，然後騎上小戰的機車，發動引擎。我把身體壓在油箱上鑽過鐵捲門，剛來到人行道就差一點撞到行人。我轉動油門握把，用引擎聲威嚇行人，試圖直接駛向車道。

「秋生！」

突然聽到有人叫我的名字，我立刻踩了剎車。騰空的屁股剛落回座位，就被人用力抓住了手臂。

「你在幹什麼？」原來是手拿可樂的宇文叔叔，「怎麼了？發生什麼事？」

「宇文叔叔，你怎麼……？」

「我的船剛到，」叔叔回臺灣時，都會住在這裡，「你這是……？」

「我朋友被人擄走了！」我甩開叔叔的手，身體前傾，催著油門，「我現在沒時間解釋！」

宇文叔叔用力打我的頭。疼痛從腦漿穿越鼻子，我用力咬到了舌頭。雖然這不是第一次被宇文叔叔打，但船員的拳頭果然硬得要死。

宇文叔叔扔下還沒喝完的可樂罐，把行李袋往翻起來的鐵捲門內一丟，立刻坐上機車後座。

「幹、幹麼……這和你沒關係啊。」我舌頭太痛了，連話也有點說不清楚，「這是我的事。」

「少囉嗦。」叔叔大喝一聲，「快去！」

我咂著嘴，把機車駛到車道上，然後直接加速。

我最先想到的是之前他們痛毆偷鞋賊的那個倉庫，但高鷹翔說，那裡是他姑姑的房子。莫在遮動手，嘸通未記遮的厝頭家是阮阿姑。如果高鷹翔打算解決小戰，應該不會帶

他去那裡。他到底打算怎麼處置小戰？我騎著機車在夜晚的中華路上疾馳，絞盡腦汁思考這個問題。我完全不認為小戰的命運會比那個可憐的偷鞋賊更幸運，黑道絕不會寬待想要金盆洗手的人。

「對方是誰？」身後傳來宇文叔叔的聲音。

我閃過前方車輛，衝進已經變成黃燈的路口，轉頭大叫：「高鷹翔。」

「幹！」叔叔再度用他老派而經典的拳頭捶了我一拳，「我還以為你在用功讀書準備聯考，結果去招惹黑道？你不想當大學生也不想當軍人，是為了混黑道嗎？啊？秋生哥？」

我咬著嘴唇。

「說話啊！」

「小戰找到了那個偷爺爺鞋子的小偷，就是你從義大利帶回來那雙。那個人倒高鷹翔的會被逮到了，我以為可能是他殺了爺爺，但並不是這樣。」

「……」

「高鷹翔命令小戰殺他，但小戰根本不敢做那種事，所以在一陣混亂之後逃走了，躲在爺爺的店裡。」

「結果趙戰雄被擄走了嗎？」

「嗯。」

「怎麼會這樣！」叔叔難掩氣憤地嘆著氣，「我跟你說過多少次了？不要和那個趙戰

雄混在一起。」

我默默騎著機車。

叔叔並沒有繼續侮辱小戰，快來到桂林路時，他突然打我的頭，叫我右轉。我完全搞不清楚發生什麼事，只知道叔叔想帶我去某個地方，所以每次他打我的頭，我就乖乖地改變方向。

我們穿越人滿為患的華西街夜市，騎向淡水河。宇文叔叔要我把機車停在可以聽到夜市喧鬧聲的街上。

那棟白色磁磚大樓有點發黑，一樓是自助餐廳，二樓是針灸診所，三樓掛著「白鷹金融」的招牌，粗製濫造的樓梯旁停了一整排機車。國民黨喜歡機車，所以臺灣機車氾濫，到處違規停放。被小戰撞飛後照鏡的黑色車子也停在那裡，被一堆機車包圍了。

我還沒把引擎熄火，宇文叔叔從我腰間抽出那把槍。

「你帶這種東西在身上想幹麼？」他把槍壓在我的臉上問，「臭小子，想要狠嗎？那我現在馬上就斃了你！」

我搖了搖頭。

「你在這裡等我。」

「我也要去。」

叔叔一把抓住我的胸口，「如果你也跟上來，原本有辦法救的人也救不出來了。」

我努力不讓視線移開，但只撐了五秒。宇文叔叔的眼神堅定不屈，充滿憤怒。

「千萬不准上來！」當我移開視線，叔叔再度叮嚀，「我不想再看到家人受到傷害。」

「……」

那一刻，是我有生以來第一次深切體會別人的心情。失去祖父後，我開始用自己的方式理解家人受到傷害這句話的意思。宇文叔叔以前也曾經體會過這種好像被人拿刀子在額頭上刻字，靈魂遭到唾棄般的心情。祖父為了營救許二虎的家人，在戰火中奔走時，宇文叔叔躲在糞坑內，詛咒著自己的無力，聽著母親和妹妹遭到殺害的慘叫聲。

我點了點頭，叔叔才稍微放鬆緊張的表情，也對我點頭，邁著堅定的步伐走上昏暗的樓梯。

宇文叔叔的背影消失後，我左顧右盼，衝進一家雜貨店。我能理解叔叔的心情，但不可能袖手旁觀。小戰也許是不學好的混混，但更是我的朋友。如果我在朋友面臨人生最大的危機時袖手旁觀，未來的人生恐怕會把膽小視為成長的證明。與其這樣自我欺騙地過日子，還不如死了算了。我覺得人有必須成長的部分和永遠無法成長的部分，以及不可以成長的部分。這三者混合的比例形成人格，而我們家的人似乎重視最後的部分。

我在陳列架之間跑著，發現了要找的東西後，立刻抓在手上付了錢。

老闆在櫥窗內調侃我：「喂，你不是要去砍人吧？」

我把菜刀從紙箱裡拔出來，老闆的笑容僵住了。

我握緊菜刀，跑回那棟大樓。如果此刻停下腳步，就一輩子無法擺脫當個膽小鬼，所

以我一口氣衝上樓梯，一腳踢開印著「白鷹金融」的那道門。

「幹恁娘，又來一個！」情緒亢奮的黑道兄弟同時叫囂，總共有七、八個人。「來送死啊你！」

有人手上拿著日本武士刀，高鷹翔瞪大眼睛，站在一張厚實的桌子後方。

倒在地上的小戰被打得鼻青臉腫，旁邊放著砧板和短刀，似乎要叫他剁手指。我用菜刀指著那幾個黑道兄弟說：

「我跟你們拚了！」

我的怒吼在宇文叔叔的喝斥面前根本是輕聲細語。

「別動！」

不光是我，就連那幾個黑道兄弟也愣在那裡。叔叔手上拿著祖父那把毛瑟手槍。

「他媽的，秋生，我不是叫你不要來嗎？」

叔叔看到我這次堅定的眼神，嘆了一口氣，搖了搖頭，同時揮動手上的槍。

「快把趙戰雄帶走。」

小戰愣在那裡，我對著他大吼：「你在幹麼？快跟我走啊！」

小戰爬了過來，躲到我背後。他的小拇指還在。

「快走！」宇文叔叔說。

「那……叔叔你呢？」

「幹恁娘！」高鷹翔破口大罵，因為他說臺語，我聽不懂他在說什麼，「不要以為你

們逃得了齁！」

「啊啊？」叔叔轉頭看向高鷹翔，把槍對準了他，「你他媽的別以爲只有你敢殺人。」

「啊啊？」高鷹翔怒目而視，「有種就開槍啊！」

「他們兩個根本是還搞不清楚狀況的小孩子，不要再找他們麻煩。從今以後，趙戰雄和你沒有任何關係，知道嗎？」

「靠腰啦！」高鷹翔使勁拍著自己的胸口，「你以爲有什麼事可以嚇到偶嗎？齁！趙戰雄是偶的啦，不相干的人沒資格說這些有的沒的……」

他的怒吼雖然威力驚人，但畢竟還是輸給了槍聲。

叔叔的右手臂彈了一下，所有人同時縮起腦袋，高鷹翔也不例外。他腦袋旁邊的牆壁被打破了一個洞，冒著淡淡的煙。

「下次你再去糾纏他們，我眞的會一槍斃了你。」

高鷹翔搖晃著身體，一屁股坐在椅子上。

沒有人開口，但有一個可怕的聲音以驚人的速度消除了槍聲的餘音。前一刻還只能隱約聽到的警車警笛聲，轉眼之間來到眼前，包圍了大樓。

「是條子！」有人看著窗外叫道，「鷹哥，怎麼辦？」

「宇文叔叔！」我拉著叔叔的手，「快逃吧！」

「這個！」宇文叔叔把槍塞到我手上，「趕快去藏好。」

我把手槍插在牛仔褲前，用T恤遮住。

「不是藏在這裡，藏到外面去！」

「知、知道了。」

「記得擦掉指紋！」

叔叔對著我的背影說完，大步走向高鷹翔，把臉湊到他面前，看著他的眼睛警告說：

「老子說到做到！」高鷹翔露出冷笑，看著叔叔的眼睛，吐了一口口水。

我衝出高鷹翔的辦公室，急忙尋找藏槍的地方。牆上的鐵蓋後方有電錶，走廊上堆著木箱，還有枯掉的盆栽……這裡不行，沒辦法藏在這個樓層。我衝下樓梯，來到二樓，在昏暗的針灸診所周圍走投無路，看到天花板上有一個破洞。我不加思索地把槍丟上去，槍撞到天花板，發出咚的聲音掉落在地，然後在地板上彈跳起來。

「啊！」

我下意識地縮起腦袋，幸好槍沒有走火，一路打著轉，在地板上滑動。

「幹！」

我撲向手槍，再度丟向天花板。一次又一次失敗，丟了四次，手槍才終於消失在天花板，三秒鐘後，警察就趕到了。

「不許動！」身穿防彈背心的警察衝上樓梯，「一個也別想跑！」

警察粗暴地扭住我的手，把我的臉按到牆上。許多警察走過我背後，紛紛走上樓梯，衝進高鷹翔的辦公室。

「你們這些死條子，難道沒別的事可做了嗎？」幾個黑道兄弟破口大罵，但警察一一收拾了他們，呻吟和巨大的撞擊聲不絕於耳。「我們什麼都沒做，你們不要欺負弱勢！」

我被銬上手銬，推著來到大樓外面時，看到小戰連滾帶爬地衝下樓梯。他也被戴上了手銬。

周圍亂成一團。

大樓周圍拉起了黃色封鎖線，擠滿圍觀的人潮。我剛才買菜刀的那家雜貨店老闆在警車的藍色旋轉警示燈下對警察說著什麼，一看到我，立刻指著我大叫：「就是他！」

警察把小戰推進警車後車座，接著又按住我的頭。這時，我看到宇文叔叔也被帶了出來，我立刻察覺到有什麼地方不對勁。警察不是把他帶出來，而是攙扶著他。叔叔臉色蒼白，腳步有點蹣跚，汗如雨下。

「叔叔！」我大聲叫著，「宇文叔叔，高鷹翔對你做了什麼？」

叔叔發現我，在警察的攙扶下走了過來。

「宇文叔叔，你被高鷹翔暗算了嗎？」

「別擔心，我沒事。」

「真的嗎？」

宇文叔叔咳了幾聲，點了點頭。

「對不起，都是我害你……」

我激動地說道，但被小戰在警車內帶著哭腔的聲音淹沒了，「對不起，宇文叔叔，你

為了我……真的很對不起！」

叔叔點了點頭，他似乎感到呼吸困難，用力咳嗽了幾次，吐了一口口水。仔細一看，他的口水中帶著血。

「宇文叔叔，你沒事吧？」

我想起之前為毛毛準備的手帕。我被戴上了手銬，所以必須扭著身體，才能從牛仔褲屁股的口袋裡拿出手帕。

「這個給你……宇文叔叔，你身體不舒服嗎？」

宇文叔叔用手帕捂著嘴，費力地喘著氣。

「這是什麼？」一個警察嘀咕著，從地上撿起什麼東西，「喂，這張照片是從你口袋裡掉出來的。」

「喔，這是我剛才在迪化街找到的，」我對露出好奇眼神的宇文叔叔說，「和爺爺的……那個放在一起。」

警察把王克強一家的黑白照片遞了過來。

叔叔張大眼睛。警車上方不斷旋轉的藍色警示燈，照亮了宇文叔叔冒著鬍碴的臉，他除了驚愕以外沒有任何表情。他放下原本按著嘴巴咳嗽的手，張開的蒼白嘴角沾到了鮮紅的血。

「宇文叔叔……？」我的聲音在下一秒變成了慘叫，「宇文叔叔！宇文叔叔！」

用力咳嗽的宇文叔叔白眼一翻，雙腿跪在臺北骯髒的柏油路面。

事後我才知道，當時叔叔已經罹患了會導致肺部纖維化的結節病，那是一種原因不明的怪病，他下船準備就醫。叔叔在開槍事件即將判刑時，才告訴醫生自己得了這種病。據說當時宇文叔叔若無其事地問醫生：

「以後需要人工呼吸器嗎？那現在還可以喝可樂吧？」

叔叔接受偵訊時，堅稱當時在混亂中不慎遺失了那把槍，警方也始終沒找到槍。

領回私人物品後，我在天亮之前離開了警局。

等待我的是父親的拳頭和痛罵。我乖乖挨著父親的拳頭，直到他消氣為止。像我這種兒子的確要好好教訓。父親把我痛打一頓，警察慌忙上前制止，他才把我踢進計程車。

「呃……」

「什麼事？」

「喔，不是啦，這個……」我戰戰兢兢地拿出照片，「這個和那把槍放在一起。」

「又有什麼了？你這個渾蛋！」

雖然父親剛才已經打我打得精疲力竭，但還是打開了車內的燈，搶過照片，看了正面，又翻過來看了反面。王克強的照片上，還留著宇文叔叔吐出來的淡淡血跡。

「王克強……」父親小聲嘀咕著，微微偏頭，「喔，原來是黑狗，那個抗日戰爭時為日軍賣命的漢奸。」

聽到父親這麼說，我終於想起來了。

祖父遭到謀殺後，李爺爺和郭爺爺曾經提過這個人。我記得他們其中一人說，因為他的名字發音和日文的「小狗」一樣，所以日本人都叫他「汪狗」。他為日軍帶路，許多村莊都被殺得精光。他們還說祖父和宇文叔叔的父親勇敢地一起去幹掉黑狗。

「爺爺為什麼珍藏這張照片？」我忍不住問。

「不知道。」父親把照片還給我，一臉苦惱地關了燈，「可能是他在大陸的那些拜把兄弟寄信時，同時寄來了這張照片。」

「老人就是這樣，」司機插嘴說，「你們知道我爸珍藏了什麼嗎？德國生產的訂書機！雖然我爸已經死了，但那個訂書機還在我家。」

我低頭看著照片，不時照進車內的路燈瞬間照亮了黑狗沒有表情的眼睛。在那個年代，成為叛徒是充滿吸引力的選項之一嗎？我用幾乎麻痺的腦袋茫然思考著，這是禁不住誘惑，向魔鬼出賣靈魂的人嗎？

「爸爸，你和宇文叔叔差幾歲？」

「我比他大三歲。」

「你是幾歲的時候離開中國？」

「十五歲的時候，」父親咂嘴，「你為什麼問這些？如果你還有什麼事瞞我，趁現在趕快說清楚。事後被我知道，下次我真的會打死你。」

「不，沒有啦……」

「你把槍藏去哪裡了？」

司機從後照鏡中看著我們。

「宇文開槍時用的那把槍，該不會是你爺爺那把槍吧？」

我沒有回答。

「算了，」父親嘆著氣說，「你應該藏好了，不會被人發現吧？」

「……呃？」

「即使沒有找到槍，也有很多證人看到宇文持槍，他仍然逃不過不法持有槍械這條罪，但找不到那把槍，也許可以輕判。」

「是我……把爺爺的槍帶去的。」

「廢話，宇文怎麼可能帶去！」

「嗯。」

「所以呢？」

「啊？」

「你剛才爲什麼會問以前的事。」

「喔，」我拿起照片，「因爲宇文叔叔剛才看到這張照片時很驚訝。」

「所以他也記得黑狗的長相，或者是身體突然不舒服。」

「宇文叔叔生病了嗎？」

「兩個星期前，他從新加坡打電話回來，說咳嗽時有血，所以要回來檢查一次。」

「喔，那是結核病，」司機用可怕的聲音斷言，「我岳父就是得了結核病死的。」

「宇文叔叔不知道會怎麼樣？」

「你毀了他的人生。」

「……」

「他一定會堅持那把槍是自己的。」

「怎麼可以！是我——」

「我警告你，別試圖爲宇文扛罪。」

「但是！」

「沒什麼但不但是的，小孩子乖乖聽大人的話就好，而且，他開槍是事實，幸好沒有人受傷，所以不至於判得太重。聽說小戰也會在今天獲得釋放……高鷹翔也是。」

父親說著說著，忍不住又大動肝火，把我臭罵一頓。早知道你是這種人，當時就應該把你墮胎墮掉。然後開始稱讚臺灣的兵役制度多麼優秀，說軍隊專門改造我這種墮落的人，還說天亮之後，要去申請面會宇文叔叔，和他討論今後的事。

計程車行駛在黎明前的街道，廣播播放著和尚說經。博士很好，菜販也很好；美女很好，醜女也很好；有錢人很好，窮人也很好；只要大家和睦相處，一切都很好……

「爸爸，抗日戰爭時你幾歲？」

「還在說剛才的事嗎？」父親雖然很不耐煩，但還是想了一下，「日本軍是在三八還是三九年到山東的……抗日戰爭爆發時，我應該五、六歲。」

「所以，爺爺殺……王克強的時候，」我含糊其詞，「你差不多十歲左右嗎？」

「你聽誰說的？」

「之前李爺爺他們說的，」我又接著問，「你還記得十歲時的事嗎？」

「當時報紙上刊登了王克強的照片，日軍積極追查凶手。至少我聽說是這麼一回事，因爲日本人充滿殺氣，所以奶奶不准我們出去玩，但你爺爺珍藏著那份報紙，經常拿出報紙告訴我和明泉說黑狗那傢伙有多壞，奶奶每次都氣得想要撕掉報紙，結果被爺爺痛打一頓。」

「但是你剛才看到照片，並沒有馬上認出那是黑狗啊。」

「因爲是很久以前的事了。」

計程車來到家門口時，母親和祖母還有目露凶光的雞出來迎接。母親用鞭子抽打我的屁股，打累了又換祖母，就連雞也跑來啄我的腳。我乖乖地挨打，因爲我的確該打。當朝靄中傳來賣豆花的聲音時，父親問我肚子餓不餓。我點了點頭，祖母去廚房拿了碗公，跑出去追賣豆花的。

「毛毛打了好幾次電話給你。」

母親這句話讓我再度跑了起來。這四、五天好像一直在奔跑。我聽著身後傳來母親的叫罵，拔腿跑向約會的地點。我追過了整條巷子內最早起床的老人，衝破朝靄，也嚇到了池裡的魚。雖然我知道毛毛不可能還等在原地，但我無法不親自確認一下。

她獨自坐在約定的涼亭內，聽到我匆忙的腳步聲，抬起了頭。

我停下腳步，她站了起來。

我們默然相對，沒有說話。

小鳥啼叫，盛開的睡蓮隨風搖曳，清澈的水滴積在綠色的大葉子上，在朝陽下熠熠發光。不知道哪裡傳來晨間國標舞的音樂，蓮花池內的烏龜縮起了腦袋。

「對不起，我又……」

毛毛飛撲過來，主動獻上雙唇。因爲她不顧一切地親吻我，我知道自己讓她擔心了。我緊緊抱住毛毛纖細的腰，她的淚水流進我們的嘴唇之間，在我這輩子到死爲止的所有親吻中，這個吻的鹹度數一數二。無論父母揍我，還是毛毛不顧一切地吻我，原來都一樣。像拳頭一樣又硬又痛的吻，眞的是絕無僅有，前前後後就只有那麼一次。

請各位發揮想像力，想像這個世界上最糟糕的事。我必須鼓起勇氣說這句話——如果這個世界上有一件事，比所有最糟糕的事有過之而無不及，那就是被黑道追殺。

正因如此，我和小戰沒有理由不聽宇文叔叔的建議。

「趙戰雄，」叔叔在拘留所的強化壓克力板另一端拿起了電話，「你馬上去辦護照。」

小戰用拿著電話的手擦著眼淚，連續點了好幾次頭。我把臉貼在他的電話旁，一起聽從電話中傳來的聲音。

「我已經和公司方面說好了，」叔叔穿著寬鬆的灰色長褲和白色短袖襯衫，「你代替我上船。不必擔心，那條船上有很多都是我的兄弟，雖然起初幾年有點辛苦，但這是對得

起天地良心的工作，而且外國女人很不錯，中國的女人脾氣都太硬了，很頭痛。」

小戰流著淚，笑了起來。

「高鷹翔不可能追到海上，等事情平靜之後，你可以繼續留在船上，也可以回到岸上。但我先說了，船員比黑道脾氣更加暴躁。」

「宇文叔叔……」

「宇文叔叔，」我從小戰的手上搶過電話放在耳朵上，小戰把臉貼著電話，伸長耳朵聽叔叔的聲音，「你的身體怎麼樣？有沒有什麼異狀？」

「那個處理好了嗎？」

「你放心，」我馬上明白他在說祖父的那把槍，「已經放回原來的地方。」

「那是乾爹的遺物。」

「我和他一起去拿回來的。」

小戰拚命點頭。

「是嗎？」叔叔似乎放心了，「秋生，在你服完兵役之前無法申請護照，其實我希望你也一起上船。」

「我會聽你的話去當兵。」

「這樣很好，去當兵也不是一無是處，可以遠離城市，你也會結交到一票兄弟。人生在世就是這樣，有時候被別人保護，有時候保護別人。」

「宇文叔叔，我不知道該怎麼說……把你捲入這種事，真的很對不起。」

「是我自己要跟你去的，是我自己想要被捲入，你不要再道歉了。你爺爺很照顧我，我卻……」咳嗽讓他無法繼續說下去，「我只能做這點事。」

我用手臂擦著湧起的淚水。

「我們的心永遠都卡在過去的某一點，即使想要拚命掙脫，也不會有什麼好事。」

我和小戰互看了一眼，等待宇文叔叔的下文，但宇文叔叔嘴裡只發出咳嗽聲。面會時間差不多結束了，看守皺著眉頭說時間已經到了。叔叔掛上電話，緩緩站了起來。

我和小戰也站了起來。小戰撲向壓克力板，大聲道著謝。雖然宇文叔叔根本聽不到。

宇文叔叔走出面會室之前轉過頭。我充滿期待地看著他，但他只是無力地笑了笑，什麼都沒說。

第九章 跳舞不是我的強項

我去陸軍官校準備辦理退學手續。一走進校門，立刻被身強力壯的高年級生抓住，把我押進了禁閉室。禁閉室所在的那棟建於日治時代的紅磚屋位在校區外。

那是六月進入尾聲，一個沒有風的下午。

我被關在禁閉室兩分鐘後，一個穿著整齊軍服的教官走了進來，傳達了對我的處分。

「關禁閉一個月。在關禁閉期間，必須遵守看守的指示，看守是你的主人，你是看守的狗。」

教官看起來頭腦很清楚，就像他長褲的筆直褲線，沒有絲毫模糊的空間。天氣熱得好像整個世界都快被烤焦了，他白淨的臉上沒有一滴汗，這種像機器人般冷靜的男人把年輕人送上戰場時，眼睛都不會眨一下，只用數字來衡量成功和失敗。他遞給我一張紙和一枝筆。那是陸軍官校的退學申請書。

我點了點頭，在退學申請書上簽了名。這時，看守養的一隻又老又醜的狗走了進來。牠吐著舌頭，露出一副「哇，這裡好熱」的表情，掉頭走出了禁閉室。禁閉室就是想折磨被關禁閉的人，甚至不允許風隨便吹入。

教官仔細打量著我簽完名的退學申請書，終於滿意地點了點頭，然後把夾在腋下的陸軍軍帽戴在頭上，擦得一塵不染的皮鞋後跟用力一靠，「喀」的聲音在空蕩蕩的禁閉室內產生回音，我用立正的姿勢向教官敬禮。他轉身離開的腳步聲很響亮，但前方有一坨像玉蜀黍那麼大的狗屎。教官揚起下巴，直視正前方，筆直走向狗屎。我仍然維持敬禮的動作，心想他應該不會踩到吧。沒想到他竟然眞的踩到了只要稍微看一眼，就可以看到的狗屎，而且不是只踩到邊緣而已，而是一腳踩在正中央，玉蜀黍兩側都塌下來了。

怎麼會這樣！

「幹！」教官抬起一隻腳用力跳著，「我一定要殺死那條狗！」

我在禁閉室的石頭地上坐了下來，抱著膝蓋，心情黯淡。戰爭很糟，糟糕透了，但如果非戰不可，我希望能夠打勝仗。然而，這個國家的職業軍人不要說洞悉戰局，就連一寸前方的狗屎都看不到。

我不了解監獄的情況，但禁閉室和監獄一樣，打架和不服從軍規的人（也就是我），以及逃兵都會被關禁閉。

翌日起，我就跟著看守張叔拔草，或是做一些無足輕重的雜活——修理壞掉的圍籬、清掃庭院、撿垃圾。沒事可做時，張叔就會叫我去拔草，但要看張叔的心情，有時候一整天在樹蔭下抽菸發呆。那條狗果然是張叔養的，牠和張叔一樣，眼睛好像經常睜不開。這隻整天漏尿的老狗名叫大衛。

一日三餐都由張叔負責下廚，按照軍規，我必須在禁閉室內吃飯，但張叔覺得太麻煩，所以我都在看守的房間和張叔一起吃。當時剛好只有我一個人被關禁閉，來自湖南省的張叔今年六十歲，用自己醃的臘肉炒的菜簡直辣死人。張叔在大陸有妻兒，來臺灣後又結婚了，這種情況在當時並不少見。

禁閉生活第五天，身穿迷彩服的海軍陸戰隊連長突然來到禁閉室，命令我站在炎炎烈日下。

連長像老虎般在我面前走來走去，大聲地問：

「你爲什麼會在這裡？」

「報告連長，因爲我違反軍規。」

「你做了什麼？」

「我過年放假回去探親後，就沒有回來陸軍官校！」

「你對我國的徵兵制度有什麼看法？」

「十八歲以上都要當兵！」

「我當然知道！我問你有什麼看法？」

「呃……」我不知道該怎麼回答，結結巴巴，汗如雨下，「三、三民主義萬歲！」

連長把臉湊了過來，看著我的眼睛。我努力不轉動眼珠子。連長打落我的帽子，大聲咆哮：

「去把那個鐵桶拿來！」

我跑向丟在禁閉室旁的鐵桶，抱著它跑回連長面前立正。在榕樹下悠閒抽菸的張叔露出滿是同情的眼神看著我，搖了搖頭。張叔知道接下來會發生什麼事。

「跟我來！」

連長說完，轉身邁開步伐。我把差不多有三十公斤重的鐵桶扛在肩上，急忙追上。我們爬上禁閉室後方光禿禿的山上。黃土山的坡度很陡，滿山的雜草是山上唯一有生命的東西。連長沿著狹窄的小徑不斷往上爬，不時轉頭看我，那當然不是為了鼓勵我。

「我最討厭你這種人！你就是那種會在突擊時裝死的卑鄙小人！你是卑鄙小人嗎？」

「不，我不是！」

「你就是卑鄙小人！」

「不，我不是！」

「那你為什麼不回陸軍官校？」

「讀大學……」我已經上氣不接下氣，「因為我想讀大學！」

「你果然是卑鄙小人！」

我們爬上了山。

火辣辣的太陽當頭，生鏽的鐵桶壓得我肩膀和腰都痛了。背上的肌肉發出慘叫聲，大腿抽筋，屁股發抖。每踏一步，軍靴下就揚起乾澀的沙塵，汗水不停滴在地面。踩到小碎石時，身體忍不住搖晃，鐵桶好幾次都差一點掉落，每次都被連長大聲斥責。連長低頭看我的眼中帶著嘲笑，然後對我說，好戲還在後頭。

我終於了解他的意圖了。當我把這個鐵桶扛到山上時，他會再命令我扛下來。然後一直叫我扛上扛下，藉由重複這種無意義的動作，麻痺、支配我的精神，撬開可以讓愛國心趁虛而入的心門，讓我學會絕對服從。我憎恨這個今天第一次見到的男人，並在內心發誓，無論他叫我上山、下山幾次，我都要陽奉陰違地做給他看。

我咬緊牙關爬上了小山，連長叫我放下鐵桶。

我調整呼吸，俯瞰山下，發現山對面凹凸不平的斜坡下是靶場，軍校的學生都趴在地上打靶。子彈打破黑色標靶，鑽進黃土的斷崖，揚起陣陣黃色沙煙。片刻之後，才慢半拍地響起槍聲。

「很好！」

我打起精神，眼中充滿了反抗。

「把鐵桶推倒。」

我按他的指示推倒了鐵桶。

「好，你鑽進去。」

「……啊？」

「我叫你鑽進去，動作快一點！」

我趴在地上，手忙腳亂地鑽進鐵桶，只聽到「哐」的一聲，立刻感受到衝擊，天旋地轉。我向前摔倒，重重地撞到了臉。我知道自己流鼻血了，但只知道這件事。因爲在轉眼之間，身體就被一股巨大的力量壓扁了。

「啊！」

我完全不知道發生了什麼事，只知道身體承受著來自各個方向的衝擊，毫不留情地把我撞趴在地，好像要讓我了解什麼叫「毫不留情」。

「嗚啊嗚啊嗚啊！」我在旋轉的鐵桶內滾來滾去，「嗚啊啊啊啊啊！」我一下子撞到那裡，一下子又滾回這裡。東邊打了過來，西邊又踹了過來，身體被拉向南北。震耳欲聾的哐哐聲響個不停，簡直就像經歷了天災，讓人深刻體會到人類的渺小和生命的微不足道。無論我怎麼掙扎，都無法對世界發揮任何作用。我失去了平衡感，嘴裡都是酸酸的味道，腳在頭上，頭壓在下面。我不慎咬到舌頭，但根本沒時間感到疼痛。

這時，重力突然消失了，只剩下徹底的寂靜——我才剛這麼想，脊椎就被用力撞了一下，再度滾落。我憑直覺知道，剛才被拋向空中的鐵桶撞到了山坡。

「嗚啊啊啊啊啊啊！」

我在鐵桶內好像被人又搓又轉，又打又拉，又揉又丟。終於爬出鐵桶時，甚至不知道自己是誰了。我遍尋不著最後看到的山頂景象，只有搖晃的榕樹斜斜地長在地上，像麥芽糖般扭來扭去的張叔，在扭來扭去的樹蔭下，抽著扭來扭去的香菸。

我甚至無法站起來。

額頭流下的血滲進了眼睛，鼻子流的血流進了嘴裡。中午吃下肚子後，還沒有消化的魚肉黏在胸前。即使我雙腳用力，努力想要站起來，但腳好像打了結，整個人都跌倒了。腦袋嗡嗡作響，像刺耳金屬聲般的耳鳴宛如錐子鑽進耳膜。我雙手扶在地上，像狗一樣嘔

吐起來。把身體拉得像臘腸狗一樣的大衛看到我像狗一樣嘔吐，大聲吠叫起來。在皮鞋的鞋尖踢我的腦袋之前，我一直趴在地上。

「立正！」

怒吼聲從天而降。

我用盡渾身的力量，就像剛出生的小馬般搖搖晃晃，努力立正站好。

「把鐵桶扛起來！」連長下令，「跟我來！」

我雙腿發軟，幾乎一瘸一拐地把鐵桶拉向山頂。中途有兩次想要嘔吐，但只是用力空嘔而已。

「在以前，像你這種貨色就會塞進麻袋，丟進海裡。怎麼樣？你是不是卑鄙小人？」

「不，我不是卑鄙小人！」

「好，鑽進鐵桶！」

我露出像被一腳踢開的小狗般的眼神，乞求他的憐憫。但連長冷笑一聲，好心用腳踩住鐵桶，讓我更容易鑽進去。

有了心理準備，所以第二次沒什麼新鮮感，但這完全無法發揮安慰作用。

「嗚啊啊啊啊啊！」

我在猛然被踢下山坡的鐵桶中，好像奶油一樣被攪拌。被摧毀的驕傲和自尊心一點都不重要。我是不是卑鄙小人？也許是！我已經充分了解，我這個無名小卒太自不量力，竟然敢對抗老奸巨猾的海軍陸戰隊連長。我終於知道，人被塞進鐵桶從山上踢下來，就可以

輕易變節，在眞正的戰爭中，無論發生任何事都不足爲奇。

鐵桶就像一匹脫韁的野馬，揚著頭，踢著後腿，撞在石頭上，濺起無數火花。

在天黑之前，我被處以三次鐵桶刑。張叔把陷入昏迷的我拖到樹蔭下，用冷毛巾為我擦臉，用扇子幫我搧風。目前國防部正在研究廢除徵兵制，爲了推動募兵制，改善軍人的待遇，士兵的起薪比剛出社會的大學畢業生還高。但在我們那個年代，像我那樣的遭遇根本是家常便飯。

原本要關我一個月的禁閉，不知道爲什麼，兩個星期後就放了我。我至今仍然搞不懂其中的原因。軍隊就是這樣，理由不重要，只要長官說白就是白，說黑就是黑，我們士兵只要默默遵從長官的決定去殺人或是被宰。

之前踩到大衛狗屎的教官再度現身，帶我去體檢。我的身高遠遠超過一百七十公分，順利蓋上了「甲」等的章。如果個子再高一點，除了「甲」以外，右上角還會多一個「上」，也許就會被分到可怕的海軍陸戰隊。到時候就會每天被丟進鐵桶，整天從山上一路滾下來。這就是所謂的九死一生。如果我長得再帥一點，也許會被送去憲兵隊，到時候就可以被派去祭祀英靈的忠烈祠當裝飾品，在禮兵交接時甩著光閃閃的刺槍，和觀光客一起拍照留念，快快樂樂地服完兵役。

我的命運很平庸，既沒有特別好，也不算特別差。抽籤結果，我被分配到駐紮在臺灣中部嘉義縣、總共有三萬兵力的陸軍第十軍團所屬的步兵第二五七旅。在成功嶺接受三個

月的新兵訓練後，一度回家，準備下部隊。

不用說，我當然每天都和毛毛形影不離。我們在夜市吃吃喝喝，看電影，去遊樂園，也去了好幾次植物園的涼亭，還把速可達停在淡水河的河口，牽著手，在堤防旁看夕陽。

當時，臺北有很多地下舞廳，也就是違法營業的迪斯可舞廳。入伍前的最後一晚，毛毛帶我去西門町的一家迪斯可。舞廳明明在地下室，竟然取了「閣樓」的名字。這種地方都無法通過消防安全檢查，偶爾發生火災，就可能把所有客人都活活燒死。市政府加強取締，所以不知道什麼時候會遭到臨檢。

「沒事啦，」毛毛向我打包票，「如果現在不去，要兩年後才能去。」

搖擺舞、猴舞、吉魯巴——擠滿舞池的人跟著迅速變化的舞曲，接二連三地改變舞步，我馬上就舉手投降，逃離戰線。

燈光閃爍不已，在舞池內跳舞的人看起來就像是錄影帶快轉，電子合成器的聲音震耳欲聾，不知從哪裡不斷咻咻地噴出煙霧，鏡球反射著四面八方照來的雷射光，像太陽般支配著舞池。一個陌生男人向正在舞池內獨自跳舞的毛毛搭訕，毛毛搖了搖頭，指著正坐在桌子旁的我。男人瞥了我一眼，聳了聳肩，消失在人群中。

「他邀我一起跳舞。」毛毛回到我身邊，扯著嗓子，用不輸給音樂的音量叫道，「秋生，你再不跳，我要和別人跳了。」

「妳經常來這裡嗎？」

「偶爾啦，偶爾。」

「我不喜歡這種地方。」

「為什麼?不是很好玩嗎?」

「我去當兵的時候,妳也會來這種地方嗎?」

「怎麼了?」她露出狡黠的眼神眨了眨眼,「你在擔心嗎?」

「不是。」

「你去嘉義之後,搞不好也會認識可愛的鄉下女生啊。」

「那倒是。」

「什麼嘛,你太壞了。」

毛毛生氣了,我戳了戳她的腋下,她仍然把頭轉到一旁。我又戳了一次,然後再戳一次,她終於笑了。

「來跳舞吧。」

我搖了搖頭。

「來這種地方就要把腦袋放空才好玩啊。」

「是啊。」

「兩年很快就會過去的。」

「兩年的時間可以改變很多事。」

毛毛露出凝望遠方的眼神看著舞池,然後對我說:

「雖然沒有任何根據,但我覺得自己的人生不會太差。你是我選擇的人,所以一定沒

問題的。」

交錯的雷射光也無法動搖她堅定的眼神，我爲自己的懦弱感到羞愧。毛毛比我更像男人！我這個男人必須採取行動，採取可以讓她安心的行動，毛毛就在等待這一刻。

彌漫的煙霧爲我壯了膽，我探出身體，湊近她的臉。刺耳的迪斯可音樂也無法淹沒我們的心跳。毛毛的身體向前傾，在離我嘴唇一毫米的地方尖聲說道：

「高鷹翔來了。」

我好像被潑了一盆冷水，感到不寒而慄。

回頭一看，高鷹翔帶著他的麻吉正在糾纏收門票的人，他的麻吉伸長脖子，向擠滿人潮的舞池內張望。他們顯然在找人，而且應該是在找我。

「跟我來。」

毛毛抓住我的手跑了起來，我們推開人潮，好不容易擠到了ＤＪ室，毛毛對男ＤＪ大聲說著什麼。戴著耳機的ＤＪ搖頭晃腦打著拍子，對她點了點頭。毛毛立刻彎下身體，走進ＤＪ室。她穿了一件很短的裙子，卻完全不介意。我心情無法平靜，但還是跟在她後面。毛毛說了聲：「謝謝。」ＤＪ對她豎起了大拇指。我決定記住這個ＤＪ的長相。

我們走出ＤＪ室後方的後門，來到走廊上。

「如果警察來臨檢，就可以從這裡逃走。」毛毛抓住我的手跑了起來，「我先把話說清楚，剛才的ＤＪ是同志。」

通往地面的樓梯只有一道，來到走廊盡頭時，毛毛對我說：「看到我招手，你再過

來。」然後她若無其事地走向店門口的方向。周圍被「PENTHOUSE」字樣的粉紅色霓虹燈染成了淡桃紅色。我背貼牆上，從走廊角落張望，看到好幾個一看就不像來跳迪斯可的可疑人物走進店裡。毛毛用藏在背後的手向我招手，我衝出角落，抓住她的手，一口氣衝上樓梯。

我們大笑著穿梭在西門町的人群中。

雖然想看電影，但時間太晚了，離睡覺時間又還早。拉下鐵捲門的百貨公司前有很多攤位，臺北的夜貓子都坐在那裡吃吃喝喝。整個街道好像隨著各個店家傳出的音樂聲起舞。

馬路上滿是垃圾，空氣一如往常地發出酸味。我和毛毛仍然拉著手，像小狗一樣有說有笑，好像征服了世界的勇者般，威風凜凜地在大街上昂首闊步。我們走上陸橋，靠在欄杆上，看著下方的車流。

「高鷹翔，你眞的煩死人了！」毛毛對著下方的中華路大叫，「都是因爲你，秋生只好放棄讀大學，要去當兵了！都是你害的！」

「希望事情可以在這段期間平靜下來。」

「最好是趙戰雄那個笨蛋去跟高鷹翔之間做一個了斷，他應該告訴高鷹翔，『全是我的錯，不要找我朋友的麻煩』。」

巨大的月亮懸在夜空中。

我突然想起小時候，忍不住偷看毛毛的耳朵。夜風吹拂著她的長髮，露出小巧的藍色

耳環。我故意用力伸著懶腰，然後指著月亮說：

「今天的月亮好漂亮。」

「啊！」她輕輕叫了一聲，「不可以用手指月亮。」

「妳還相信嗎？」我忍不住笑了起來，「那只是迷信而已。」

「不是迷信。」毛毛很生氣地反駁，「我就是因爲這樣，耳朵才會受傷，你也要趕快向月亮道歉。」

毛毛至今仍然相信，一旦指月亮，耳朵就會受傷，因爲小時候明泉叔叔這麼騙我們。你們聽好了，絕對不可以用手指月亮。噢，別問我原因，這個世界上有太多事說不清楚。總之，如果你們不希望耳朵受傷，就不要指月亮。那天晚上，夜空中也有大大的月亮，我和毛毛還有胖妹都拿著元宵節的燈籠，小戰可能也在。大家都知道明泉叔叔愛吹牛，所以我們都笑著不理他，而且還爭先恐後指著月亮哈哈大笑。沒想到幾天之後，毛毛的耳朵眞的受傷了。胖妹用別針幫她打的耳洞化膿了。那次之後，毛毛就不敢對月亮造次。

毛毛不停地催我道歉，我只能雙手合十對著月亮，閉上眼睛，道歉了三次。

「要好好道歉，」她推著我的肩膀，「等發生不幸就來不及了。」

「這稱不上是不幸吧。」我張開眼睛看著她，「而且妳也因爲有耳洞，現在才可以戴漂亮的耳環。」

「原來不需要受這份苦，所以當然是不幸啊。你不要說什麼幸福和不幸會輪流出現這種廢話，我才不相信人死的時候，幸福和不幸可以剛好扯平。」

「那我問妳喔，一直很幸福，但最後死得很不幸；比起一生都很不幸，最後卻幸福地死去，妳覺得哪一種情況比較幸福？」

毛毛注視著我。

「不，沒事。」我無法承受她的視線，「走吧。」

我們走下陸橋，靜靜地穿梭在擁擠的人群中。經過萬年商業大樓前，在今日百貨的街角轉彎。我們並沒有要去哪裡，卻穿越停車場抄捷徑。這時，不知道哪裡傳來了浪漫的歌曲。唱腔像黑人，悽楚的歌聲好像要撕裂人心。因爲唱的是英文，所以我完全聽不懂歌詞，我猜想應該是想表現在黑暗的道路前方等待彼此的男女、夜空中朦朧的月亮，還有他們融爲一體的靈魂吧！

「關於你剛才的問題，」毛毛緩緩開口，「我認爲不可能。」

「不可能？」

「只有臨終時幸福或不幸福，這種事不可能存在。如果我一輩子都很幸福，即使最後被車子撞死，也會因爲之前都過得很幸福，所以覺得死而無憾。相反地，如果一輩子都很不幸，即使死的時候讓我中了愛國獎券的特等獎，也會覺得事到如今中獎也沒用。」

「我不是這個意思，而是說……」

「我知道，你是想說你爺爺的事，對不對？」

我低下了頭。

「我覺得葉爺爺應該和我一樣，覺得死而無憾。」

「是嗎？」

「而且，葉爺爺並沒有不幸，因爲你一直惦記著他。」

「嗯。」

「如果是我，一定會在那個世界到處炫耀，對別人說：『那是我孫子，他和女生約會時，也不會忘記我。』」

「嗯。」

「我也希望你不要繼續爲這件事感到痛苦。」

「妳說的對。」

「對不起，我說了一堆不負責任的話。」

以爲可以傳遞，卻永遠無法傳遞的祈禱；即將擦身而過，各奔東西的男人和女人；投進公用電話的最後一枚硬幣——浪漫的歌曲唱出了我們這對身處不太乾淨的停車場，不知道該何去何從的情侶。

我一隻手握住毛毛的手，另一隻手摟住她的腰。

「我不喜歡迪斯可。」

「……秋生？」

「我在等貼面舞。」

毛毛仰身大笑起來。因爲她笑得太激動，我只好用力扶著她的腰。

第十章

在軍魂部隊那兩年

九月的颱風天，我去嘉義的部隊報到，正式入伍了。

不知道該說我抽的籤是好還是壞，很難形容我入伍的這個部隊。雖然少不了老兵欺負新兵這種事，長官也絕對不是菩薩，但整個部隊瀰漫著一種悠然的氣氛。可能是因爲駐地周圍都是水田，水田裡有水牛，水牛一直在吃草的關係。每天早晨，雞叫聲比起床號更早響起，當天色暗下來之後，飛舞的螢火蟲會闖進兵營。和其他部隊一樣，我們的部隊也取了「軍魂部隊」這個聽起來很厲害的別名，但每次說出口，就連長官都會感到不好意思。

在軍魂部隊一天的生活大致如下：

清晨五點半起床，在七點半早餐之前都是運動時間。吃完早餐後是基本教練，在中午之前保養槍枝、射擊訓練、武術，然後打掃駐地周圍的環境。我們的連長爲了確認我們是否打掃乾淨，特地戴上白手套東摸西摸。即使是馬桶內，也逃不過他的火眼金睛。他會把擦到灰塵的手指伸到立正站在那裡的我們面前，露齒一笑，得意地命令我們：「重新打掃！」這是他每天必做的事。爲了每天可以享受這個樂趣，他準備了很多白手套，所以大家很自然地在背後叫他「白手套」。

正午吃完午餐後，是一個小時的午睡時間。午睡結束後，不是上軍事課，就是行軍，或是再度重複上午的訓練。晚餐後就是政治課，在九點半就寢之前要晚點名。

就寢時間後，我們才終於能夠躲進廁所，抽當天的第一支菸。好幾個人都圍坐在磁磚地上輪流抽菸。我們從討厭的長官討論到女人，話題了無新意。

「新兵訓練的時候，」曲宏彰把菸遞給我時說道，「我把廣播室的女生帶去後山，她爽得唉唉叫。」

「我哥現在還在泰國，」汪文明吐出一個又一個煙圈，「你們知道金三角嗎？一九四九年國民黨逃到臺灣時，蔣介石並沒有把所有的部隊都帶來臺灣，國軍第二十六軍九十三師逃到泰北，開始種罌粟花，準備為反攻大陸籌措資金，結果那裡成了名叫金三角的最大毒品產地，聽說就連雜貨店也可以買到毒品。」

「你在說什麼？」綽號叫大魚的余元介不耐煩地插嘴，「我們剛才在聊女人啊。」

「我知道，聽我說下去，」汪文明把香菸遞給大魚，「有一次，我哥去金三角，在路上被藥頭搭訕。那個藥頭問我哥，會在那裡停留多久，我哥回答說一個星期。藥頭就說，那就多抽點鴉片。如果要停留一個月，他就不會賣給我哥了。我哥納悶地問藥頭原因，藥頭回答說，一個星期沒有問題，但如果連續抽一個月的鴉片，到時候就會上癮。」

曲宏彰拍手叫好，「這個藥頭很上道嘛。」

「接下來就是關於女人的事了。我哥抽了藥頭賣給他的鴉片，馬上就倒下了。他當時心想不妙，沒想到當他醒來時，發現藥頭還在。我哥很納悶藥頭為什麼沒趁他昏迷時偷東

西？但關鍵並不在這裡。藥頭對他說，你雖然睡迷糊了，你的小弟弟可是精神十足。我哥一看，果然沒錯，他的屌翹得硬邦邦的，幾乎快頂破褲子了！藥頭得意地笑了笑說，抽了鴉片之後都會這樣，所以我手上也有女人可以介紹。」

「幹！我退伍後也要去泰國。」所有人都笑著感嘆道。那個藥頭眞會做生意，這才是放長線，釣大魚啊。

「喂，葉秋生，」大魚問我，「你有女朋友嗎？」

我拿出毛毛的照片，其他人同時吹起口哨。我們接著把香菸丟進馬桶沖掉，走回爬滿臭蟲的床鋪，一天就這樣結束了。

因爲剛好分到同一個班隊，所以我和這三個人比較熟。當初是因爲洗澡時曲宏彰眼尖地看到我大腿上的刀傷，彼此才開始熱絡起來。

「這是刀傷吧？」

「高中的時候留下的。」

「被別人刺的嗎？」

「不，是我自己刺的。」

我點到爲止，其他的就不必說了。打架這種事根本是家常便飯，我敢用刀子捅自己，代表我根本不把你放在眼裡。雖然只是虛張聲勢，但發揮了某種警示作用。大家都認爲，對一個敢做出自戕行爲的人動手，並不是值得讚許的行爲。曲宏彰原本就是汪文明和大魚

的朋友，所以我也加入了他們。

和他們在一起時，我雖然沉默寡言，但該做事的時候毫不含糊。汪文明這傢伙滿嘴歪理，什麼話都被他說完了，我只要不時附和就好。大魚腦筋不靈光，是個冒失鬼，和他在一起，任何人都會被他襯托得比原來出色。打架時，曲宏彰總是衝在最前面，我只要基於道義上前助陣就好。

所以，說廢話、吵架撂狠話，或是失敗時找藉口這些事都有人做了，我自然就沒什麼機會說話了。

整天閉著嘴巴，無法吐出的感情和想法一直盤踞在內心，成爲誘餌，像釣魚一樣，釣起更大的感情和想法。在服兵役的兩年期間，我躺在悶熱的兵營床鋪上，聽著鼾聲和磨牙聲，滿腦子只思考兩件事。

我沒有一天不想毛毛，但也因爲這個原因，一直深受強烈春意的折磨。射擊訓練、上武術課，以及睡覺前抽菸時，毛毛總是突然向我撲來，軍服長褲內就吹起一陣春天的狂風暴雨。我雖然沉默寡言，但做起事來毫不含糊，當然不能讓同袍看到我這種糗樣。至於如何解決，當然就是躲進廁所的小隔間。除此以外，還有其他方法嗎？最糟糕的就是匍匐前進的時候，始終沒有機會親眼目睹的毛毛的身體折磨著我，連長官的大聲嚷嚷都變得遙遠、聽不太清楚了。我的腰壓在地上，必須持續扭動身體前進，最後甚至搞不清楚自己到底在匍匐前進，還是和大地進行性行爲。

毛毛經常寫信給我，我也很勤快地回信給她。我從她的信中得知，宇文叔叔因爲肺病

的關係，刑期從原本的一年兩個月減爲九個月。出獄那一天，父親和明泉叔叔去監獄接他，等了很久，仍然不見宇文叔叔的身影。一問之下才知道，實際出獄的時間提早了一個星期，宇文叔叔早就出獄了。父親責備明泉叔叔，因爲當初是明泉叔叔接到宇文叔叔的電話，通知他出獄的日期。明泉叔叔辯解說，他可以對天地神明、對狐仙，以及日本的AV女優某某某發誓，自已絕對沒有聽錯日期，如果他聽錯的話，可以把所有A片都燒掉。父親等了三天，打電話到宇文叔叔的海運公司，結果又晚了一步。宇文叔叔已經搭上貨船前往南美了。不用說，這些情況都是明泉叔叔告訴胖子，毛毛從胖子那裡聽來的。毛毛每次都會在信末畫一個小小的愛心或是幸運草，我在感到安心的同時更感到難過。

小戰？誰管這個王八蛋的死活！

聽毛毛說，宇文叔叔好心安排他上船，他不到四個月就落跑了，結果又跑去投靠高鷹翔。雖然沒有剁掉小拇指，但毛毛在信中說「趙戰雄這次應該下定決心要混黑道了，所以早晚會殺人」。毛毛的預言完全正確，在我服兵役期間，小戰爲了一件芝麻小事和其他黑道兄弟打架，結果殺了對方，被判了六年有期徒刑。俗話說「狗改不了吃屎」，每次想到趙戰雄這個狗雜種，就覺得這句話是眞理。

至於宇文叔叔……

當時宇文叔叔是因爲看到了王克強的照片，才會亂了方寸嗎？還是像父親說的，只是因爲身體不舒服的關係？隨著時間流逝，我內心的兩種想法漸漸結合在一起，就好像揉在一起的黏土般密不可分，難以辨別了。雖然有足夠的時間思考，但在軍隊的生活很少動腦

筋，思考只是讓心情變惡劣，一點都不好玩。於是，爲了排解無聊，我開始幻想宇文叔叔是因爲王克強的照片才那麼驚慌失措。

我最喜歡的劇情是那張照片勾起了宇文叔叔內心的創傷。因爲王克強的關係，祖父全村的人都被日本軍殺了，祖父和許二虎一起爲了報仇而奔走，最後終於順利殺了王克強。才六、七歲的宇文叔叔和父親一樣，應該也曾經在報紙上看過王克強的照片，宇文叔叔爲自己父親所做的行爲感到驕傲嗎？六、七歲的孩子也許會感到驕傲，但如果是我，一定無法發自內心感到高興，反而更害怕王克強的拜把兄弟會來報仇。冤冤相報的齒輪就是這樣開始轉動，結果，殺手眞的上門了。他的父親許二虎出門打仗不在家，只有宇文叔叔獨自保護母親和兩個妹妹，但宇文叔叔躲進了糞坑，只能聽著殺手殺害母親和妹妹的慘叫聲。你還是孩子，能做什麼？李爺爺和郭爺爺在打麻將時安慰宇文叔叔，罵他是笨蛋，叫他別爲這種事自責。宇文叔叔說，當時我已經十六歲了，以爲自己是大人了，但無論乾爹問我什麼，我都答不上來，全身不停地發抖……

電流嗶嗶嗶地通過腦髓，我整個人從床上彈起來。因爲動作太大，床腳在水泥地上滑動，屋內響起刺耳的聲音。幹，吵死了！四面八方傳來叫罵聲。是誰啊？敢再發出聲音，就要你的命！

「葉秋生，你沒事吧？」躺在隔壁床的汪文明問我。

「我沒事。」

我呻吟著回答。汪文明雖然不見得相信，但他轉身睡覺了。在悶熱的營房內，我渾身

冒著冷汗。

當時我已經十六歲了。

那是一九四九年，宇文叔叔當時不可能十六歲。離開中國時，父親才十五歲，父親比宇文叔叔大三歲。

難道是把十六歲和十二歲的記憶混淆了嗎？我重新躺回床上，注視著黑暗的天花板，聽著蟲鳴聲。農家的雞猴急地啼叫起來。一九四九年不是普通的年分，是國民黨打敗仗，宇文叔叔的母親和妹妹被叛賊殺死的那一年。

我十二歲時成績優秀，品行端正，是深得老師寵愛的小學六年級學生。十六歲時，我把制服的三顆釦子打開，脖子後方留了一撮自以爲很帥的頭髮，淪落成會答應小戰去當槍手的笨蛋。對我來說，十六歲只是三年前的事，但對宇文叔叔來說，是將近三十年前的事，更何況那時候在打仗，記憶混淆也在情理之中。

天色漸亮，我難得夢見了祖父。

祖父衝進冒著黑煙的破房子，跨越女人的屍體，目不斜視地衝向糞坑，把宇文叔叔拉起來。你是許宇文嗎？沒有回答。我是你爸爸的下屬。還是沒有回答。來，你跟我走！祖父把滿身屎尿的宇文叔叔背在身上，衝出了那棟房子。我在半空中看著一切。爺爺！爺爺！我聲嘶力竭地大叫，但話語好像變成了巨大的硬塊，卡在喉嚨吐不出來。爺爺，小心點！你背上的宇文叔叔已經被調包了，是很像宇文叔叔的其他人。爺爺，那不是宇文叔叔！宇文叔叔越來越黑，簡直就像死人一樣。祖父仍然什麼都沒發現。我幾乎快抓狂了，

這時，雲間灑下了光，天使吹響喇叭，宇文叔叔變回了宇文叔叔。宇文叔叔果然就是宇文叔叔！天使的喇叭漸漸變成了起床號，雲上的神大叫著：「起床！起床！」

我們立正站在床邊接受早點名。

「葉秋生，你眞的沒事嗎？」汪文明立刻擠到我身旁小聲問道，「你是不是做惡夢了？擦擦臉吧，臉上還有淚痕。」

服完一半的兵役時，我遇到了意想不到的人。

時序進入八月，我們這一班隊再度因爲大魚闖禍而一起在傾盆大雨中受罰。長官已經提醒多次，他仍然無法按照規定摺被子，結果我們九個人必須以半蹲的姿勢站在籃球場，把被子舉到頭頂。

雖然被雨淋成了落湯雞，但沒有人責備大魚。

「幹恁娘雞掰！」怒不可遏的曲宏彰一直罵個不停，「我眞的受夠你了。余元介，你這個廢物、死胖子，等一下回營房，我就要打死你！」

當有人代替自己爲一些芝麻小事發怒時，我們就可以變得比平時稍微溫和一點。事情就是這麼簡單。

一個身穿苔綠色戰鬥服的男人站在營房和教室之間的通道上，一直看著我們。雖然雨簾模糊了他的身影，但鐵皮波浪板滴下的雨滴淋溼了他的帽子。濺起的水滴爲他的帽子鑲了一圈白色輪廓。那個男人似乎把頭伸進雨中看著我們。

「那傢伙是誰啊？」

有人問道，但無人回答，只是蹲了下來，高舉起拿著被子的雙手。吸了大量雨水的被子很重，根本無法按照長官的要求高舉在頭頂。我們把被子放在頭上，讓手臂休息一下。每個人都在暗中祈禱，無論看著我們的男人是誰，希望不是自己被盯上。

男人從通道衝了過來，在傾盆大雨中跑向我們。他不可能帶來讓人忍不住想要擁抱他的好消息，所以幾乎所有人都咂著嘴。「幹！這下子恐怕要去匍匐前進了。」接下來他非常有可能要求我們在泥水中匍匐前進。

男人一路奔跑，濺起無數水花，在我面前停下了腳步。

「葉秋生？」

「是！」

我低著頭，看著他滿是泥巴的靴子，做好腹部將被這雙靴子踢中的心理準備。

「你也被分到這裡嗎？」

我抬起頭。

「是我啊。」

「……」

「我是雷威啊。」男人推起滴著雨滴的帽子，「葉秋生，你腿上的傷已經完全好了嗎？」

「幹恁娘，余元介是豬八戒！」晚餐後，我和雷威靠在營房的牆上，聽著曲宏彰大叫，「我要把你的被子撕爛，把所有棉花給我統統吃下去！」

「所以呢？」我開口，「你都在幹麼？」

「我高中沒畢業，還能幹麼？」

「我先說喔，那次打架是你找我麻煩。」

「我又不是來找你算舊帳的，」雷威聳了聳肩，「我正在幫我老爸賣色情照片和壯陽藥。」

「在萬華嗎？」

「對。」

「方華生在幹麼？」方華生就是當年造成我和雷威打架的那個花生，「你和他還有來往嗎？」

「沒有，」雷威搖了搖頭，「我們本來就沒那麼要好。」

「那你當年爲什麼幫他？」

「因爲他是我兄弟的兄弟啊。」雷威挑起單側眉毛，好像覺得我明知故問，「我們之前打架不都是這樣嗎？」

「也對啦。」

「打破我頭的那個傢伙呢？」

「他在混黑道。幹！想起他，我就一肚子火。」

「看來你也經歷了很多事。」

「我不想提那個王八蛋。」

「他的老大是誰？」

「一個叫高鷹翔的傢伙。」看到雷威一臉知情的表情點著頭，我問他：「你認識？」

「他公司就在華西街往淡水河那個方向吧？」

「就是那傢伙。」

「他最近來向萬華的老人打招呼，說要在我們地盤開酒店。」

「也對，因爲他那裡離萬華很近。」

「我老爸他們雖然不喜歡他，但現在用以前的方法已經賺不到什麼錢了，畢竟現在已經八〇年代了。爲了吸引新的客人上門，決定和高鷹翔合作。原來你朋友在高鷹翔那裡……搞不好以後有機會見到他。」

「爲什麼？有什麼問題嗎？」

「高鷹翔這傢伙不好惹，」雷威說，「一旦發生衝突，拿起武器打架的都是我和你朋友這些下面的人。」

「那倒是。」

「對了，我聽說不久之前，有人衝去他公司扁他。聽說並不是兄弟，但跑去那裡開了槍。這個時代，已經搞不懂誰是黑道，誰不是黑道了。」

「那是我。」

「啊？」

「打破你腦袋的趙戰雄捅了簍子，被迫剁手指，我和叔叔一起衝去他公司。我叔叔還因爲這件事被判了刑。那個笨蛋好不容易擺脫了黑道，結果現在又跑去投靠高鷹翔。」

「原來是這樣。」

「那些黑道兄弟眞是……」

「一日混黑道，終身難漂白。」

雷威是回來軍魂部隊參加教育召集的。

在臺灣，服完兵役後，就成爲後備軍人，在退伍後的五年期間，要參加三次教育召集。參加教召時接受的訓練和當兵時差不多，我們覺得教召根本是浪費時間，甚至痛恨教召。一旦在信箱中發現教召令，無論正在做什麼工作，都必須放下手邊的事回來參加教召。服兵役有固定的時期，所以也無可奈何，但教召的時間完全無法預測，簡直就像迎面被車子撞到，整整一個月都失去自由。政府也了解民衆的這種不滿，所以有時候會將一個月的教召壓縮成一天的點召。

這也太隨便了！

雖然覺得既然這樣，乾脆廢除教育召集不就好了，但當時的臺灣還在實施戒嚴令，我們已經習慣了各種不合理。也許教召本身就是讓我們適應不合理的額外課程，只有一天的點召都會看一些政治色彩濃厚的軍教片，或是聽推廣避孕講座。當時的政府想要控制人口成長，所以會免費發放保險套。免費保險套應該是參加教召的人所能得到的最大收穫。

「那你日子過得怎麼樣？」我問，「有賺到錢嗎？」

「如果能賺到錢，就不會和高鷹翔合作了。」

「那倒是。」

「雖然賺的不多，但塡飽肚子不是問題。」

「你不想成爲職業軍人嗎？」

「難道你要當職業軍人？」他不等我回答，繼續說道，「無論混黑道還是軍人，都必須不斷證明自己不是膽小鬼。」

「我因爲聯考失敗，才會在這裡，」我說，「轉學到那所爛高中後，我的運氣也用完了。」

「退伍之後還可以重考啊，很多人都是這樣。」

我不置可否地搖了搖頭。我也不知道自己到底想幹什麼，當初之所以想讀大學，是爲了延遲服兵役。當然不光是這個原因，但不可否認，這是重要的原因。現在既然已經服了兵役，就找不到非讀大學不可的理由了。

「我兒子快出生了。」

我驚訝地看著他。

「我不希望兒子也像我一樣，」雷威低著頭，好像在對自己的靴子說話，「很多事情都必須改變。」

「很多事情是指？」

「就是很多事啊。」

「到底是哪些事？」

「任何事都可以啊。」

我點了菸，抽了一口，交給了他。

「有些事，明知道是對的，卻遲遲無法去做，」他在說話的同時吐著煙，我在高中時完全不知道他說話這麼穩重。「即使只是撿起路上的垃圾也好，必須從小事做起，慢慢改變自己。」

「你在撿垃圾嗎？」

「這是比喻啦，但差不多就是這個意思。」

我們輪流抽著菸，然後他終於說出了內心的想法。

看起來像是點了墨汁般的雨雲掠過月亮，涼爽的夜風搖晃著蘇鐵的葉子。

他用撿垃圾來比喻寫詩這件事。當客人不再光顧不知葫蘆裡賣什麼藥的路邊攤；當他坐在龍山寺的石階上抽菸的時候；當獨腿攤販踩爛發黃的玉蘭花；當他和瘦骨嶙峋的狗四目相接；當他隔著單薄的牆壁聽到鄰居吵架；當他聽到女人和自己打完炮，在浴室洗澡的聲音；當他從霓紅燈的縫隙中仰望夜空……雷威的腦海中會浮現很多話語，他都一一記錄下來。

「我剛好在報紙上看到一個叫王璇的人寫的詩，」說完，他有點害羞地背了一小段，「魚說，只因爲我活在水中，所以你看不見我的淚……我之前完全不覺得我能夠理解詩這

種東西，但當時覺得，喔，原來是這麼一回事。」

我點了點頭。

「我似乎終於了解在高中時那麼火爆的理由了。我們對自己的痛苦很敏感，卻完全沒想到別人也有類似的痛苦。你用鐵尺刀刺進自己的大腿時，我好像自己中刀一樣，完全無法動彈。雖然一方面是嚇到了，但我覺得不光是這樣而已。有什麼打動了我，我一直搞不清楚那是什麼。然後就看到了那首詩，我猜想，你我當年都是——」

「水中的魚嗎？」

「嗯……很俗氣吧。」

「有點，」我說，「但這首詩很不錯啊。」

「那次之後，我也開始自己寫詩。」

月光照在被雨淋溼的籃球場，曲宏彰發出吼叫，我看到他的身影跳了起來。王八蛋，我要統統殺了你們！營房後方也聽到有人在咒罵別人。

雷威的教育召集結束之前，我們聊了很多，幾乎都在聊文學。

文學時而卑劣無比，時而勇猛果敢，如何和現實之間維持適當的距離，感覺和打架很神似。當時的文學作家幾乎都是跟著國民黨從大陸來到臺灣的外省人，題材無非就是描寫抗日戰爭，或是和共產黨之間的交戰。比方說王藍的《藍與黑》或徐速的《星星、月亮、太陽》。

「臺灣文學總是跟在政治的屁股後打轉，」雷威說，「只能稱讚國民黨，一旦批評國

民黨，就得去吃牢飯。」

在那樣的年代，土生土長的臺灣本省人雷威就像在天空飛翔的鳥兒，寫下了自由的詩。如同美國黑人的藍調，他利用生活周遭所發生的淺顯事物，結合政治思想，表面上在爲劈腿的女人悲嘆，但其實是在批判當時的政權。比方說，他寫了這樣一首詩：

老公心情很不爽，
因爲我和其他男人眉目傳情。
老公有所不知，
我向來不和任何人眉來眼去。
因爲從很久很久以前，
我就對你們失望透頂。

雷威雖然沒有明說，但如果「老公」是在暗喻國民黨，「其他男人」代表共產黨，而「我」代表臺灣人，就可以了解後續詩句的意思。

我根本不需要老公，
不需要那種折磨我的老公，
也不需要其他男人。

即使房子變大了，
男人終究是男人。

歸根究柢，文學和打架一樣，必須懂得虛張聲勢，在該進時前進，千萬不能錯失退場時機。

「所以啊，葉秋生，」雷威用腳踩熄了香菸，「如果你不希望人生一直這樣下去，就要去讀大學啦。」

雷威的教召只剩下一個星期時，一個老兵帶槍逃走了。我們部隊接獲這個消息時，老兵已經開槍打死了一個老百姓。

這種事情並不稀奇，父親年輕時在臺南服兵役，那裡也有一個會說英文的少尉被人用槍打死。開槍的是和父親同一個班隊的年輕人，因爲打架被取消休假，惱羞成怒之下開槍殺人。

聽說這次是因爲感情糾紛。汪文明告訴大家，逃走的老兵有一個年輕太太在賣香菸。她不幸遭到熟人強暴，才會引發這起事件。他說得很詳細，簡直就像和老兵一起喝酒時親耳聽說的。

「那個老兵的槍裡還剩下幾顆子彈？」大魚問。

「我怎麼可能知道？」汪文明回答。

「如果找到他，可以開槍打死他嗎？」曲宏彰問。

「那當然啊，」汪文明說，「這些在大陸和共匪打過戰的老兵一輩子只知道打仗，也不知道怎麼花錢。即使身上沒有錢，那些老兵也有很多拜把兄弟，只要有那些兄弟在，就不會餓死。」

所有人都點著頭。

「他們一輩子都待在軍隊，住在部隊，吃部隊的飯，一毛錢也沒花，所以月俸全都存起來了，不是嗎？他們存了一輩子的錢，然後娶一個年紀可以當女兒的年輕臺灣姑娘，就是那些蹲在路旁賣香菸，皮膚很黑的女生。對老兵來說，或許是老來終得美嬌娘，但女人不僅算計老頭的錢財，甚至連他的壽命也列入考慮範圍。更何況老頭整天在部隊，根本不在家裡。年輕的老婆正是花樣年華，不需要我說明，你們也能猜到是什麼情況吧。」

「什麼情況？」大魚問。

「你是笨蛋嗎？」曲宏彰打掉大魚的帽子，「當然和小狼狗有一腿啊，你這個笨豬。」

部隊立刻派兩個連隊，也就是約兩百人組成搜索隊展開搜索，我們班隊和參加教召的雷威他們班隊被編入同一個小隊，而且由雷威擔任小隊長。

那天正午召集後，我們帶著M-16步槍上山展開搜索。我立刻察覺氣氛不太對勁，一旦其他搜索隊離開視線範圍（有些搜索隊負責監視車站和道路），教召班的人就會立刻丟下裝備，坐在樹下休息或抽菸，雷威拿出書讀了起來。

陽光從樹葉縫隙灑落，我們困惑不已，面面相覷。

「你們也坐下來休息啊。」教召班的人對我們說，「反正不可能找到。」

「這可是任務啊。」曲宏彰語帶怒氣，「趕快去找那個老頭。」

「抓到了又怎麼樣？」

「啊？」

「你要當職業軍人嗎？」教召班的男人大聲說道，「你們之中，有人想成爲職業軍人嗎？」

沒有人開口。

「退伍之後，抓住老頭的功勞對人生有什麼幫助嗎？即使找不到那老頭，也不會造成任何人的困擾，至少不會造成我的困擾，相反的，如果找到了反而麻煩，搞不好會被老頭幹掉。」

「但是，老頭可能會發現我們吧？」

曲宏彰一臉認眞地說，教召班的所有人都笑了。

「你是說，老頭自己撞上來嗎？」另一個男人開口，「如果老頭想逃，只要晚上行動就好。我們天一黑就會回到兵營。」

「那只是做做樣子而已，」雷威接著說道，「你們應該也知道吧？既然老頭殺了人，軍方不可能什麼都不做，所以至少要組成搜索隊充一下場面。」

我以爲曲宏彰會衝上去打人，但我想錯了。

「有道理。」

他聳了聳肩，也把自動步槍架在樹上，一屁股坐了下來。教召班有個人遞給他一支菸。我們也各自找地方坐了下來，有人打瞌睡，有人想心事。直到三天之後，我才知道教召班的自動步槍內根本沒有子彈。

周圍都是樹木，陰涼的山上很舒服。我們避開從樹梢灑下如利刃般的陽光，那一天也從一大早就開始享受偷懶。展開搜索至今已經過了四天，所有搜索隊都沒有任何成果。汪文明判斷老兵已經自殺了。

「你們想一想，整個臺灣就這麼一點大，而且以老頭的腳程，能夠逃去哪裡？」

所有人都沒有反應。

幾乎所有隊員都用帽子遮住臉，躺在草地上睡覺。也有笨蛋專心用刀子在樹幹上刻字，沒有人擔心老兵是死是活。

隨著太陽在天空中越爬越高，地面冒出來的熱氣像蒸籠一樣，幾乎把我們蒸熟了。螞蟻和蚊子爬上滿是汗水的身體，除了打螞蟻和蚊子以外，時間幾乎都停止了。

我躺在乾燥的泥土上，心不在焉地看著向雷威借的小說。聒噪的蟬鳴在樹林內此起彼落，簡直就像發現女鬼屍骨那一天如雨般落下的蟬聲。藍冬雪即使死了，仍然想要向胖子表達心意——和她內心承受懊惱所帶來的煎熬相比，我的煩惱根本不足掛齒。

思考渙散，我把書放在肚子上。

之前毛毛幾乎每個星期都會寫信給我，但這一陣子都沒有收到她的信，所以只要一有空，我就會故意用手指去掏挖我們之間不可能出現破綻的關係，一下子想這件事，一下子又思考另一件事，然後兀自驚慌失措。破綻註定要擴大，我和毛毛之間的重要回憶，從敞開的醜陋破洞中不停流出來，不吉利的想法像工廠的廢水，不斷流入。我過度陷入負面思考，夜復一夜，妄想著她變了心，然後在床鋪上輾轉反側，最後甚至覺得和戀愛如影隨形的那種痛苦也變成了快樂時光。

「好熱啊。」雷威走到我身旁坐了下來，「聽說搜索到這個週末就結束了。」

「是喔，」我把毛毛趕出腦海，躺在地上回答，「總算可以不必欺負一個根本無冤無仇的老人了。」

「你剛才在看哪一個故事？」雷威從我肚子上拿起書，「《彼岸》嗎？」

「是啊。」

「你有什麼感想？」

「看不太懂。」天氣太熱，根本無力侃侃而談讀小說的感想。我改變了話題。「你有沒有遇過鬼？」

「是部隊的鬼故事嗎？」

「不是，我親眼見過鬼。也許你難以相信，但千眞萬確。高中的時候，我不是和你打了一架嗎？那年五月，我爺爺被人殺了，我在隔年看到了鬼。」

「眞是太可怕了。凶手抓到了嗎？」

我搖了搖頭。

「所以是你爺爺變成鬼魂現身嗎？」

「那個鬼是和我完全沒有關係的女鬼，二十年前，那個女的打算和我認識的男人私奔，結果在私奔當天被其他男人殺死了。她想要把眞相告訴她喜歡的男人，於是就變成鬼找上了我。我完成了她的心願，她就成佛了。當時我家附近的老婆婆說，那個女鬼會來謝我，但至今什麼都沒發生。」

「你爲什麼告訴我這些？」

「只是打發無聊啊。」

「是喔，」雷威想了一下說，「你最大的心願是什麼？」

「嗯，應該是找到殺我爺爺的凶手吧。」

「那個女鬼是不是留下了有關凶手的線索？你仔細想一想，有沒有發生什麼不一樣的事？」

「唯一的不一樣，就是出現了很多蟑螂。」

「蟑螂？」

「差不多有一個師那麼多。結果當船員的叔叔請人從日本帶了蟑螂屋回來……」

搜尋記憶的指尖似乎觸碰到了什麼。

雷威皺起眉頭問：「怎麼了？」

「不，剛才好像快想起什麼了，但又不知道到底是什麼……」

「那就來問碟仙啊。」大魚在一旁插嘴。他在旁邊裝睡，豎起耳朵聽我們說話，「以前碟仙說我和初戀的女生感情不會順利，結果真的不順利。」

「這種事需要特地問碟仙嗎？」汪文明從口袋裡拿出十元硬幣，加入了我們的談話，「只要眼睛沒瞎，這種事誰都知道啊……沒有小碟子，那就用硬幣代替。」

「幹！你以前又不認識我，那時候我比現在瘦十公斤。」

「廢話少說，趕快動手啦，」曲宏彰把步槍像扁擔一樣扛在肩上，用力踹向大魚，「有人會畫靈應盤嗎？」

「只要寫滿文字就好。」汪文明說完，大魚接著說：「寫上Yes、No和有代表性的名字，以及方位就好……喂，誰有黃色的紙？」

我們互看著彼此。

「沒有黃色的紙，就沒辦法畫靈應盤。」

雷威從背囊裡拿出寫詩用的筆記本，問可不可以用筆記本的紙。筆記本的紙不是黃色，而是偏棕色，但最後大家覺得應該沒問題，至少上面並沒有畫橫線。

「白色蠟燭。」大魚大師叫道。

原本以為不可能有人帶白色蠟燭，沒想到教召班有一個心思縝密的人擔心晚上可能需要蠟燭，所以就帶了一盒。我們歡呼起來。那個人的背囊裡還放了各式各樣的東西。開罐器、指甲刀、蚊香、針線盒、蝴蝶圖鑑，甚至還帶了不知道他打算如何使用的吹風機。

我們用香菸代替線香點了火，又有幾個人好奇地圍上來。

大魚向雷威借了原子筆，立刻在黃色（姑且當作是黃色）的紙上大大地寫了「Yes」和「No」。

「不對不對，你錯了，」汪文明百般挑剔，「這是臺灣的碟仙，為什麼寫英文？」

圍觀的人紛紛點頭，大魚也有點生氣了。

「你很囉嗦，我老家那裡這樣寫就行了。」

曲宏彰把紙揉成一團，丟到一旁，汪文明在新的紙上大大地寫了「是」和「否」。大魚大師一邊咒罵著他們是邪教、異端，一邊在紙上以放射狀寫了一堆看起來沒有脈絡可循的成語——冰天雪地、有頭有尾、三心二意、蛇蠍心腸、豬狗不如——和數字。他不一會兒就畫好了半圓形的靈應盤，把硬幣放在正確的位置，然後所有人都注視著我。

我不禁猶豫起來。

「這只是遊戲而已啊。」其他人看到我心生畏懼，忍不住皺起眉頭，「你在怕什麼啊？」

這是有原因的。

在我讀小學低年級時的一九六〇年代，碟仙曾經風靡臺灣。國民黨看到這些腦袋空空的小孩子經常聚在一起玩碟仙，下了禁令遏止歪風，嚴禁製造和販賣靈應盤，導致業者對政府大感不滿。所謂人性，就是越禁越想玩。以前小孩子都在大白天就堂而皇之地在大馬路上玩碟仙，禁令頒布後轉入了地下。同學家、廢墟中、校舍後方和廢棄物堆置場都是通靈的理想場所，我們知道太多和碟仙有關的鬼故事。通靈後感到噁心、憂鬱、嘔吐，出現

鬼剃頭或集體歇斯底里的情況時有所聞，但對小孩子來說，這也是碟仙神奇魅力的一部分。誰都想知道自己是否具備了資質，能夠成爲引導殭屍的道士。

那是在雙十節前後，所以是十月發生的事。在某個陰天的放學後，我們幾個人在廢棄物堆置場玩碟仙。我忘了當時有誰，但小戰和潘家強肯定在，就是如阿婆所預言的，頭被鉛筆刺中受傷的那個潘家強。當時他頭上包著繃帶，也就是說，我們是在阿婆的可怕預言之後，才去那個廢棄物堆置場玩碟仙。

在同伴的催促下，我把手指放在十元硬幣上。

曲宏彰不懷好意地笑了笑，也跟著把手指放在硬幣上。大魚一副那是他的靈應盤的態度，也把他的粗手指放了上來。最後，汪文明把香菸放在額頭代替線香，對著東南西北四個方向磕頭後，手指放在硬幣上。

雷威點了蠟燭，放在臨時製作的靈應盤旁。雷威似乎也知道怎麼請碟仙。圍觀的人越來越多，我們相互使了眼色，在大魚的示意下，異口同聲地說：

「碟仙、碟仙請出壇！碟仙、碟仙請出壇！」等了一會兒，又再說了一次。「碟仙、碟仙請出壇！碟仙、碟仙請出壇！」

然後所有人都屏息斂氣，等待接下來發生的事。蟬鳴聲在樹林中產生了回音，青草散發著熱氣，樹林裡沒有風。我可以從指尖感受到同袍的心跳聲。一隻蚊子飛了過來，停在曲宏彰手背上，尖嘴刺進了他的手。被蚊子吸血的當事人當然看到了，原本瘦弱的蚊子肚子漸漸紅了起來，有節奏地逐漸膨脹。因爲我們正在請碟仙，所以誰都不敢打死蚊子。蚊

子吸著曲宏彰的新鮮血液，吸到肚子快撐破時，才帶著鼓起的肚子飛走了。對那隻蚊子來說，這應該是近年難得的大餐。

汗水從臉頰流了下來。

意識又飛向那一天——在廢棄物堆置場玩碟仙的那個陰天。我們圍著靈應盤，牽著小手叫著：「碟仙、碟仙請出壇！」老舊木材和木屑的味道飄過鼻尖，我和小戰、潘家強與其他不記得長相的同學一起，把手指放在小盤子上，一動也不動地等待接下來發生的事。

「幹！什麼都沒發生。」小戰終於耐不住性子叫了起來，「潘家強，你眞的知道怎麼請碟仙嗎？」

「不會錯啊，」潘家強嘟著嘴，「我哥他們在玩的時候，我在旁邊看得很清楚。」

「那就再請一次。」某個同學說，「如果不成功，明天考試想考一百分根本是天方夜譚。」

「碟仙、碟仙請出壇！碟仙、碟仙請出壇！」我們充滿眞心地齊聲叫喚，「碟仙、碟仙請出壇！碟仙、碟仙請出壇！」

遠處傳來小孩子的慘叫聲，接著聽到有人大叫：「胖子來了！胖子來了！」以及一路跑過來的腳步聲。那時候，胖子是我們這些小孩子不共戴天的敵人。

這時，我們手指下的小碟子開始抖動！

我記得小戰瞪大了眼睛。我在他眼中看到了瞪大眼睛的自己。潘家強一直搖頭，似乎在說：「不是我，我沒動喔。」另一個已經記不得長相的同學很不耐煩地瞪著潘家強，用

眼神問他，降臨在小碟子上的到底是神還是鬼。

嘉義的深山裡，發生了和當年廢棄物堆置場內相同的事。

大魚張大眼睛，吞著口水。曲宏彰瞪著汪文明，汪文明搖著頭，似乎在說：「不是我，我什麼都沒做。」我用眼神向大魚示意，請他趕快說接下來的話。大魚點了好幾次頭。

「你是神是鬼？」我們的聲音和十幾年前，我和同學的聲音重疊在一起，「你是神是鬼？」

十年前，我們並沒有繼續進行下去。和靈界交流的瞬間已經來到眼前，內心充滿的期待讓我們口乾舌燥，心跳加速，沒想到一陣叫聲像迫擊炮般突然響起，把這一切破壞得蕩然無存。毛毛和其他幾個女生不知道什麼時候爬到了廢料上，模仿大人的聲音齊聲大叫：「喂！」

我們都嚇到腿軟，以爲被憲兵發現了。要是違反了國民黨的禁令，一定會被送去絕海孤島上的綠島監獄。某個同學大叫一聲，衆人鳥獸散，潘家強重重地跌了一跤。八歲時，已經有小流氓味道的小戰對著那幾個女生破口大罵：「陳雅慧，臭三八，妳給我下來！」外號毛毛的陳雅慧和其他女生捧腹大笑，丟石頭反擊，大罵：「趙戰雄，你罵髒話，我要去告訴老師！」我根本無暇理會他們。我嚇了一跳，不小心坐到地上，坐到了五寸長的生鏽鐵釘。

當時我們最害怕得狂犬病和破傷風，一旦得了這兩種病，小命就不保了。我趴在地

上，回頭一看，從木條上露出的鐵釘沾到了鮮血。人體的構造無法看到自己的屁股，但因爲我太慌張了，很想確認傷口，結果就像追著自己尾巴跑的狗一樣原地打轉。毛毛見狀嚇得臉色發白，看了看我的屁股，又看向生鏽的五寸釘。我用手一摸，發現制服的短褲破了一個洞，血不停地流出來。我雙腿發軟，癱倒在地。小戰大聲咒罵毛毛她們，接著飛奔去找我的祖父。

此刻的我聚精會神，萬一聽到有人大叫，也不會再度陷入慌亂。我四處張望，確認樹林中完全沒有生鏽的五寸鐵釘。指尖有一種難以形容的異樣感覺，吸引了我們的注意力。曲宏彰睜大眼睛，和大魚、汪文明互望。我臉上的表情應該也和他們差不多。

十元硬幣緩緩動了起來。移動的方式非常流暢，沒有卡住的感覺，在寫滿文字的靈應盤上順暢移動，以最短的距離移向「神出鬼沒」，毫不猶豫地在「鬼」字停了下來。

我嚇壞了，手指放在硬幣上的另外三個人也翻著白眼。在請碟仙時，請來的都是小仙，也就是孤魂野鬼，聽說這種鬼魂會吸人的精氣。我們偷偷互看著，默默否認別人對自己的懷疑。至少我沒有搞鬼，在這種需要細心注意和最高敬意的場合，我沒有膽量做這種大不敬的事。

「哼，一定是有人動了啦。」圍觀的人不相信眼前的情況，理所當然地揶揄道，「只要玩過碟仙的人都知道第一個要問什麼問題，所以記住了『鬼』字的位置，一看就看出來了。」

但是，指尖藉由硬幣連在一起的我們四個人知道並不是這麼一回事，這種難以用言語

形容、奇妙的同心感受只有我們才了解。有點類似一起坐在竹筏上漂流，不斷受到鯊魚威脅的恐懼（我當然並沒有親身經歷過這種事），即使高處看不到魚影，也可以感受到鯊魚在靈應盤這個竹筏下游動的可怕感覺。

還是眞的有人惡作劇？

「呃，這個嘛……」大魚試圖控制局面，「這裡的葉秋生有事想要請教。」

「啊？」我的嘴巴一開一闔，但覺得不應該讓來自地府的鬼魂久等，慌忙擠出了聲音，「你、你知道是誰殺了我爺爺嗎？」

硬幣載著我們的食指，像火鳥般咻地滑到了「否」字上。

「你是白痴喔，」汪文明大聲斥責我，「碟仙怎麼可能知道你的爺爺是誰？」

「最好報上地址。」曲宏彰提醒我，雷威急忙補充說：「還有什麼時候被殺的。」

「喔，是喔……」我輕咳了一下，「呃，你知道是誰在臺北市迪化街一百四十六號，三年前……所以是一九七五年五月二十日，殺了葉尊麟嗎？」

碟仙回答「是」。

所有人都發出感嘆的呻吟，大家都用熱切的眼神著急地看著我。他們的眼神幾乎可以用「凶殘」二字來形容，好像心臟已經被鬼魂冰冷的手一把抓住。尤其是大魚，平時氣色紅潤得像蘋果，這時卻面如土色。

「那……」我張開因爲口乾而發黏的嘴，「那是誰？」

硬幣停在「王」字上。

人。」

「凶手姓王！」

大魚得意地大叫著，曲宏彰打落了大魚的帽子，「你這個笨蛋，到處都是姓王的

「噓！」汪文明說，「又動了。」

碟仙緩緩移向……

「『古道熱腸』。」雷威出聲叫道，「喂，葉秋生，你認不認識誰的名字中有這四個字？」

王古道、王熱腸、王古熱……我在腦袋裡將這些文字排列組合，但無論怎麼排列，都只排出很奇怪的名字。王古、王道……聽起來好像筆名。咦？古道熱腸是什麼意思？圍觀的人竊竊私語。笨蛋，看字不就知道了嗎？自古以來，熱量都是來自腸子。你才是笨蛋，這是指熱心、有義氣的意思。

熱心、有義氣的男人——我最先想到當我坐在五寸釘上，僅用單手就輕鬆把我抱起來的祖父。

當時，祖父臉色大變地跑到廢棄物堆置場，我為自己才活了八歲就要死了放聲大哭。幾個女生都逃走了，只有毛毛還留在那裡陪我一起哭。小戰當然也不可能忍住眼淚，祖父先檢查了我的屁股，然後單手把我抱了起來。我緊緊抱著祖父的脖子哭了起來。祖父身上有檀香的味道。

「秋生，沒事沒事，不要哭，爺爺馬上幫你治好。」

祖父安慰著毛毛，摸了摸指著五寸鐵釘抽抽答答地哭個不停的小戰，然後衝到馬路上。計程車立刻緊急剎車，司機的身體向前衝，把頭伸出車窗大罵。祖父抱著我跳上計程車，大聲報上醫院的名字。如果這孩子有什麼三長兩短，我就要你的命！司機看到祖父氣勢洶洶的樣子，立刻在駕駛座上坐好，只花了五分鐘的時間，就趕到了平時需要開十五分鐘的醫院。秋生，這點小傷完全沒問題。祖父沿途用溫柔的聲音對啜泣不已的我說話。這不是任何人的錯。毛毛沒有錯，那個鐵釘也沒錯，沒有人想要傷害你。這種時候，只能怪自己運氣不好。即使因此丟了性命，也不可以怨任何人……喂，司機，再開快點，我會說到做到！秋生，你了解嗎？男子漢大丈夫，離開的時候，就要瀟灑地離開。我用手臂擦著眼淚和鼻涕，點了點頭，祖父立刻露出了笑容。

「這才是爺爺的乖孫！」

我可以帶著驕傲的心情，回想起當時屁股疼痛的感覺。因爲這是祖父第一次把我當成男子漢，所以我咬緊牙關，勇敢地學到了流血時的心理準備，果敢地認識到生命蠟燭的長度，在三軍總醫院，痛得要命的破傷風針扎進我的屁股時，我也完全沒有流一滴眼淚。八歲的那一天，我就爲身爲葉尊麟孫子這件事狠狠地付出了代價。

「不知道，」我搖著頭，「我想破了腦袋，也想不到是誰。」

同袍之間傳來嘆息聲。

「我有點不舒服，」汪文明按著胸口，似乎不太舒服，雷威一副內行人的表情說：

「應該是中了陰間的瘴氣，我看差不多該結束了。」

「嗯，說得對，」曲宏彰點了點頭，「差不多該請碟仙回去了。」

就在這時，背後傳來吵吵嚷嚷的聲音。

四周響起一陣威嚇敵人的叫罵，和倉皇失措的驚叫，以及拿槍的可怕聲音。難道找到了我們要找的人？我們也一把拿起自動步槍站了起來。

「怎麼了？發現老頭了嗎？」

槍聲打破了曲宏彰的聲音，幾乎所有人都趴在地上。別開槍！別開槍！在不遠處的樹下休息的幾個人大叫著。是蛇！只是蛇而已！兩、三個人在後退時不小心被樹根絆倒，整個身體向後仰。幹！誰誰誰被蛇咬了！

野薔薇樹叢中是一條長度足足有一點五公尺的臺灣眼鏡蛇。眼鏡蛇抬起頭，張開頸冠威嚇著士兵，不時吐出紅色舌頭的邪惡嘴巴，好像在為殺戮的喜悅歡呼。幾個人拖著另一個按著腳蹲在地上的男人，遠離毒蛇。

「讓開！」曲宏彰撥開人群，衝到最前面。他已經把M-16的槍口對準了眼鏡蛇，「讓開，不要進入射線。」

達達達、達達達。他分兩次射擊，立刻把眼鏡蛇的腦袋打飛了，血滴濺到白色野薔薇上。被咬的士兵綁住傷口，四個人把他抬下了山。其他人也都跟在後方。

因為眼鏡蛇的騷動，我們的碟仙遊戲也莫名其妙地結束了。之後，年輕太太遭到強暴的老兵下落不明，搜索行動也很自然地畫上了句點，但我內心牢牢記住了「熱心、有義氣、姓王的男人」這句話。

「原來是眼鏡蛇，」曲宏彰拿下夾在耳朵上的香菸抽了一口，然後遞給大家，「你們知道嗎？不同蛇的血清都不一樣，如果不知道蛇的種類，就要連續打各種不同蛇的血清。」

「你們知道血清是怎麼製作的嗎？」汪文明問，「首先讓馬被毒蛇咬，然後抽出馬體內產生的抗體。馬的體內好不容易產生了抗體，結果被人類偷走了，所以要一直承受蛇毒的痛苦。」

「人類太殘酷了。」

聽雷威這麼說，所有人都點著頭。

我和雷威、曲宏彰，以及汪文明、大魚的關係，也和其他大部分當兵時代的同袍一樣，並沒有成爲終身的朋友。雖然我們曾經一起隨時爲打仗做好準備，但並沒有一起經歷過戰火，所以這也是無可奈何。

第十一章　心灰意冷

我在一九七九年退伍，接下來幾年的世界瞬息萬變。一九八〇年，擊出八百六十八支全壘打的王貞治宣布從東京讀賣巨人隊退休；約翰・藍儂在紐約的住家門口遭人槍殺。查爾斯王子和戴安娜王妃在一九八一年結婚，翌年的一九八二年，英國和阿根廷之間爆發了福克蘭群島戰役。東京迪士尼樂園在一九八三年開幕。雖然這個世界發生了很多事，但我對於那個時候的自己，只能勉強想起兩、三件事。

我在退伍後，才知道父親賣掉了迪化街的布行。我立刻想到了祖父那把手槍。在我問到這件事之前，父親完全忘記手槍的事，然後事不關己地回答說，應該不在店裡吧。

「如果發現的話，即使馮老闆沒告訴我，裝修的工人也會告訴我。」

我立刻趕去迪化街，但祖父的布行已經變成了隔壁南北貨店的一部分。南北貨店的馮老闆買下祖父的店，打掉牆壁後，擴大了店面。看起來生意很不錯，店門口堆了很多魚翅和燕窩，原本藏東西的暗洞位置已經鋪了水泥。

「手槍？」馮老闆露出誇張的驚訝表情，用力踩在水泥地上，「偶素不知道啦，即使有的話，也已經封在這些水泥下啦。」

祖父的毛瑟手槍讓宇文叔叔進了監獄，也讓我去當了兵，但就這樣遺失了，只是我並沒有為這件事沮喪、煩惱，因為我還面臨了更重要的問題，所以無暇理會這件事。至於那件事有多重要，我只能說，重要到可以模糊祖父的事。說句心裡話，我幾乎已經忘了祖父的事。有關祖父的回憶蒙上了厚厚的灰塵，結了蜘蛛網，如同從無人居住的空房子窗戶照進來的夕陽，在我內心漸漸模糊、變淡了。

一回到廣州街，我就有了結束的預感。

從小到大都直言不諱的毛毛，在很多事上都不置可否，心不在焉。這不能怪她。我告訴自己，因為我們已經分開了兩年。

但是，一個星期過去，兩個星期過去，到了第三個星期，她和我之間不再像以前那樣感情融洽、無話不談。我們並不是有什麼隔閡，她仍然像以前那樣直爽，也和以前一樣放聲大笑，不高興的時候立刻翻臉，但比起我在兵營的床鋪上連續夢了兩年的那種融洽方式，實在差太遠了。

我並不是重逢後立刻獸性大發，猴急地逼迫她，但還是會在晚上約她去植物園，把她拉進涼亭，不由分說地擠進其他情侶之間。只是，一旦要進入兩年前曾經讓我們樂此不疲的行為時，她總是臨時想起有急事，或是說她更想和我聊天，用各種方式閃躲。

「要聊什麼？」我氣勢洶洶地問道，周圍的情侶都緊張起來，「如果妳有話要說，就明白說出來啊。」

「軍隊怎麼樣？」她撫摸著我慢慢長出頭髮的光頭，「你的體格比以前壯多了。」

「當兵的事根本不重要，」我推開她的手，「別再把我當小孩子。」

「你就是小孩子啊，」毛毛笑著繼續說道，「秋生果然就是秋生。」

「這句話是什麼意思？」

「你果然是我弟弟的意思。」

「我……我們之前不是在交往嗎？」

「我也不太清楚。」

「……」

「我們從小一起長大，你不覺得我們要發展成男女關係有點奇怪嗎？」

她並沒有察覺我快要吐了，也沒有發現我汗流浹背，臉頰不停抽搐。在涼亭內的其他情侶發現了，屏氣斂息觀察著我們。

「也許我們只是想繼續小時候那種打打鬧鬧的關係而已，」毛毛語氣開朗地說，「仔細想一想，你不覺得我們之間沒什麼共同點嗎？我喜歡的事，你並不喜歡，反過來也一樣。」

「所以……妳喜歡上別人了？」

「才不是這樣。」

「那到底是怎樣！」我瞪著匆匆逃離的情侶，稍微控制了說話的聲音，「妳爲什麼要說這些話？爲什麼都不寫信給我？」

「啊喲，你在生氣嗎？」毛毛小聲笑著說，「秋生，你很容易生氣啊，簡直就跟小時

候一樣。」

「妳回答我。」

「因爲想不到要寫什麼啊。」

然後，她若無其事地問我，這兩年沒有遇到喜歡的女生嗎？讓我越發惴惴不安。

現在回想起來，毛毛當時可能是在挑釁。如果如她所願，我大發雷霆的話，她就可以發揮天生的本領，把我罵得狗血淋頭，我們就能順利大吵一架分手。

但我當時只是不知所措。

毛毛一定覺得如坐針氈——很久之後，夏美玲這麼分析給我聽。她是我在毛毛之後交往的女朋友。夏美玲淡淡地接著說，因爲她心裡有愧，所以想要把一部分分手的原因推給你。你冷靜處理這件事，比那種女人成熟多了。

但是，夏美玲不知道一件事。我在當時也不知道。毛毛並不是要把分手的原因推到我身上，而是希望能夠在不告訴我眞正原因，在不傷害我的情況下和我分手。

總之，我把夏美玲的話牢牢記在心裡，之後決定和她離婚時，也完全沒有出言不遜，更沒有摔東西。你可以生氣啊。夏美玲難過地笑了笑。你老婆和別的男人上了床，通常誰都會生氣啊。即使如此，我仍然無法對她產生憤怒，因爲我自認沒有這種資格。如果我們之間順利生了孩子，不知道情況是不是會有不同？我用沉默回答了她最後的問題。不孕症並不是夏美玲的過錯，只是我無法繼續扶持不斷流產和死產的她。她每次失去肚子裡的小生命，退伍後曾經體會的心灰意冷就會在我內心甦醒，我們在昏暗的客廳內佇立無言。

「那一天，在機場第一次告訴你我懷孕的時候，」夏美玲帶著小行李箱離家之前對我說，「看到你興奮得像一個小孩子，我內心感到無比驕傲。」

一九七九年五月，我的心遭到踐踏，闖入了沒有出口的迷宮，因爲心灰意冷而痛苦得滿地打滾。

毛毛不光是對我的態度發生了變化，連衣著也完全不一樣了。整天穿花俏襯衫和喇叭褲，頭上頂著墨鏡的那個毛毛已經不復存在，她開始穿棉質洋裝和飄逸的裙子，胸前還戴著櫻桃圖案的胸針。光是這種改變，就足以成爲分手的前奏曲，但我仍然對毛毛糾纏不清，讓她感到爲難。

我們住在同一條巷子，卻不知道爲什麼，有一陣子始終遇不到她。無論去冰店，還是去阿九的水果攤，或是在阿婆的店，甚至去植物園，都不見毛毛的身影，好像她從廣州街消失了。

六月後的某一天，我剛好在路上遇到毛毛的妹妹，於是嚴厲逼問她。

「快說！毛毛到底在哪裡？」我一副不惜打人的態度，「如果妳不說，就別怪我不客氣！」

「葉秋生，不要打我！」瑋瑋大聲哭喊，「她住在朋友家！我不知道在哪裡，我沒騙妳！她已經有一陣子沒回家了！」

果眞如此的話，我所能做的就相當有限。隔了幾天，我決定去她工作的醫院等她下班。

我等了三個小時，抽完一整包菸，才看到毛毛和同事從醫院的後門走出來。她穿了一件黃綠色的T恤，搭配一件褪色的牛仔褲，看到我也沒有太驚訝，只是停下腳步抱著雙臂。她的同事遠遠看著我和毛毛，反而比當事人更驚訝。

「毛毛，」我慌忙踩熄了菸，努力擠出可人的笑容，「因為我剛好來這附近，要不要在附近找一個地方——」

「怎麼樣？」

「……啊？」

「有什麼事？」

「不是啦，我是想說，能不能聊一聊……」

「我很累。」

「喔，對喔……妳剛下班，但我想和妳聊一聊。」

「請你以後別再做這種事了。」毛毛說完，準備和她的同事一起離開，「你應該知道，我向來很討厭你這樣。」

「等一下！」我抓住她的手臂，「我們好好談一談，嗯？」

毛毛冷冷地看著我，她的同事聚在一起，似乎已經下定決心，只要我敢動粗，他們就要團結一致，向我這個壞蛋宣戰。

「好啊，」毛毛冷冷地說，「那你說啊。」

「我……妳到底怎麼了？我們為什麼會變成這樣？」

「這樣是怎樣？」

「就是這樣啊！」我揮動手臂，「就是妳和我現在的狀態啊！」

「我愛上別人了——」

我倒吸了一口氣。

「如果我這麼說，你就能接受嗎？我不是說了嗎？你和我之間根本不可能。」

「我覺得這樣太莫名其妙了，我們根本沒有理由……」

「如果我讓你誤會了，那我道歉。」

「……」

「但我一直都是這樣啊。」

雖然這是最糟的結局，但最糟糕的情況並非只有如此而已。

時值七月。

在颱風剛過境的酷熱天氣，祖母叫我去阿九的水果店。九官鳥已經不見蹤影，聽阿九說，在我當兵的時期，九官鳥被貓攻擊送了命。

「牠死得很壯烈。」阿九嘆著氣說，「偶請了和尚為牠誦經，送牠上路。」

我向阿九表示哀悼，也稱讚了九官鳥的品性。牠說的「中華民國萬歲」無鳥能出其右，牠是臺灣首屈一指的九官鳥。阿九拚命點頭，吸著鼻涕，最後多送了我幾顆芭樂。

我拎著裝了木瓜和芭樂的塑膠袋，走回家時遇到了胖子。那個不知羞恥的傢伙穿了三件式西裝，正在路旁發動車子的引擎，準備出門對某個天真的女人下毒手。胖子還在開那

輛火鳥。

「喂，葉秋生！」他在馬路對面叫我，「我不是跟你說過好幾次了嗎？看到長輩要打招呼！」

我用厭惡的態度叫了他的名字，向他打了招呼。

「你怎麼了？臉臭得像大便，遇到什麼不開心的事了嗎？」

「不，沒事。」

「那就好，有沒有收到喜帖？」

「什麼喜帖？」

「當然是喝喜酒的喜帖啊，笨蛋。如果你見到明泉，叫他一定要來。」

我過了馬路，把手放在車頂上，探頭看向駕駛座。副駕駛座上有一大束百合花。

「喜酒？胖子叔叔，你要結婚了嗎？」

「啊？才不是我呢，你這個笨蛋。」

「那是誰結婚？」

「當然是毛毛啊！」

「……」

「對方是醫生，」胖子揚長而去之前對我說，「幹！不愧是我的外甥女！」

我回到家，在天亮之前，一直抱著膝蓋。

差不多就是在那個時候，我從廣播中聽到一個名叫林毅夫的男人游過臺灣海峽，逃亡中國大陸的新聞。一九七九年二月，即將退伍的我在兵營內發瘋似的想著毛毛，而林毅夫以軍人的身分來到和福建省廈門對峙的我國最前線金門島，很久以前，我當槍手代考的那個人的父親，就曾經駐守在金門島。三個月後，也就是五月十六日晚上，正當我在植物園為毛毛的冷淡態度感到不解，日後成為世界銀行首位華人副總裁兼首席經濟學家的林毅夫，抱著兩顆籃球當作救生圈，獨自跳進了黑暗的大海。從金門島到廈門大約五公里多，浪濤洶湧，也有鯊魚，簡直就是瘋了。一個年輕人為什麼要跳進茫茫大海？他胸懷怎樣的大志？他在黑暗的海上漂浮時，專心一致地游向對岸的燈。他帶著恐懼和孤獨，滿腔希望成為指南針的紅色指針。

中國大陸到底有什麼？

夜深人靜，我迫不及待地衝出家門，騎上速可達，在路燈染成一片黃色的中華路上不顧一切地狂飆。雖然我很想見小戰，但他殺了人，目前正在服刑。如果可以和小戰一起說說毛毛的壞話，不知道有多舒暢。幹！小戰這個王八蛋，在緊要關頭都不見人影。

想要向他人求助，身邊卻沒有人的時候，就只能尋找其他方法發洩。我騎著機車沿著淡水河狂飆。聽說以前這條河裡有大鯊魚游到上游吃人，但這是明泉叔叔說的，所以可信度有多少就不得而知了。我只知道自己就像螻蟻般，在灰色的街道底層爬行。騎了一陣子之後，又掉頭騎向東方。

那天早晨的毛毛不斷在眼前晃動。

我們衝進高鷹翔的公司打架，被抓去警局時，毛毛在植物園等了我一整晚。乳白色的朝霧在淡桃紅色的睡蓮周圍繚繞，雲間灑下美麗的曙光，還有帶著淚水味道的溫暖親吻——我胡亂地回想著這些事，嘴裡漸漸眞的有了鹹鹹的味道。我嚇了一跳，手臂一緊張，機車開始蛇行，騎上了中央分隔島，一口氣衝到了對向車道。迎面而來的車輛用力按著喇叭，車頭燈一閃而過。

「幹恁娘！」我轉過頭大罵，「看不順眼的話，我隨時可以奉陪！」

夜風吹在我滿是淚水和鼻涕的臉上，我賭氣地在車道上逆向行駛，完全不記得什麼時候回到了正確的車道。

南港、汐止，當我回過神來，發現自己把速可達停在基隆海岸，爬上堤防。因爲一路猛催油門，讓機車沿途狂飆，也因此得以眺望黎明前的大海。

我開始認眞思考，像我這種人如果有心，也可以從這片大海游到中國大陸嗎？我覺得現在應該可以做到。蔣經國對中國共產黨實施「不接觸」「不談判」「不妥協」的「三不政策」，但只要年輕人下定決心，誰都無法阻止。

失戀的痛苦讓我的內心變成一片焦土，好像小火慢燉般持續煎熬。我無法對新娘說任何祝福的話，而且躲躲藏藏不敢見她，用黯然的雙眼目送夏天離開，詛咒著秋天，然後迎接了冬天。毛毛在婚禮的前一天來到家裡，我也避不見面。

「秋生，對不起。」毛毛在房門外對我說，「那，我……就去嫁人了。」

我在床上翻了身，瞪著天花板。明亮的午後，我緊閉著窗戶，還拉上了窗簾，我甚至不願意讓陽光看到自己沒出息的樣子。雖然是冬天，但連續幾天都是溫暖的好天氣。

「秋生。」

「……」

「婚禮之後，我馬上就要去美國了。」

「……」

「我真的很喜歡你。」

「既然這樣，為什麼要嫁給別人！」我被自己的聲音嚇到，為了不讓毛毛察覺，又恥上加恥地說，「反正妳只是把我當作弟弟喜歡！我知道，妳我生活在不同的世界！」

門內和門外陷入了不同密度的沉默，門內的沉默充滿了憤怒和焦急，門外的沉默帶著灰心和悲傷。當時的我忙於應付自己的悲傷，根本無法了解這件事。即將迎接大喜之日的女人，怎麼可能為自己拋棄的男人感到難過？我以為她只是沉醉於眼前這種狀況罷了。毛毛對於我們的分手樂在其中，只要踏出我家一步，她滿腦子就會想著她的婚紗、她的頭髮和指甲，為即將和真心相愛的男人展開新的生活感到喜悅。

「對不起，我無法把話說清楚……我不知道該怎麼說，也不知道該說什麼。」

「反正說了也是白費口舌，因為妳只想到妳自己。」

「是啊。」

「幹！」

「前幾天我去試婚紗，」

「……」

「當時奶奶對我說：『妳要嫁人了，妳還記得嗎？葉秋生出生時，妳說要當他的新娘子。啊，時間過得真快！』真是太好笑了，但其實我還記得，我還記得你剛出生的樣子。」

「那又怎麼樣？」我對著她大吼，「聽說妳老公是醫生，哼！太好了，終於找到了金龜婿，不必和我這種人在一起！」

「我們這輩子沒有緣分……別擔心，你一定很快就會找到一個出色的女生。」

「不必安慰我，反正妳媽也討厭我！」

「才不是，我媽並不是討厭你……」

我等待她的下文，但她並沒有繼續說下去。近似悲傷的沉默像風一樣吹過我們之間。

「那我走了。」她的聲音微微發抖，「秋生，再見。」

走廊上傳來地板輕微的擠壓聲，她每走一步，世界就產生了裂縫。

我衝出房間，緊緊抱著她——如果我能這麼做，不知道有多好。如果這麼做，或許會有轉圜的餘地，也許我們可以共同面對將我和毛毛拆散的殘酷事實。

我沒有採取行動。

我豎耳聽著毛毛漸漸遠去的動靜，腳步聲突然停止，我屏住呼吸，期待毛毛跑回來，撲進我的懷裡。心臟劇烈跳動，就好像將死的男人用盡最後的力氣敲門。我懷疑所有的一

切，都是一齣精心設計的鬧劇。

如果是這樣，不知道該有多好。

毛毛再度邁開步伐，腳步聲漸漸遠去，很快就什麼都聽不到了。我在床上縮著身體，用力捂住耳朵。去服兵役的前一天晚上，我和她在不太乾淨的停車場跳貼面舞，當時的歌聲始終縈繞在耳邊揮之不去。因爲我整個人都空了，所以我們的愛的餘音遲遲無法消失，在身體內不斷產生回音。

接下來的幾個月，我就像是行屍走肉。雖然父母試圖讓爲愛傷神的兒子清靜一陣子，但祖母自始至終都假裝難以理解，努力想要激勵失魂落魄的孫子。

「即使被女人甩了，也得照常吃飯呀！」

祖母把搞不好已經兩、三天都足不出戶的我拉出房間，用手指戳著我的額頭說，你眞是太沒出息了。

「幸好她甩了你，如果要和那種人當親家，我乾脆去美國算了。」

「不要妳管！」我對祖母惡言相向，把碗裡的白飯扒進嘴裡，「妳別管我，去找李奶奶打麻將啦！」

「你這種個性和你爺爺一模一樣，他當初離開他原本的老婆，和我在一起之後，也整天像你這樣不乾不脆地後悔。到底有什麼好後悔的？不管後不後悔，反正船到橋頭自然直，你這個小傻瓜，就看開點嘛。」

即使祖母這麼說，至少在那年年底之前，我都和祖父一樣，不乾不脆地後悔不已。

但是，祖母說的沒錯，被女人甩了，飯還是要吃。那時候明泉叔叔剛好和一群志同道合、想要一夜致富的朋友開始做生意，於是我就去他們開的龍關食品貿易公司打雜。進入一九八〇年代，日本的經濟景氣向上發展，外食產業如燎原之火般迅速延燒，我們的公司專門批發出口菠菜、胡蘿蔔等蔬菜，供應日本的家庭餐廳，這門生意大獲成功。

一九八五年簽定廣場協議後，日圓急速升值，進入了前所未有的泡沫經濟時代。地價和股價一路飆升，精明的生意人笑得合不攏嘴。聽說東京都二十三區的地價就相當於整個美國的地價。男人穿著黑色西裝，開著高級車；女人露出內褲在迪斯可狂舞。每天晚上，香檳王開了一瓶又一瓶。

日本瘋狂的泡沫經濟也讓龍關食品貿易公司的業績勢如破竹，持續十年不斷上升，但世事都是盛極必衰。一九八九年六月四日，爆發了天安門事件，十一月九日，柏林圍牆倒下，這兩起重大事件對全世界各個角落都產生了影響，廣州街也不例外。這兩件事點燃了明泉叔叔的野性直覺。

「資本是有生命的，」明泉叔叔向公司遞辭呈時大放厥詞，「一旦東德和西德統一，中國走向民主化道路，投資客就會從日本撤走資金，投資那些國家。」

令人驚訝的是，明泉叔叔眞的說對了！

泡沫經濟崩潰後，以爲可以稱霸天下的日本人立刻自殺了。龍關的老闆也受到波及，在家中臥室上吊自殺，但那又是另一個故事了。

言歸正傳。

有一搭，沒一搭地在龍關工作後，我立刻發現自己很有語言天分。起初爲了應付國際電話，開始自學日文，很快就學會了簡單的日常會話，兩、三年後大有進步，已經可以和日本人吵架了。回想起來，我從開始哼唱〈朦朧月夜〉的高中時代起，就不討厭日文。

我把失去毛毛的悲傷和憤怒全都投入學習日文，我的日文從自卑和惡言詈辭中誕生了。我至少會用三到五種不同的方式表達「你懂了嗎？」「活該」「爲時已晚」「對不起，我辦不到」這些話。就連下班回家的車上，我也都在聽日文教材，最後甚至連做夢都說日文。

因爲那是一家小公司，也幸運得到當時還活著的老闆提拔，讓我在公司當翻譯，和日方談判時都會帶我同行。我們經常去東京和千葉，每次出差時，明泉叔叔就要我幫他買A片錄影帶，那時候，明泉叔叔最喜歡的AV女星是愛染恭子。

夏美玲是客戶的翻譯。她是在高雄出生的本省人，說著一口標準的國語。這就是我對她的第一印象，雖然不像毛毛那麼純樸，但舉手投足氣質高雅，像日本人一樣溫柔婉約。她戴著眼鏡，一雙淡棕色的大眼睛很可愛。

在秋老虎發威的九月某一天，我們去千葉縣參觀完花生田，她開車送我回飯店。我們公司的老闆沒有告知去向就單獨行動，所以只有我們兩個人。

車子行駛在染上一片暮色的八街街道，汽車廣播中突然傳來悲傷的歌聲，幽幽地訴說

著一個笨拙的女生第二次戀愛，卻仍然無法向對方表達心意。女生只是抓著男生的毛衣，低下了頭，無論如何都說不出「我想和你在一起」這句話。

抱起我，帶我走，連同時間一起，
帶我去某個地方。
傷感持續加速，
我如此迷惘徬徨。

我忍不住想，既然第二次戀愛也這麼不順利，如果第一次戀愛就成功的話，幾乎可以稱為奇蹟。

「這是中森明菜的〈第二次戀愛〉。」夏美玲說完，把音量調大，「這首歌現在很紅。」

我轉頭看向窗外的風景，假裝打了一個大呵欠，拚命揉著眼睛。她沒有再說什麼，用略帶鼻音的慵懶聲音跟著一起哼唱起來。

若是第二次戀愛，也該有點長進，
想要回應你的蜜語和甜言。
卻只能假裝整理瀏海，低下了頭，

想讓你在街道上拉長的身影，
不再繼續移動。

因爲彼此不太了解的隨興感受，再加上異國情調，那天晚上，我和夏美玲很自然地一起喝酒，不約而同地牽起了手，然後去了我飯店的房間，共度到天亮。

我認爲女生不該這麼輕浮，但當時是一九八〇年代，輕率行爲的代價以驚人的速度暴跌，幾乎形同免費。妓女和淑女的界線變得模糊，任何人都能輕鬆跨越的界線也因此徹底遭到踐踏，即使睜大眼睛看，也難以分辨。在以前，貞操觀念是女人的精神基礎，如今那股精神已經淪喪。啊，當惡魔降臨世界各地，奪走人類性命的瞬間，祝那些在內心感到痛快，自以爲傳統良善的人幸福！惡魔，你的名字叫愛滋病。

二十三歲第一次碰觸的女人，皮膚柔軟而溫暖，我似乎能感受到她的悲傷。性急的我遲遲無法如願，她叫我不必著急，因爲如果做愛是爲了確認彼此的心意，這個目的已經充分達到了。

「妳的意思是，妳了解我在想什麼？」

「即使閉上眼睛也知道，」她在我下面像小孩子般笑了起來，「因爲我們永遠都是別人的替代品。」

第十二章 一次戀愛

那是三月一個風大的日子。

我從日本出差回到家（也就是剛和夏美玲度過了荒淫的週末），看到祖母和李爺爺在客廳喝茶、聊天。他們並排坐在椅面鑲了大理石的長椅上，長滿老人斑的手握在一起。老人超越性別握手的畫面總是讓我忍不住感到自豪，因爲從中只有感受到純粹的關心。或者，那是因爲他們同樣是罪惡之身，這種關係超越了性別，所以這些老人意外地擅長權謀術數。

我叫了李爺爺，向他打了招呼。

「秋生，看你穿著西裝，是從哪裡回來啊？」

「這孩子現在每隔兩、三個月就要去日本一趟。」祖母代替我回答，「以後要寫信去大陸，可以叫秋生幫忙寄信。」

「搞不好過一陣子就會娶一個日本老婆回來。」

「這可不是開玩笑，怎麼可以娶日本人！」

祖母這麼說是有原因的，只是和戰爭毫無關係，而是因爲我從日本帶了女子摔角的錄

影帶當作伴手禮。祖母看到女子摔角團體「Beauty Pair」的抱摔和跳水式飛身壓，嚇得目瞪口呆，認定日本所有的女人都這麼殘暴。幾年後，祖母看到彈浦松本*，就更難改變這種偏見了。

我把行李放回房間，換了輕鬆的衣服回到客廳。祖母和李爺爺還在聊天。

「俺記得黑狗的老婆是啞巴，但大家都覺得那麼做是爲了隱瞞她是日本人的關係，因爲曾經有人聽到他老婆用俺們聽不懂的話叫小孩子，不過俺並沒有親耳聽到，所以也不能說什麼，但俺身邊的人都在懷疑這件事。妳也知道，黑狗是沙河莊的村長，如果他娶日本人當老婆，傳出去名聲不是很臭嗎？因爲這樣，日軍入侵青島的時候才會找他當間諜，但是，黑狗又能怎麼辦呢？現在回想起來，他也很可憐。他並不是爲了日本人，而是爲了老婆孩子，才賣力當漢奸的。」

「當時每個人都努力活下去，」祖母深深地嘆著氣，「根本沒時間關心別人，那種被昨天還是好朋友的鄰居告密的事一天到晚都在發生……馬大軍最近的生活怎麼樣？」

「他在信上說，又娶了一個新的老婆，只是他的幾個兒子都不喜歡繼母，說是她看中他的財產。馬大軍在信上說，『我哪有什麼財產？』」

「他也六十多歲了吧？」

「嗯，差不多是這個年紀。」

「都這把年紀了，自己想怎麼過就怎麼過，即使對方是看中他的財產也沒關係，只要馬大軍能夠心情愉快地度過餘生就好。」

「就是啊。」

他們同時喝著茶，我開口問道：

「大陸的馬爺爺有寄信來嗎？」

「你知道王克強嗎？」李爺爺把嘴裡的茶葉吐進茶杯裡，「就是綽號叫黑狗的叛徒，那是一九四三年七月的事了。那一天，俺和馬大軍還有你爺爺去街上賣食用油，如果被日本人知道就沒命了，所以俺們在半夜偷偷溜出去，沒想到第二天回到村莊……」

「王克強帶了日本人，把全村的人都殺了那件事嗎？」

「你聽你爺爺說的嗎？」

「你和郭爺爺之前聊過這件事，」我聳了聳肩，「我爺爺和許二虎一起去殺了王克強，對不對？」

「當時，俺們都以為你爺爺殺了黑狗一家人，沒想到不久之前，王克強的兒子突然回到村裡，把大家都嚇壞了！你看，這就是當時的照片。」

李爺爺說著，遞給我幾張彩色照片。

幾個臉看起來很黑的村民站在看起來像是一座廟的前方。雖然是彩色照片，但因為色彩很單調，所以和黑白照片差不多。牆壁上噴了「打倒孔老二」的塗鴉，我看出那裡是山

---

*日本知名女子摔角手，走反派形象。本名松本香。

東省。第二張照片是鑲在一道紅牆的石牌，上面寫著「胡爺洞」幾個字。

「這個胡爺洞是什麼？」

「你爺爺一直寄錢給馬爺爺，」祖母向我說明，「馬爺爺這個人很夠義氣，沒有把錢用在自己身上，而是建了這座狐仙廟，說是你爺爺建的。胡爺就是狐狸仙人。」

「現在已經是當地小有名氣的廟，」李爺爺說明，「馬大軍親自當廟公。」

「比中華商場的狐仙廟氣派多了。」

下一張照片是大陸狐仙廟的全景，紅色的廟緊貼著岩壁建造，兩側垂著冬季樹葉落盡的楊柳樹枝。

「原來這就是爺爺生長的故鄉。」

「太不可思議了，被你爺爺殺死的那個男人的兒子，竟然開開心心地造訪你爺爺建造的狐仙廟，以前打得你死我活的對手，如今在同一張照片中一笑泯恩仇了。」

我繼續翻著照片，最後又翻回了第一張。李爺爺說的沒錯，每個人都開心地笑著面對鏡頭。

「咦？」我忍不住把照片拿到臉前，「站在中間的這個人……」

「馬大軍那傢伙，也沒寫清楚哪一個是黑狗的兒子。」李爺爺說完，祖母接著說：

「應該是站在中間的那個人，他身上穿的衣服不像其他人那麼土。」

「但那個人……」

我想把照片拿給他們看，但他們都說沒有老花眼鏡看不清楚，便把照片推開了，然後

又滔滔不絕地聊起這個月會錢的事。

我再度定睛細看照片，站在中間面帶笑容的男人穿著深藍色短大衣，腳下放了一個行李袋，除了他以外的人，都好像是農田裡採收的馬鈴薯，完全分不清誰是誰。祖母說是黑狗兒子的那個男人臉頰削瘦，臉白得像一張紙，但我不可能認錯，他是宇文叔叔。

當時，鄧小平在中國推動改革開放路線，但骨子裡當然是在計畫經濟中導入市場原理，國家的目標仍然是「臺灣早日回歸，完成祖國統一大業」，只要有勇氣像林毅夫那樣放棄臺灣，中共歡迎所有臺灣人投誠。

我忍不住思考，為什麼宇文叔叔沒有告訴馬爺爺，自己是許二虎的兒子？如果宇文叔叔這麼說，馬爺爺不可能不告訴李爺爺，包括我的祖父在內，他們都是曾經生死與共的兄弟，而且馬爺爺是許二虎的救命恩人，當年是馬爺爺放了被共匪抓到的許二虎。

宇文叔叔出獄後，沒有通知我們家人，就直接上船出海了。從此以後，我們和叔叔之間偶爾會聯絡，他在各地港口靠岸時，都會打電話回家，也會託船員朋友帶A片錄影帶給明泉叔叔，但始終沒有再出現在我們面前，這一、兩年甚至失去了音訊。沒想到宇文叔叔回了山東，而且沒有透露自己的眞實身分，還剛好和突然回到村裡的王克強兒子合影。

怎麼會有這種巧合？

沉重的疙瘩壓在我的胸腔，好像有一個鐵棒插進我的心口亂搗。

「你怎麼了？」母親看到我停下筷子，皺著眉頭問，「哪裡不舒服嗎？」

坐在一起吃晚餐的其他人，父親、祖母和小梅姑姑也露出訝異的表情看著我。

「啊，不……我沒事。」我夾了一塊羊肉，把白飯扒進嘴裡，「我在想事情，是工作上的事。」

「對了，上次我剛好遇到胖子，」小梅姑姑夾起炒空心菜，緩緩地開了口，「聽說毛毛好像不太幸福。」

突然聽到這個名字，我差點把嘴裡的食物噴了出來。祖母和母親異口同聲地斥責我吃得太急，才會嗆到。

「嗯，喔……是這樣喔。」我努力故作平靜，「胖子說什麼？」

「他說毛毛流產了。」

「……」

「她還在美國嗎？」祖母問。

姑姑點了點頭，「她老公家開醫院，無論如何都希望她生兒子繼承家業。」

父親和母親似乎覺得這種事並不稀奇，母親不停地挑剔著炒香腸的茭白筍。

「我家也不要生不出兒子的媳婦，」祖母揮著筷子，散播她的封建思想，「秋生，你幾歲了？」

「二十五歲。」

「我二十五歲時，已經生完所有的孩子了。你打算什麼時候結婚？」

結婚……我正想開口解釋，發現小梅姑姑反駁祖母說：

「媽，妳不要指桑罵槐，我不是說了嗎？只要遇到適合的對象，我就會結婚。」
「妳知道自己幾歲了嗎？」祖母冷笑著，「我早就對妳結婚不抱希望了！」
「明泉哥不也是單身嗎？」
「唉，我生了三個孩子，這輩子只有秋生一個孫子！我眞是命苦啊！」
「媽，現在已經是八〇年代了，女人不再是家庭的奴隸。」
「反正我就是這個家的奴隸！」
祖母開始攻擊小梅姑姑年輕時談的戀愛，父親溜去了客廳，看七點的新聞報導。母親故意大聲挑剔炒四季豆的蝦米，故意讓父親聽到。
毛毛流產了。
毛毛並不幸福。
這個事實的確讓我震驚，但最令我驚訝的是，都過了四年，我聽到她的事竟然還這麼驚慌失措。時間流逝，我不再是十九歲，大海彼岸有我曾經愛過的女人，但毛毛的名字至今仍像是捕獸的陷阱，緊緊咬住我的心。
我內心翻騰不已地吃完晚餐，走去客廳和父親一起看電視。台視正在播報可怕的新聞，一名住在新竹的小學生肚子越來越大，去醫院檢查後，發現肚子裡可能有蛔蟲。醫生立刻開了打蛔蟲的藥，結果打出一大碗公的蛔蟲。父親皺著眉頭，摸著肚子看這則新聞。
我有一種被雷打到的感覺。
我站在那裡，雙眼緊盯著電視畫面。聯想的門不斷打開，通往過去。蛔蟲、可怕的東

西、蟑螂，還有藍冬雪──每打開一道門，我就變得年輕，記憶更加鮮明。阿婆曾經告訴十八歲的我，「伊希望你鬥腳手，嘛想欲幫助你。」

雲間好像灑下一道光，我終於恍然大悟。當時大量出現的蟑螂，正是藍冬雪想要傳達給我的訊息！

新聞播報有民衆去立法委員某某某家裡丟雞蛋，這時我開了口：

「我讀高中時，不是有一年家裡出現很多蟑螂嗎？」

「嗯？」父親笑嘻嘻地看著被丟了雞蛋的立法委員，「有這回事嗎？」

「宇文叔叔的同事從日本帶了蟑螂屋回來，那個人說，他原本要和宇文叔叔一起去阿拉斯加，但因爲他太太早產，所以搭其他船回國了，還說沒有經過海關，是偷偷回國的。也就是說，只要有心，宇文叔叔也可以不通過海關偷偷回國。」我停頓了一下，努力振作心情，「不知道爺爺被殺的時候，宇文叔叔是不是眞的在船上。」

父親仍然目不轉睛地看著電視。

「宇文叔叔會不會是王克強的兒子？」

主播正在介紹日本一個名叫大屋政子的人。大屋政子是億萬富翁，在法國有城堡，只穿粉紅色的奇裝異服，扯著大嗓門說話，聽了讓人頭疼。她不抽菸，不喝酒，也不賭博，多次整型，無論去哪裡都會帶著攝影師，記錄自己的生活。

「太荒唐了，」父親低聲說道，「難以相信。」

「但這麼想的話，很多事就可以有合理的解釋。」

「秋生，你剛才看到沒？」父親拍著手大笑，「這個大屋政子竟然每天都穿她死去老公的內褲！」

「……」

「愛眞的有各種不同的形式……嗯？你剛才說什麼？」

我回到自己的房間，倒在床上，思考著這眞的是那個女鬼在七年前想傳達給我的訊息嗎？宇文叔叔眞的是鬼牌嗎？

我立刻向李爺爺打聽了馬爺爺在大陸的地址，然後寫了一封不算長的信。我沒有提到內心的疑問，只說自己是葉尊麟的孫子，並拐彎抹角地提到許宇文從兩年前就下落不明，也許回到故鄉的村莊。我因爲工作的關係經常去日本，如果他方便回信，請寄到日本國東京都中野區的哪裡哪裡，夏美玲小姐代收，最後很有禮貌地祝馬爺爺身體健康。下一次出差時，我把這封信投進了羽田機場的郵筒。

我向公司請了假，前往位在海港城基隆的船舶公司，想要了解宇文叔叔的出航紀錄。從臺北搭客運只要三十分鐘就到基隆了，我向船舶公司打聽，工作人員說這種事要問港灣事務所。我搭計程車去了港灣事務所，那裡的人又堅稱要問船舶公司。我再次攔了計程車回到公司，剛才叫我去港灣事務所的櫃檯小姐叫我等一下。我坐在大廳的長椅上等待，一個小時後再度上前詢問，她又叫我等一下。我繼續等。櫃檯小姐不知道打電話去哪裡，然後又看了報紙、吃了便當，和同事聊天。我早上九點出門，那時候已經下午三點多

了。下午四點時，櫃檯小姐站了起來，我也充滿期待地從長椅上站起來，但櫃檯小姐不知道去了哪裡，另一位小姐坐進櫃檯內。我向新的櫃檯小姐說明來意，她對我說：

「這裡查不到這種事，請你去問港灣事務所。」

我走出船舶公司，搭客運回家了。

我非但沒有洩氣，祖父的事件更在我的內心再度燃燒。這次的火不像十七歲時那麼激烈，那麼熾熱，但條理清楚，冷冷地烘烤著我，就連公司老闆告訴我那個足以摧毀我的震撼事實，也無法吹熄那個微弱的火苗。

那一天，我和老闆去拜訪群馬縣的蒟蒻農家，我們打算把日本的蒟蒻引進臺灣。

參觀完蒟蒻工廠，搭計程車準備回飯店時，一天的工作終於結束的解脫感，再加上舒服的疲勞感和成就感，老闆比平時更多話（爲什麼明泉叔叔的每一個朋友都能言善道？），也可能是對即將迎接的春色夜晚充滿了期待。大家都知道老闆在日本包養了一個小老婆，總之，他追問我的感情生活。

我沒自信自己和夏美玲之間的關係算不算是在交往，也不知道自己到底喜不喜歡她，也許是我刻意避免思考這個問題。爲了不要重蹈第一次戀愛的覆轍，我做好了充分的心理準備，以防對方突如其來提出分手，這種心態在我和夏美玲結婚之後，仍然沒有改變，也成爲我們離婚的間接原因。夏美玲是很有魅力的女人，我對她也有近似愛情的感覺，但當時每當我想到她，都會帶著邪念，那是難以和性慾加以區分的愛情。幸好我在臺灣，她在日本生活，所以她沒有識破我的內心，我們得以享受這種溫開水般的關係。

「在東京勉強算有一個對象，」我終於拗不過老闆，承認道，「只是不知道能不能算是女朋友。」

「我來猜猜看吧？」老闆露齒一笑，「是不是辰巳產業的翻譯小姐？」

「……」

「明眼人一眼就看出來了。」

我恨不得找一個地洞鑽進去，但這種想法本身就是在否定夏美玲，我覺得自己是一個人面獸心、狼心狗肺的傢伙。但是和世間所有的男女關係一樣，沒有眞正發生衝突之前，不管內心多麼自我厭惡，也可以採取敷衍了事的態度。直到很久以後，雙方的關係已經發展到無法修復時，才終於懷念地想起剛出現裂痕的時間點。

「我先聲明，你不需要道歉，」老闆通情達理地說，「因爲那個女人也經歷了很多事。」

「也經歷了很多事……她發生了什麼事？」

「她的父親是辰巳董事長的老朋友，所以才會把她託付給辰巳，」老闆停頓了一下，但並不是在猶豫，而是想要增加說話的效果，「聽辰巳說，她以前在臺灣時，死了男朋友。」

「死了嗎？」

「在服兵役時發生意外。」

「是哪一個部隊？」

「聽說是海軍陸戰隊。」

聽到這句話，我立刻感到頭暈目眩。鑽進鐵桶內，被人從山上踢落時的記憶清晰地出現在眼前。

「好像是訓練時發生了意外。大家都知道陸戰隊的新兵要背十公斤還是二十公斤的裝備被丟進海裡，一個小時還是兩個小時後，再被船拉上來，每年都會有人因此送命。」

我無言以對。

「所以，她能交到像你這樣的對象是好事，無論對她或對你都是好事。」

我順從地回答「是」，但不知道老闆爲什麼說對我也是好事。

「明泉很擔心你。」

「是嗎？」

「聽說你之前的女朋友很可能是和你有血緣關係的姊弟，不是嗎？」

「……」

「即使只有百分之一的可能性，也很……你應該知道我的意思吧？但是，你現在已經和夏小姐交往了，這代表你告別了過去，至少已經開始向前走了，不是嗎？」

我立刻轉頭看向窗外，蒼茫的暮色中，有一張蒼白的臉，瞪大了眼睛。我過了一會兒，才察覺那是自己映在車窗上的臉。腦漿反彈著剛才聽到的話，龐大的資訊和之前無武之地的回憶片斷一下子湧入腦袋，幾乎讓我無法呼吸。

我之前的女朋友？

是指毛毛嗎？

我們有血緣關係？

「葉秋生，你怎麼了？」

「對不起……我好像有點暈車。」

「不好意思啊，是不是讓你想起不愉快的事？」

我搖了搖頭，但很想掐死他。胃酸不斷湧到喉頭。我滿腦子只有一個想法：我要馬上打電話給明泉叔叔問清楚。

計程車載著我的混亂和殺意，開了彷彿永無止境的路，終於抵達了目的地的飯店。我再度用身體不適爲由逃離了老闆，匆匆回到自己房間。我立刻打了國際電話，但明泉叔叔不在公司，也不在永和的家裡。

「秋生，怎麼了？」母親的聲音在電話中斷斷續續，「出了什麼事？」

「什麼？」

我大叫著，很想把所有的事一吐爲快。媽，妳不知道嗎？毛毛和我可能是姊弟？這到底是怎麼回事？

「不，我沒事。」我總算克制住了。隨便亂說話會造成無可挽回的後果。如果老闆所說的話是事實，這會是我們的家庭危機。「我只是有事要問明泉叔叔而已。」

「有事要問他？你別再這麼做了。」

「……啊？」

「不要再幫他帶A片錄影帶了，」母親說，「到時候是你會被海關抓去關。」

我掛上電話，發自內心感謝母親的誤會，然後像猴子一樣在房間內走來走去。記得之前小梅姑姑提起毛毛流產時，我家的餐桌一如往常的平靜。媽媽挑剔著茭白筍，祖母數落著至今仍然小姑獨處的小梅姑姑，父親爲那一則小孩子肚子裡排出很多蛔蟲的新聞感到憂心，毛毛的話題根本不是禁忌。

難道除了明泉叔叔以外，誰都不知道這件事嗎？我咬著指甲，回想起毛毛最後一次和我隔著房門說的話。

——我眞的很喜歡你。

——我們這輩子沒有緣分。

難道毛毛知道這件事？所以才和我分手嗎？從腹底深處湧起的反胃感竟然化作狂笑。我倒在床上，扭著身體狂笑起來。

「怎麼可能！怎麼可能有這種事！」

我流著眼淚和口水，一直笑個不停。我的側腹抽筋了，讓我覺得很可笑，所以又笑得一發不可收拾。

「明泉叔叔喜歡吹牛皮，一定是他胡說八道！」

電話鈴聲響了，我衝過去接了電話。

「喂？」我忘了自己在日本，用國語回答，「明泉叔叔嗎？」

「是我。」夏美玲小心謹愼地回答，「你怎麼了？怎麼這麼喘？」

「喔，沒有……」我起身擦了額頭的汗，「因爲我在等臺灣的電話。」

「我在大廳。」

我告訴她房間號碼後掛上電話，去盥洗室洗了臉。

我來日本時，幾乎都是她到飯店找我。雖然也可以去她位在東京的公寓見面，但她喜歡來飯店，而且每次都會精心打扮一下。她希望我們的約會能遠離日常生活，非常了解戀愛和日常生活無法相容，但我對兩者都沒有興趣，我並不想談戀愛，只想把毛毛緊緊摟在懷裡。我追求的並不是平靜幸福的生活，而是和毛毛一起去天涯海角。當我發現這件事，不禁感到愕然。

響起靜靜的敲門聲。

我注視著鏡子，用毛巾擦去臉上的水，雙手梳理頭髮，面帶微笑地迎接她。我已經長大成人，學會了虛僞和掩飾。

明泉叔叔一看到我，轉身拔腿就跑。

我當然在柏油路上一路狂追。因爲斜向穿越了車道，到處響起緊急剎車的聲音、喇叭聲和辱罵聲。

「站住！」我追趕時，接連叫著明泉叔叔的名字，「你逃得了現在，也逃不了一輩子！」

叔叔轉過頭，恐懼和後悔扭曲了臉上的表情。老闆一定告訴他大致的情況了，想到這

裡，我的速度不由得加快。而怠惰、輕浮、毫無信用可言的明泉叔叔已經上氣不接下氣。人一旦習慣了輕鬆度日，就會變成這樣。

「你給我站住！」

我終於在小南門阿九的水果小貨車前，抓住了叔叔的脖子。

「別以爲可以逃出我的手掌心！」我不由分說地大罵，「不管是天涯海角，我都會追到你！」

阿九新買的九官鳥興奮地在籠子裡又飛又跳。

明泉叔叔汗如雨下，滿臉通紅，大口吸著空氣。老實人阿九探頭張望，不知道發生了什麼事。

「快說！」我抓著叔叔削瘦的肩膀搖晃著，「我老闆說的事到底是不是眞的？把你知道的事統統說出來！」

叔叔半蹲著，用力喘氣。我等他呼吸平靜後，拉他走進附近的冰店。

「說吧！」

明泉叔叔死不開口。眼前的狀況對他而言，說是地獄，不說也是地獄。

「趕快！」我伸出拳頭，「快說！」

叔叔終於放棄抵抗，很不甘願地說了起來。

「你知道毛毛她媽的事嗎？」

我瞪著叔叔。

「她年輕時交了很多男朋友，曾經有一段時間，也和你爸爸玩在一起。」

「……」

「雖然只是很短暫的時期，但懷孕這種事，只要五分鐘就可以搞定，」明泉叔叔本來就是一個愛嚼舌根的人，一旦開了口就開始滔滔不絕。「我先說喔，那是在你爸爸認識你媽媽之前的事。那時候，我哥……你爸爸想要負起責任，和毛毛的媽媽結婚，但那個女人還同時劈腿好幾個男人，斬釘截鐵地對你爸爸說，肚子裡的孩子不是他的。我至今仍然記得我哥當時難過的樣子。對毛毛她媽來說，你爸爸根本連備胎都不算，甚至連備胎的備胎都輪不到。她家不是開醫院嗎？她父親謝醫師雖然是好人，但以前就自以爲了不起。你爺爺又是那種脾氣，在謝醫師眼中，覺得他是沒有教養的野蠻人。他老婆也很討厭，那個老太婆每次來家裡打麻將，你奶奶就如臨大敵，從一大早就開始緊張。對了，你小時候養的雞不也被那個老太婆吃掉了嗎？」

小時候，我曾經養過雞。雖然現在家裡也養雞，但意義完全不同。那隻雞是祖父送給我，我從小雞養大的。有一天我放學回家，看到母親已經割了雞的脖子正在放血。我哭著問母親爲什麼要這麼做，母親回答說：「因爲謝奶奶說想吃。」那次之後，我就超討厭毛毛的祖母。

「剛來臺灣時，廣州街只有他一個醫生，所以大家都要巴結他們——呃，我說到哪裡了……啊，對了對了，後來毛毛她媽和別的男人結了婚，不久就生了毛毛和她妹妹。這件事照理說就到此結束了，我們也忘得一乾二淨，直到你和毛毛開始交往。你去服兵役時，

毛毛不經意地向她媽暗示她和你之間的事，結果你知道怎麼樣？那個女人竟然叫她弟弟胖子去說服毛毛。胖子被迫做這種事眞夠慘，雖然要他說你的壞話，他三天三夜都說不完，但毛毛那種個性當然不可能理會他，最後他才不得不說出這件事，坦承也許你和毛毛有血緣關係。當然啦，也有可能你們根本不是姊弟，但這種事誰知道呢？任何事都可能有萬一，我知道你很痛苦，但毛毛那一陣子也瘦得像鬼一樣。秋生，這個世界上，有些無可奈何的事。你爸爸覺得有可能，毛毛她媽也覺得有可能，既然這樣，當然不敢冒這種險，對不對？無論怎麼想，你們最好還是分手……喂，秋生，你沒事吧？」

我用拳頭奮力捶向桌子，然後衝出了冰店。

「喂，秋生！秋生！」

雖然把氣出在明泉叔叔頭上很莫名其妙，但我無法控制自己。滿腔怒火直衝腦袋，直搗鼻子深處，變成淚水衝出眼睛。我擺動肩膀喘著粗氣，一路逃進了植物園。

白天的植物園內人煙稀少，睡蓮池那裡傳來笑聲。一九八三年，還沒有聽過「親子鑑定」這個名詞，絕對無法輕視血緣的禁忌。我像小孩子似的邊走邊哭，對著蔚藍的天空大聲吼叫，擦身而過的人都嚇到了。

——那，我……就去嫁人了。

我一次又一次放聲大喊，直到喉嚨喊啞了，但無論怎麼哭喊，都無法消除毛毛悲切的聲音。

第十三章　可以乘風而入，卻是牛也拉不出來的地方

我比之前更頑固地執著於祖父的死亡疑雲，也許是因爲啓動了心理學上所說的防衛機制。佛洛伊德提出退化的概念，當人遇到難以承受的事，心理狀態就會退化到更年幼的階段。沒錯，就是退化到還沒有發生難以承受的事的時代，藉此逃避痛苦的現實。因爲毛毛的事而受到的第二次打擊，把我的心像米糠般，輕而易舉地吹向了過去。

我和山東馬爺爺的通信雖然龜速，但也漸漸有了進展。

我利用去日本出差時親自寄信，有時也會請夏美玲幫忙，把寫給馬爺爺的信裝在雙重信封內，從臺灣寄到日本，夏美玲拆信之後，在裡面的信封貼上郵票，從東京的某個郵局寄出。雖然發生了幾次信件遺失的意外，來自大陸的信仍按照反向的途徑送到了我手上。

和馬爺爺通信之後，我了解到馬爺爺其實和許二虎並不熟。許二虎是國民黨游擊隊的隊長，馬爺爺是共產黨，兩個人之間水火不相容，但我的祖父葉尊麟讓他們產生了交集。許二虎被共產黨抓到，是因爲我的祖父暗中相助，馬爺爺才會偷偷放他一條生路。在祖父那個年代，所謂「義氣」用一句話來說，就是兄弟的兄弟也是我的兄弟。即使是自己不認識的人，只要有兄弟掛保證，就可以爲對方兩肋插刀。

「孫子啊，眞對不起。」馬爺爺在信中叫我「孫子」。「俺不知道許二虎的兒子長什麼樣子，俺只有當年爲許二虎割斷綁住他的繩子，把他從牢裡放出來的時候，見過他一次而已。」

我在回信中如此寫道：

「不久之前，你不是寄了照片給李永祥爺爺嗎？大家以爲早就死了的王克強的兒子回到沙河莊，和村裡的人一起在胡爺洞前拍照留念，照片上穿深藍色外套，看起來很瘦的人就是許宇文。」

之後信件一度遺失，五個月後，才又終於收到回覆。

「俺只有那一張照片，寄給李永祥後，手上就沒照片了。俺請村裡的人拿照片給俺看，孫子啊，大家都說，你問的那個穿深藍色外套、看起來很瘦的人是王覺。你說的許宇文是王克強的兒子，也許他們兩個人長得很像。說到照片，孫子啊，你可不可以寄你的照片給俺啊？葉尊麟的孫子就等於是俺的孫子。你幾歲啦？結婚了沒啊？」

雖然事態的發展在我的意料之中，但我忍不住全身顫抖。他們果然是同一個人。我的手抖個不停，甚至連筆都握不住。我突然想起當兵時曾經請過碟仙。我問碟仙殺害祖父的凶手是誰，碟仙把我們的手指引向「王」那個字，然後是「古道熱腸」四個字，也就是熱心、有義氣的男人。

王覺。

我打開書桌的抽屜，拿出祖父和手槍藏在一起的那張黑白照片，照著檯燈看照片背

後潦草的字跡。「一九三九年、青島、王克強一家四口，於日本軍占領下的青島市政府前」。然後我把照片翻了過來，王克強一家人站在看起來像是公家機構的建築物前，牆上寫著「祝占領青島」幾個字。我仔細端詳著站在王克強身旁那個五、六歲的男孩。他鬆垮垮外套下的身體繃緊，戴了一頂遮耳毛皮帽，瞪著相機鏡頭。他的長相看起來很有主見。這個男孩一定就是王覺。他握緊的拳頭是對誰感到生氣？

我把照片中的王覺和記憶中的宇文叔叔進行比較。雖然覺得荒誕不經，但如果這兩個人是同一個人，宇文叔叔就有動機殺害祖父，因為祖父殺了王覺的父親黑狗。在狐仙引導下，祖父從淮海戰役的絕境中生還，把祖母、父親、明泉叔叔和小梅姑姑託付給馬爺爺，立刻去營救許二虎的家人。當他衝進許家，許二虎的妻子和兩個女兒已經被人殺害了，只有一個男孩躲在糞坑內逃過一劫。祖父當下以為他就是許宇文。

——你是許宇文嗎？

——我是你爸爸的部屬。

——來，你跟我走！

然後，祖父帶著宇文叔叔坐上了來臺灣的船，絲毫沒有懷疑宇文叔叔可能是殺了許家的凶手。唯一不懂的是，宇文叔叔為什麼等了二十六年才殺祖父？難道想要為完美犯罪做好周全的準備嗎？宇文叔叔準備衝進高鷹翔公司的身影出現在眼前，當時我說也要同行，宇文叔叔制止了我。

——我不想再看到家人受到傷害。

那句話到底是什麼意思？既然說我們是家人，爲什麼殺了祖父？還是在殺害祖父之後，反而被家人的感情打動了嗎？我低頭看著照片。那天晚上，宇文叔叔被送上警車前，看到了這張照片，我至今仍記得叔叔瞪大眼睛的表情。宇文叔叔愣在原地，然後用力咳嗽，癱在地上。難道那不是因爲肺病的關係，而是正如我在當兵時多次幻想的那樣，是因爲這張照片引起的過度反應嗎？

我把照片放回信封，右手數度用力握緊、鬆開，然後拿起筆，繼續寫信。

「隨信寄上祖父珍藏的王克強一家的照片，馬爺爺，這是不是你寄給我祖父的？」

宇寫得歪歪扭扭，我想了一下，把信紙揉成一團，丟進了垃圾桶。我拿出一張新的信紙，把檯燈拉了過來，再度從頭開始寫了起來。

「明年我想回一趟山東。蔣經國禁止臺灣人去中國，但只要東京的中國大使館能夠核發簽證，應該有辦法成行。我想拜託你，幫我查一下王覺目前的下落。」

我在腦袋中思考後，小心謹慎地寫信。雙手發抖的情況已經好多了。

「祖父的遺物中，有王克強一家人的照片。祖父去世之前，似乎一直爲殺了黑狗感到後悔。多虧了祖父，讓我們一家人在臺灣生活不虞匱乏。如今我二十五歲，想要更進一步了解祖父，畢竟這也是了解自己的根。那場戰爭至今已經過了三十五年，我非常渴望見到王覺，了解當時的情況。」

我不認爲祖父會爲殺了黑狗一事感到後悔，這是善意的謊言……我停下手上的筆。眞的是謊言嗎？如果祖父沒有後悔，爲什麼會珍藏那張照片？

我再度把照片從信封中拿了出來，打量片刻後，寫完剩下的信。

「但是，請你千萬不要把我的事告訴王覺，等我順利返鄉，一定會向你說明其中的原因，所以請你暫時爲我保密。祝馬爺爺身體健康。附記：同時附上我的照片，這是去年年底在日本的明治神宮拍的，旁邊是我的女朋友。」

一九八三年十月，我利用雙十節假期，第一次不是出差，而是爲了見夏美玲去日本，紀念我們順利交往兩年。

我在衡陽路的銀樓買了一對翡翠耳環，她送了我一只很漂亮的精工牌手錶。

四天三夜的行程中，我們去了很多地方，從淺草搭遊覽船遊隅田川，也去了東京鐵塔，參拜了明治神宮，還去了橫濱的中華街。夏美玲張羅到後樂園球場內野區的門票，我們去看了巨人隊打敗養樂多隊，相隔兩年再度成爲聯盟冠軍的那場重要比賽。她所住的中野商店街在翌日舉行了大規模的優勝感恩特賣會。

我們長時間占有彼此，盡情溫存。

秋意漸濃，東京的行道樹都染上了秋色。

在深入而平靜的愛的行爲結束後，我把夏美玲摟在胸前，隨意打量她的房間。以白色爲基調的房間整理得很乾淨，就像我每次造訪的時候一樣。家具雖不高級，但都用沉穩的木紋統一，窗外有一棵很大的銀杏樹，只是現在被花卉圖案的窗簾遮住了。牆上的油畫——藍色大海上的白色燈塔——是她在高中時畫的。電視、音響、小型書桌，旁邊有一

個書架。日語教材、英語教材、字典、日文小說、臺灣小說……

「妳有王璇的書。」

她抬起頭，順著我的視線望去。

「你知道這位作家？」

「以前當兵時，向朋友借了一本來看……其實只看了其中的幾個短篇。」

「是喔。」她趴在我身旁，雙肘支撐著身體，「我有點看不太懂，你覺得好看嗎？」

「不太記得了。」我仰望著天花板，「但我那個朋友受到這位作家的影響，開始寫詩。」

短暫的沉默後，她開口了：

「欸，我們到底算是什麼關係？」

我雙手抱在腦後，繼續默默看著天花板。商店街的喧囂聲越來越大，我感受到自己的腦袋越來越清晰。

「自由的關係吧。」

我把話說出口時，可以感受到夏美玲整個人變冷了。她用淡淡的笑容保護自己，委婉地責備我。

「目前還沒考慮到結婚，」我接著說道，「如果妳想問的是這件事。」

「不，不是。」她一臉擔心地看著我的眼睛，「我知道你爲了你爺爺的事要去中國。」

我感到疲憊不已，好像整個人都快沉下去了。

那天下午，我獨自去了元麻布的中國大使館，問了許多關於申請簽證的問題。雖然我離開臺灣前就已經計畫了這件事，但並不是這次旅行的目的。我從臺灣千里迢迢來到這裡，是爲了紀念和夏美玲交往兩周年。夏美玲或許誤會了，這種誤會讓我感到煩躁，但更讓我煩躁的是，她可能並沒有誤會。

「我要去中國。」我說話的態度殘酷得連我自己都嚇到了，「所以我無法給妳任何承諾。」

「我只是問問而已，你別放在心上……對不起。」

「妳不需要道歉。」

「但是……」

「我只是說，目前還不知道未來的事。」

「嗯。」

「我並不是想要擁有妳所有的一切。」

「……」

「我們剛開始交往時，妳曾經說：『我們永遠都是別人的替代品。』言下之意就是我也是別人的替代品。」

「沒這……」

「妳不要說沒這回事，」我指著牆上的畫，「妳的前男友不是在海裡溺水嗎？我聽我

們老闆說的。」

她眞正的表情溶化在面具般的笑容中。

「但是，妳仍然把這幅畫掛在這裡，爲什麼？不是因爲忘不了他嗎？」

夏美玲不發一語，只是淡淡地微笑，好像如果不露出笑容，她的臉就會溶化。

「我並不是說這樣不行，」我說，「只是我現在還不想思考我們到底是什麼關係。」

我是個徹徹底底的王八蛋。

過完元旦後的一月十八日上午十一點，我坐在車內，焦急地等待監獄的門打開。陰鬱的天氣，窗外淅瀝淅瀝地下著陰冷的雨。

臺北監獄的外牆和所有監獄的外牆一樣是灰色，和骯髒的雨很協調，充滿了詩意。掛在圍牆上方蛇籠網上的塑膠袋被風吹得痛苦地扭擺著身體，監獄大門附近的水果攤和香菸攤的屋簷滴著雨，憂傷地佇立在那裡。

我茫然地看著聚集在擋風玻璃上的雨滴，點了一支菸。

去中國和進監獄無異，只要意志堅定，就能乘著風到達，只是一旦回到臺灣，恐怕就會被關進大牢，當局可能會懷疑我是間諜而對我嚴刑拷問。走在路上時，可能會有又硬又重的東西從天而降。一旦去了中國，必定後患無窮，搞不好還會連累家人，用牛也無法把人拉出這個泥沼。

即使如此，仍然沒有動搖我的決心。我們全家人都曾經見識過祖父胡作非爲，這對他

們來說根本是小事一樁。父親一定會痛毆我一頓，母親也會動手打人，祖母更不可能袖手旁觀。只有明泉叔叔可能會覺得很有趣，小梅姑姑一定會把明泉叔叔罵得狗血淋頭。但是，大家都會想聽我說說那裡的情況，最後，連李爺爺和郭爺爺也來家裡，爲下一代繼承了祖父的血液和骨氣感到欣慰。

我至今仍然不知道自己見到宇文叔叔之後有什麼打算。祖父被殺害至今將近十年的歲月，發現祖父沉在浴缸裡的衝擊已經在我內心變成結晶，至少現在內心不再自責痛苦，不會想要找出凶手，把他痛打一頓。我的心就像一個任性吵鬧的孩子，一旦開始吵鬧，就很難對付。可能滿地打滾，這個想要，那個想要，又哭又鬧地吵著要買。十七歲的我就是那樣。我們只能屈服，聽從內心的使喚，或是鐵了心向前走。到死之前，都無法知道哪一種決定更好，但如果我們不斷拒絕自己的內心，我們就不再是我們；然後，我們也漸漸變成了我們。那天之後的十年以來，我用自己的方式持續向前走。和別人一樣當兵受苦，和別人一樣經歷了慘痛的失戀，和別人一樣踏上了社會，和別人一樣發現了些許的溫暖。有相遇，也有分離，學會了妥協和放棄，這雖然稱爲成長，但如果繼續對自己的內心置之不理，就無法繼續向前邁進了。

監獄的門鎖打開的聲音莊嚴地響起，我在菸灰缸裡捻熄香菸。鐵門打開一條細縫，吐出一個身穿灰色運動衣，看起來很寒酸的男人，然後又發出打嗝般的聲音關了起來。

我走下車。

趙戰雄東張西望，不知所措地站在那裡，就像一直被關在籠子裡的小鳥，有一天被放

出鳥籠，終於可以飛到任何想去的地方。他把手插在上衣口袋裡，好像有點依依不捨地頻頻回頭看著監獄，邁著沉重的步伐，無精打采地走了起來。雨打在他的身上，他看起來沒有夢想，也沒有希望。我等他發現我。接著，我打算安慰他幾句。你已經爲自己的行爲付出了代價，以後要腳踏實地過日子。

但是，小戰拖著步伐，一言不發地走過我面前。

「喂！你不是故意來這招，想要我來安慰你吧？」

小戰轉過頭，露出懷疑的表情瞇著眼睛，然後笑了起來。

「秋生！」

「很可惜，高鷹翔那裡沒半個人來接你，」我忍不住糗他，「還有，你媽要我轉達，你這種人根本不配當她兒子。」

「幹！」

我們哈哈大笑，抱在一起。小戰流了幾滴眼淚，我不由得感到佩服。他坐了六年牢，身體變得很結實，即使隔著運動衣，也可以感受到他強壯的筋骨。

「你一直在練身體嗎？」

「因爲沒有其他事可做啊。」小戰打量著我，好像這時才發現我的裝扮，「你穿得好像上班族。」

「你以爲自己在蹲苦窯時，時間就停止了嗎？」我摟住他的脖子，用力摸著他的光頭，「我目前在明泉叔叔朋友的公司上班。」

我遞上菸，小戰津津有味地抽了一口。煙溶化在雨中，這是一場最舒服、最愉快的雨。

「上車吧。」我爲他打開車門，「我們去吃東西。」

「你的車嗎？」小戰瞪大了眼睛。

「公司的車。」

讀高中時，小戰開著火鳥，我坐在副駕駛座興奮不已。如今，小戰坐在我開的日產SUNNY上樂翻了天。

「有時候頭洗到一半，水就停了，只好滿頭肥皀就去睡覺。」他說了很多圍牆內的奇聞。

雞姦也不是稀奇事。即使對象是男人，竟然也有人一直劈腿，眞是太可怕了。有一個偷車賊叫洪德天，如果他是女人，恐怕會不停懷孕。小戰喋喋不休，似乎想要塡補六年的空白。我們以前聽海灘男孩歡樂歌聲的美軍電臺已經沒了，臺北國際社區廣播電臺播放著工作者合唱團的輕快歌曲。「我再也不想混黑道了。」小戰滿臉不悅地說道。「你知道我現在最想吃什麼嗎？臭豆腐。想吃想到快瘋了。還有燒餅油條。秋生，你知道嗎？混黑道雖然賺了很多髒錢，但我想吃的只是一盤十元的臭豆腐。根本沒必要爲了小學生放學路上買來當零嘴的食物在街頭打打殺殺，你說對不對？臭豆腐和燒餅油條是我的幸福……」

「所以呢？」他順口問道，「你和毛毛怎麼樣了？該不會在我蹲苦牢時，你們已經結婚了吧？」

「不，我和她分手了。」

小戰注視著我的側臉。

「毛毛嫁人了，目前住在美國。」我已經做好了心理準備，所以一邊開著車，一邊平靜地繼續說道：「我女朋友在日本。」

「是日本人嗎？」

「是高雄人。」

「是喔。」

「對啊。」然後，我盡可能用很自然的方式改變了話題，「對了，宇文叔叔回大陸去了。」

小戰垂著眼睛。宇文叔叔爲他介紹了海運公司的工作，他只做了四個月就落跑，結果落得這副下場。

「你不必在意，雖然繞了遠路，但你只要和高鷹翔斷絕來往，叔叔一定會感到高興。」

他連續點了好幾次頭。

「對宇文叔叔來說，大陸才是他的家。」我在眞相中摻雜了謊言和願望，「可能年紀大了就想回家了，不管蔣經國再怎麼禁止，一旦決定拋棄臺灣，事情就變得很簡單了。林毅夫也一樣，李爺爺和郭爺爺也整天嚷著要回家，不過他們年紀那麼大了，無法再度承受那樣的折騰，而且大陸也有很多他們不願回想的事。」

「對老人來說，二十年、三十年只是一眨眼的工夫，」小戰說，「地獄並不是死了之後才去的地方，不管是戰爭，還是像我這種混黑道的人，一旦殺了人，就等於把一輩子都抵押給閻羅王了，活在人世的時候，就會被地獄的火燒屁股。」

車子上了高速公路，駛向臺北的方向。烏黑的雨雲低垂在前方，天空和道路都是一片灰色。車道上的車輛爭先恐後，呼嘯而過，無數水花濺在其他車子上。清潔擋風玻璃的雨刷每次左右移動，我就感到陣陣煎熬。小戰在等待我的下文，他在思考我爲什麼在他出獄這一天和他聊中國大陸。爲了保持心情平靜，我維持穩定的車速，然後開了口。

「宇文叔叔……」我嘴裡發黏，聲音糾住，「我認爲是宇文叔叔殺了我爺爺。」

小戰茫然地轉頭看著我。

「不久之前，有人從大陸寄照片給李爺爺，」我回想著每一個事實繼續說，「我爺爺從前殺死的人的兒子突然回到村裡，所以大家合影留念，照片上——」

「有宇文叔叔嗎？」

「我問了大陸的馬爺爺，馬爺爺雖然是共產黨，但也是我爺爺從小的玩伴。馬爺爺在信中說，我認爲是宇文叔叔的那個人，正是爺爺當年殺死的男人的兒子。因爲馬爺爺還去問了其他人，所以不可能搞錯。你應該知道，宇文叔叔並不是我的親叔叔吧？」

「是葉爺爺在戰爭時救的小孩吧？」

「宇文叔叔是爺爺的戰友許二虎留下的兒子，爺爺把他帶來臺灣，當成是自己的孩子養育長大。你也知道我奶奶的個性，對待小孩子超偏心，所以對宇文叔叔很不好，宇文叔

叔高中畢業後就立刻去當兵，然後去當了船員，但其他家人都很喜歡宇文叔叔，尤其爺爺很欣賞叔叔的個性。因爲宇文叔叔不怕死。」

「那一天……我很擔心宇文叔叔眞的會開槍打死高鷹翔。」

「我也是。」

「他在拘留所時，也眞的爲我們擔心。」

「對。」

「那可不是裝出來的。」

「那個宇文叔叔，和爺爺殺死的那個男人的兒子是同一個人嗎？到底是怎麼回事？我也一直在思考這個問題，但無論怎麼想，都認爲是我爺爺在戰爭的紛亂中搞錯了，爺爺認定宇文叔叔是許二虎的兒子，但其實一直在照顧自己殺害的男人的兒子。當初可能是宇文叔叔殺了許二虎全家，因爲爺爺找到宇文叔叔時，就是那樣的狀況。許二虎全家都死了，只有宇文叔叔還活著。」

「宇文叔叔的親生父親是怎樣的人？」

「聽說是日軍的間諜，因爲他的關係，很多中國人被殺了，所以大家都看不起他，叫他黑狗。」

小戰需要一點時間整理頭緒，他點了一支菸化解沉默，然後才開了口：

「所以，你認爲宇文叔叔爲了報仇，殺了葉爺爺嗎？」

「你剛才不是也說了嗎？一旦殺了人，就等於欠了閻羅王的債。宇文叔叔很久之前就

已經欠了一屁股債，對債務纏身的人來說，債多反而不愁了，對欠債這件事早就麻痺了，難道不是嗎？所以，如果你問我是不是報仇，」我停頓了一下，「嗯，我認為是。」

車子駛入臺北市之前，我們幾乎都沒有說話。終於吐露出深藏在內心多年的真相，我感到精疲力竭，完全無法思考。

「宇文叔叔的眞名叫什麼？」

「王覺……覺悟的覺。」

「你打算怎麼辦？」

「我想去大陸看看，」我說，「我想見宇文叔叔一面，向他問清楚。」

「要怎麼去大陸？游泳去嗎？」

「可以在日本申請簽證。東京中國大使館的人很親切，我已經準備好需要的資料了，只要去申請就好。」

「你相信共產黨嗎？」

「目前的問題是，回到臺灣之後更可怕，也可能會連累家人。」

「即使這樣，你還是想去嗎？」

「對。」

「查明了眞相又能怎麼樣？」

「如果宇文叔叔是凶手，你要殺了他嗎？都已經是快十年前的事了——你是不是想這麼說？」

「你會回答說，和時間無關吧？」

「……」

「我想說的是，那會付出很大的代價。」小戰聳了聳肩，「但這要蹲過苦窯的人才知道。」

圓山飯店出現在道路前方，我下了高速公路。因爲下雨的關係，不光是路上，到處都看起來髒髒的。騎樓下停滿了違規的機車，行人走路也很不方便。原本黏在房子上的塵土被雨沖了下來，在牆上形成一條條黑線。被雨水沖刷的垃圾堆積在水溝蓋，一名少女站在那堆垃圾旁等公車，連雨傘都沒有撐。雖然天神喜愛乾淨，卻把擦過骯髒街道的抹布在我們頭上擰乾。

「幹！」小戰突然探出身體指著前方，「你在前面停一下車。」

「怎麼了？」我打了方向燈，把車子停在路肩，「看到臭豆腐攤了嗎？」

「你去那裡拍張照片。」

「啊？」數公尺前方有一家照相館，「爲什麼？」

「我在裡面認識一個做假護照的，」小戰露齒一笑，「我請他幫你做一本，算是爲你餞行。」

於是，我就用「任善良」的名字申請了簽證，而且也順利申請到了，完全沒有任何需要擔心的地方。中國大陸似乎認眞貫徹「臺灣早日回歸，完成祖國的統一大業」的目標，

所以並沒有在護照上蓋簽證的章，而是另外發行了一本通行證。如此一來，臺灣當局就不會發現我去過大陸。但是，無論國民黨還是共產黨，背叛國民這種事，對他們來說根本是家常便飯，所以還是必須小心謹慎，用假護照是雙重保險。

二月底，我在長野縣參觀完高麗菜田後，把老闆送回飯店，當場提出了辭呈。這對幾年後在自己家中上吊自殺的老闆來說，簡直是晴天霹靂，但他不僅相信我說打算暫時和東京的女朋友一起生活的謊言，臨別時還表示充分理解我的行爲，對我說：「如果我再年輕二十歲……」

任誰都無法同時過兩種不同的人生，所以無論做了怎樣的選擇，都無法擺脫後悔。去大陸會後悔，不去也會後悔。既然都會後悔，那就乾脆早點後悔。如此一來就可以早點重新振作，只要重新振作起來，就有餘裕爲其他事後悔，這就是向前走。

我搭新幹線前往東京車站，然後改搭中央線一路搖晃到中野。在東京車站，一個金髮男人正在懶洋洋地發面紙，也給了我好幾包。日後這些面紙讓我擺脫了精神上的窘境，但當時我毫不知情。我一如往常地帶著喜悅的心情，也一如往常地帶著一絲愧疚，穿越了熟悉的商店街，在熟悉的街角轉彎，然後走上熟悉的樓梯，敲了夏美玲的家門。

她爲我開門時，我聞到了剛洗完澡的肥皀香味。沒錯，這也一如往常。

「這麼快就到了。」

「我趕上了前面那班新幹線。」

「你辭職了嗎？」

「嗯。」

「吃飯了嗎？」

「我在新幹線上吃了。」

「進來吧。」

夏美玲用幾乎可稱爲熱情的冷淡方式迎接我。她顯得很難過。井然有序的溫暖房間很舒服，浴室飄來淡淡的熱氣，木質地板上留下了溼溼的腳印。

我和她幾乎就像是完美的對稱體，她欠缺的部分我也欠缺，我擁有的東西，她也同樣擁有。當我們不約而同地相擁，我全身都可以感受到她說了不只一次的謊言——我們並不是相互束縛的關係，即使你辭職，不再來日本了，只要還想見面，隨時都可以見面。我從她的手掌、她潮溼的指尖、她剛洗好的頭髮、她迷人的呼吸、壓在我胸前的乳房，以及纏繞著我的腿中，感受到這個謊言。

「我也差不多想回臺灣了。」夏美玲枕在我的臂彎中，「所以，你不必想得太嚴重。」

「妳應該對自己更有自信，」我感受著溫存後的滿足和幻滅，假裝和她緊緊依偎，卻在我和她之間畫了一條細線，「妳不必勉強自己。」

她的一雙大眼並沒有溼潤，臉頰沒有泛起紅暈，嘴唇沒有發抖，感情也沒有像潰堤般爆發。她識破了我的欺騙，乾乾的眼睛目不轉睛地仰望天花板，一如往常地平靜。

然而，我卻覺得她在哭。

我感覺到從她眼中流下的熱淚。

於是，我看到了那天隔著房門說再見的毛毛。永遠走出我人生的毛毛那天也哭了，我只在意自己的眼淚，根本不在乎她的眼淚，明明只要稍微打開門，就可以馬上相見。

夏美玲在哭泣。雖然她沒有流淚，也沒有皺起眉頭，臉上甚至露出了笑容。

啊，原來是這麼一回事。

我們是魚，所以無論怎麼哭，都看不到眼淚。她的眼淚還來不及流下，就被水沖走了，所以我一直假裝沒有看見。

一股暖流湧上心頭。當我回過神來，才發現自己緊緊擁抱著她，和她接吻。我們交往了兩年，但這好像是我第一次把夏美玲這個女人抱在懷裡。我們的舌頭說話時對彼此傾訴了更多。

她嫣然而笑，微微偏著頭。

「你怎麼了？」

「我曾經很愛一個女生。」

「……」

「我從來沒有向妳提起她，但我認識妳的時候……」

從她的眼中，可以看到她有了些許的心理準備。

「我一直無法忘記那個女生，」我用力深呼吸，控制自己的心情，「我之所以想去大陸，或許也是想要徹底忘記她。」

她低下了頭。

人若無法得到眞心渴望的東西，就只能退而從相似或是完全相反的東西當中尋求滿足，並且以爲那只是相似的東西而已，每次看到那樣替代品，就必須面對自己對現實妥協的事實。只是大部分人都沒有發現，能夠抓住相似的東西，也已經是一種奇蹟了。

「但是，不管是誰，」我說，「都不可能一直當別人的替代品。」

「嗯。」

「我對妳的態度一直很過分，我利用了妳的溫柔。」

「不，沒這回事，」她拚命搖著頭，「我也是……我覺得這樣就好。」

我看向原本掛畫的地方，其實我一進房間就看到了，那幅藍色大海的畫已經拿掉，牆上留下了畫框的白色痕跡，可見那幅畫在那裡掛了很久。所以，我知道她的回答並不是說謊。

「我需要時間，相信妳也是，但我認爲，我們應該更珍惜彼此的相遇。」

「嗯。」

「我不太會表達，但我覺得那個女生的事，終於變成了過去式。」

夏美玲點了點頭，臉頰泛著紅暈。

「我想和妳在一起。」我說，「等我從大陸回來，妳願意嫁給我嗎？」

她的眼中泛著淚光，越來越大顆的淚水順著臉頰滑了下來。她吸著鼻子，又哭又笑，連續捶著我的胸口。那是宛如春天暴風雨的淚水，讓人預感到很多美好的事。

第十四章 來自大陸的泥土下

一九八四年三月十四日，我從成田機場出發，經由北京首都國際機場，終於來到山東省的青島流亭國際機場。

兩年前剛竣工的流亭國際機場很乾淨，有一股嶄新的味道。

託運的行李遲遲沒有出來，我問機場的作業員，聽見他回答「俺不知道」，不禁產生了小小的感動。日文中的「俺」是第一人稱，中文也一樣，祖父和同鄉的李爺爺和郭爺爺說話時，說起自己不是稱「我」，而是「俺」，所以我從小就很熟悉這種說法，想到自己身處理所當然地說「俺」的環境，我有一種奇妙的感受。俺不知道。每個人都這麼說。俺不知道。

「同志，那我的行李到底去哪裡了！」

即使我大聲追問，那些作業員仍然回答相同的話。

雖然身處異鄉，卻有一種回家的懷念心情。沒錯，我終於回來了，回到祖父向祖父的祖父繼承下來，祖父的祖父又向他的祖父繼承的黃色大地，走進身上流著粗獷的山東血液的人群中。他們的粗獷的確令我瞠目結舌，當我的行李箱好不容易從轉盤運送出來，已經

被人撬得面目全非，用膠帶綑起來，而且是在其他班機的行李轉盤上發現的，難怪一直都找不到。他們身上流著山東的血液，我身上也流著山東的血。我找到穿著邋遢制服的機場職員強烈抗議，對方打發我說，你的行李箱壞了，我們好心幫你修好，你還在生什麼氣啊。我檢查了行李箱，發現少了兩條菸，還有在秋葉原買的 SONY 隨身聽，以及我打算送給大家當伴手的一百圓打火機，連女人的絲襪都不見了。我把相機放在手提行李中，算是不幸中的大幸。

我狼狽不堪地經過海關，來到入境大廳，立刻看到一塊板子上寫著我的名字，一個身穿深棕色皮大衣的老人高舉著「歡迎葉秋生先生」的板子，他的臉又瘦又黑，像鞣皮般發亮，全身充滿了鋼鐵般的力量，但毛線帽下那雙眼睛眨個不停，好像快睡著了。

「馬爺爺嗎？」我走過去叫了一聲，「我是葉尊麟的孫子葉秋生。」

「秋生嗎？」雖然他的聲音有點沙啞，但和祖父、李爺爺、郭爺爺一樣，有著濃濃的泥土味，「你是秋生嗎？」

「是。」

我們握手時，我忍不住想，原來就是這雙粗壯有力的手，殺了那些讓哭鬧的孩子也乖乖閉嘴的匪賊嗎？就是這雙像老虎鉗般的手在三十五年前，砍斷了綁住許二虎的繩子，在戰火中保護祖父，把父親、明泉叔叔和小梅姑姑送上開往臺灣的船。

馬爺爺握住我的手不放，摸著我的手臂和肩膀，頻頻點著頭說：「好，好，歡迎，歡迎。」

「秋生，你是不是累了？」

「我不累。」

「你爸爸還好嗎？俺最後一次看到明輝，他差不多像你現在這麼大。」

「我已經二十六歲了。」

「眞的嗎？俺以爲你才十七、八歲，臺灣吃的食物很營養，早知道俺也應該跟著國民黨去臺灣。」

我笑了笑。

「嫂子還好嗎？」

「她像母雞一樣有精神。」馬爺爺口中的嫂子就是我的祖母，「她經常去李爺爺家打麻將，李爺爺和李奶奶，還有郭爺爺也都很好。」

「好，好。」馬爺爺再度點著頭說道，我活了二十六年，第一次聽到有人這麼眞誠地說「好」，眼眶不由得發熱。即使全世界的人都與我爲敵，馬爺爺仍然會站在我這一邊。想到這就是祖父的拜把兄弟，我不禁感到驕傲。

我們一路聊著家人的近況走出機場大樓，馬爺爺包的計程車等在外面。叼著香菸的司機走下車，把我損壞的行李箱丟進了後車廂，我忍不住想，如果那是他的行李箱，他會摔那麼大力嗎？

才剛踏上中國大陸的土地，我已經開始了解，這個國家大的東西很大，小的東西也卑微得讓人驚訝，兩者之間有著巨大的鴻溝，不可能像巴掌大的臺灣和日本那樣講求均衡。

中國山東省曾經是德國的殖民地，所以留下不少歐洲風格的漂亮建築物，或許是因爲這樣，計程車窗外的風景不是令我感到懷念，而是有一種異國情調。沿著和緩坡道而建的石造房子，煙囪冒出好幾縷細煙，身穿綠色大衣的警察站在十字路口吹著哨子，指揮著汽車、腳踏車和騾子拉的載貨車。我看到老太太背的背架上堆滿了木柴，還看到一個男人把自己裝進大塑膠袋裡取暖，睡在公車站。公車是兩節式，連結的部分看起來像手風琴。山東省最有名的當然非山東大饅頭莫屬，街角冒著蒸氣的蒸籠周圍擠滿了人。

街上有天主教堂和基督新教教堂。以前山東省有不少人都會打一種源自白蓮教的義和拳，這些人成立了祕密社團，殺害西洋人和基督教信徒。一九〇〇年，該社團改名義和團，由於背後有慈禧太后撐腰，在華北一帶展開反帝國主義武力抗爭的義和團進入北京，還殺死了德國公使。雖然這裡的人脾氣暴躁，但古老的教堂還是很美。

抵達機場時的那種「回家的感覺」漸漸淡薄，不，這麼說並不正確。欣賞青島街頭時，讓我產生了一種好像在看出色青春小說般的懷念。把自己的少年時代投射在別人的故事中，在第一次造訪的街角找到自己淡淡的苦澀回憶，瞇眼看著在風中熠熠發光的夢想和熱情，我對自己施了魔法。沒錯，就是我的人生扎根在這片大地的魔法。回程踏上飛機的舷梯時，這種魔法就會消失得無影無蹤，但我必須說，這種感覺令人陶醉。

穿越市區後，我們一路駛向郊區。路旁的白楊，戴著解放帽、蹲在地上抽菸的人，以及山東的另一大特產青蘿蔔乾在道路旁堆成了山——當這一切都飛逝而過，坑坑疤疤的柏油路貫穿了荒涼的大地，似乎可以通往天涯海角。

「從前啊，」坐在副駕駛座上的馬爺爺指著荒地上的小屋，「俺們從前經常把那種房子的土牆剝下來熬鹽。只要把土牆在水裡浸一晚上，然後用鍋子熬煮，就可以熬出硝鹽，你爺爺很會熬硝鹽，他做什麼都很厲害。俺們從小就玩在一起，抗日戰爭那時曾經一起去批了一些花生油，然後在這條路上賣。你看，那裡不是有一棵枯樹嗎？有一次，俺們賣油回來遇到了強盜，你爺爺立刻開槍打死了強盜，俺們一起把人埋在那棵樹下。當時，俺們才十六、七歲，已經有槍了。」

山窮水盡疑無路，

柳暗花明又一村。

即使山野荒涼，流水斷絕，以為前方已經沒路了，最後卻會來到繁花盛開的村莊——我很難想像前方有這樣的村莊。大陸的道路寬敞，風很乾燥，一望無際的冬日農田荒蕪卻充滿力量。馬爺爺指著那片籠罩在一片淡紫色雲霧中的山脈說：

「那是五蓮山。你爺爺去徐州之前，在這一帶和共產黨打仗。俺也是在這一帶放了許二虎。你知道徐州嗎？」

「知道，」我把臉貼在窗前，「是發生淮海戰役的地方吧？」

原來祖父是從這裡轉戰徐州，越過五蓮山後一路南下，中途可能經過臺兒莊。那是抗日戰爭期間，節節敗退的國軍在一九三八年第一次擊敗日軍的地點。蔣介石在戰勝後仍然

嚴格律己，雖然大肆批評日本軍閥，卻嚴格禁止誹謗中傷皇室和日本民族。抗日戰爭勝利後的一九四五年八月，消滅了日本這個共同敵人的國民黨和共產黨分道揚鑣，展開了內戰，一九四八年年底，祖父終於抵達了徐州。

過年後的一九四九年一月，共產黨不斷縮小包圍網，祖父用刺骨寒風凍僵的手指扣下了步槍的扳機。從前一年十二月十八日開始下的雨夾雪，導致空中補給時有時無。即使飛機來到陣地附近，也因為氣候惡劣，再加上飛行員害怕被敵人擊落，所以在離地一千公尺的上空投遞補給物資，導致原本就不充足的糧食和彈藥有一大部分投向了敵軍陣地。

連續下了十天的雪，補給飛機遲遲無法從南京起飛，祖父和他的戰友飢寒交迫，當空中投下物資時，同袍之間相互搶奪、廝殺，飢餓的士兵連役畜也吃得精光，為了燒火取暖，燒了所有可以燒的東西，房屋被打破，連棺材也都挖出來當柴燒。共產黨從後方進攻，並把握了這個大好機會，呼籲快餓死的國民黨士兵投降，把規勸投降的宣傳單和共產黨的文宣塞進糧食、香菸和宰殺的豬肚內，趁著夜色送到國民黨的陣地。

「因為知道會打敗仗，所以不斷有國民黨士兵向我們倒戈。」馬爺爺好像察覺了我的內心，小聲地說道，「俺被共產黨抓去和國民黨打仗，但倒戈的士兵都帶了槍過來，他們可能覺得空手來不好意思吧。最後有超過一萬四千人投降。餓了那麼久，誰都撐不住啊。聽說你爺爺他們被俺們包圍之後，只能吃樹葉和山藥。」

「國民黨怎麼對待那些逃兵？」

「一旦發現，格殺勿論，否則還能怎麼辦？只要聽到呼籲投降的聲音而發出笑聲，就

會馬上被槍斃。」

一月三日，祖父他們終於接到了蔣介石的最後命令，要突破包圍網。他們在肚子和彈匣都已空的狀態下，決定在一月九日向敵軍陣地展開正面攻擊。

小時候，我經常跟著明泉叔叔一起去看電影。當時經常播放的那些愛國電影中，國民黨總是打勝仗。我對共匪的卑鄙手段感到憤慨，學會了機關槍長時間射擊後，必須靠撒尿冷卻槍身的方法；看到那些為了救戰友的生命，不惜犧牲自己、撲向手榴彈的英姿，令我熱淚盈眶。國軍的英雄即使被刺刀刺中肚子，仍然勇猛地擊敗敵人。驍勇善戰的國軍終於打下了堅不可摧的要塞一角，以此為突破口，像怒濤般展開反擊。英雄被傷心欲絕的兄弟抱在懷裡，吐血之際不忘交代兄弟一定要保衛國家的臨終遺言，這才倒頭死去。

但現實完全不是這麼一回事，是共軍奪得了先機。雪停了之後，飛機再度開始運送補給品，國軍漸漸有了物資、有了馬肉之後，投降的人也明顯減少。共軍監聽國軍的無線電，發現敵人的友軍和車輛正慢慢集結而來，甚至可以聽到戰車的聲音，於是他們知道，國軍決定突破包圍。

一月六日，馬爺爺他們的共軍搶先一步展開了總攻擊，在共軍壓倒性的火力攻擊下，國軍陣地立刻化為一片火海。國軍士氣低迷，無法展開有效的反擊。馬爺爺他們殺入敵軍陣地後，奪回了一個又一個村莊，不出兩、三個小時就可以奪回一個村莊。

九日，國軍的轟炸機大舉湧入，毒氣彈如雨下，但實際爆炸的數量卻少之又少。大勢已去，那天晚上，祖父他們的司令官，也就是杜聿明和邱清泉丟下部隊，自己逃走了。錯

亂的邱清泉大聲叫著：「共產黨來了！共產黨來了！」最後他中彈送了命。杜聿明也落入了共產黨手中。在短短四天的戰鬥中，國軍死傷人數達到十七萬六千人，而我的祖父在狐仙的保佑下九死一生，撿回一命。

計程車超越了載著豬的兩匹馬拉的馬車。

「那是豬，」馬爺爺對我說，「臺灣也有豬嗎？養一年的豬最好吃。」

雖然從白日夢中醒過來，我仍然有點恍惚。爆炸聲、吐著黑煙的戰車聲、士兵慘叫聲和司令官歇斯底里的聲音不絕於耳。

「秋生啊，你長途跋涉，是不是累壞了？」

「我沒事。」

「那在回家之前，先去看看你爺爺的碑。」

「碑？什麼碑？」

「你去看了就知道。」

馬爺爺對司機說了什麼，計程車又開了兩小時左右，突然來到一片荒野的正中央。

「你看，就是那個。」

那塊黑曜石的石碑孤伶伶地佇立於天地之間，在黃昏的光線下反射出紅光。

我在馬爺爺的催促中下了車，坐了將近三個小時的車子，腰腿有點麻木。司機也下車點了一支菸。我走在乾燥的土塊上，站在石碑前。

那是祖父消滅的那個村莊的慰靈碑。

大約兩公尺高的石碑，只是一塊細長的石頭，沒有任何設計，看起來毫無價值，簡直就像從採石場搬來，直接插在那裡。當然也沒有人管理，碑面四處剝落，刻在上面的文字和被害人姓名也已嚴重風化。

但是，重點部分依稀可見。

一九四三年九月二十九日，土匪葉尊麟於此地殘暴殺害五十六名無辜百姓，其中三十一名男性、二十五名女性，以沙河莊的災情最爲慘重——（接下來數行難以辨識）——有十八人遭到殺害，村長王克強一家更是慘遭滅門。此後，這起事件稱爲沙河莊慘案。

就是這裡。

我撫摸著碑文，手指描摹著祖父的名字。宇文叔叔的家人埋在這片泥土下，祖父親手埋葬了他們。在我來到這個世界的十五年前，一切就從這裡開始。

雖然沒有風，但我全身不寒而慄。這一天，青島的氣溫只有攝氏一、二度，天氣並不冷。我終於來到中國大陸的想法揪住了我的心臟，用力搖晃。宇文叔叔就在我伸手可及的地方。

我感受到肚子怪怪的，但還是爲石碑拍了照片。

「以前這裡有個村莊。」司機站在那裡噴雲吐霧，大聲對我說，「現在早就沒人住了。」

如他所說，附近人煙稀少。一個皮膚黝黑的老頭把腳踏車停在田埂上，目不轉睛地看著我。鐵軌在茫茫荒野遠方延伸，許多罌粟子大小的人影蹲在鐵軌旁。

「那些人在幹什麼？」

「他們在撿火車上掉下來的煤炭。」

「同志，我想再請教你一件事，」我揉著肚子再度問道，「廁所在哪裡？」

司機一臉爲難，指著不遠處道路旁的牆壁。副駕駛座上的馬爺爺在太陽下打起了瞌睡，司機看了一眼手錶。

不會吧！

那是某棟建築的殘骸，與其說是豎在那裡的牆壁，不如說是還沒倒塌的殘垣，高度只到我的胸口。旁邊有棵白楊樹，淒涼地垂著葉子落盡的樹枝。

因爲這次是偷渡返鄉，從日本出發之前，我就深受便祕所苦。大概是順利踏上大陸的土地，順利見到了馬爺爺，還看到、摸到了祖父的石碑，緊繃的心情終於放鬆的關係，我的腸胃在久違了四天之後，終於激烈地蠕動起來。

管不了那麼多了！我牛仔褲屁股後方的口袋裝著之前在東京車站拿的面紙。我發自內心感激那位金髮老兄，同時衝向殘壁後方。然而，即使我使盡渾身的力氣，下腹卻像是塞了水泥，巍然不動，冷汗宛如瀑布傾瀉而下。

我察覺到有動靜，回頭一看，發現一張黝黑的臉從斷垣上方探頭張望。我嚇得整個人向後仰，差點一屁股坐在地上。要是眞的跌坐在地，可會坐到前人留下的春泥啊，好險我

挺住了。

原來是那個戴著深綠色解放帽，留著山羊鬍的腳踏車老頭。

「你在幹什麼？」

我以爲自己聽錯了，換作在臺灣或日本，看到有人光著屁股蹲在據說是廁所的地方，不可能會問這種問題！老頭目不轉睛地看著我，我也轉頭回瞪那張黝黑的臉。乾燥的冷風吹過我和老頭之間，捲起了荒野的塵土。老頭把腦袋縮了回去，接著是他叭答叭答離去的腳步聲。

我深切感受到世界之大，起身穿好牛仔褲，繫好皮帶。便意已經消失無蹤。

我繞過斷垣走出來，驚訝地發現老頭還在那裡。他一看到我，又再度問了相同的問題。

「你在幹什麼？」

「……」

「你剛才在石碑那兒幹什麼？」老頭的雙眼發出微光，「你該不會是……葉尊麟的兒子吧？」

「不，我不是。」我馬上回答。我並沒有說謊，因爲我是葉尊麟的孫子，「你認錯人了。」

「俺搞錯了嗎？」

「完全搞錯了。」

「葉尊麟在這裡殺了很多人。」

我說不出半句話。

「那是很久以前的事了，」老頭說，「現在根本沒人記得這件事，那塊石碑也快要拆了。」

「是嗎？」

「你是從南方來的嗎？」

「你怎麼知道？」

「你說話有口音。」

我沒有反駁說，你說話也有口音。

「你打哪兒來？」

「臺灣。」

「喔，是臺灣啊？現在已經可以自由來往了嗎？」

「呃，是啊。」

「俺想起來了，葉尊麟好像是國民黨。」

完蛋了。

「你不是葉尊麟的兒子嗎？」

「絕對不是。」

「那你為什麼來這種窮鄉僻壤？」

「我來探望親戚。」

「算了，來幹什麼都沒關係，但千萬別投資。改革開放後，中國的經濟越來越好，也有很多外國人來投資，但是你要記住，千萬別相信共產黨。共產黨那些人朝令夕改，搞不好明天又倒退回人民公社時代。」

我點了點頭。

老頭踩著腳踏車的踏板，但輪胎卡在地面的凹洞裡，腳踏車倒了下來。他搖晃著踩在地上，有什麼東西從他褲子口袋裡滑了出來，在泥土地上彈了一下，發出金屬的聲音。

那是一把小刀。

「你是葉尊麟的兒子吧？」我愣在那裡，「那都是以前的事了，誰都不會記恨。」

我用力搖著頭。

老頭撿起刀子，沿著田埂搖搖晃晃地騎著腳踏車離開了。

祖父當年和許二虎一起去找王克強報仇，也就是說，沙河莊慘案發生時，許二虎也在場，但村民完全不記得許二虎的名字，認爲祖父單槍匹馬殺了五十六個人。

回到計程車上，馬爺爺還在打瞌睡。不知道哪裡飛來一隻蟲子，在馬爺爺的鼻孔飛進飛出。馬爺爺張著嘴巴，一動也不動，好像死了一樣。

我顯然來到了是非之地。

原本打算在青島市區找一家飯店投宿，但馬爺爺硬是把我帶回他家。

「開什麼玩笑，孫子都回到家裡了，哪能去住什麼旅館。」

馬爺爺和他續弦的太太兩個人住在一棟紅磚小房子，我之前曾經聽李爺爺他們說過，馬爺爺的兒女討厭繼母，所以都不太回家，馬爺爺的太太似乎很介意這件事。

周圍有很多和馬爺爺家一模一樣的房子，樹根在紅磚牆上爬成了網狀，家家戶戶都堆滿了乾草，村莊正中央有一條寬敞的道路，道路兩側是光禿禿的白楊樹。周圍沒有任何景觀可言，唯一值得一看的恐怕是隔壁的隔壁人家養的一頭驢。前庭的角落是茅房，黑漆漆的煤餅在茅房前堆得高高的。馬爺爺養了幾隻雞和一頭名叫小鈴的雪白色山羊，小鈴一看到我立刻過來，頭靠在我身上。空氣中帶著乾乾的煤煙味道。

家裡只有廚房和臥室兩個房間，一張大床占據了臥室的三分之二，臥室的門上貼著毛澤東和周恩來的照片，床下有火炕，所以比戶外稍微暖和，但還是無法脫下外套。馬爺爺把兒女的照片放在臥室兼客廳最顯眼的地方，我和夏美玲的合影也在其中。一輛藍色卡車嘎答嘎答地從屋前駛過，地面也可以感受到震動。

馬爺爺的太太使出看家本領做的水餃比祖母做的粗糙多了，我把淡而無味的餃子沾了醬油，配著生蒜頭一起吃。小時候，我完全搞不懂祖父為什麼整天吃餃子，臺灣有很多美食，但祖父只要有餃子、饅頭、蒜頭、大蔥和高粱酒，心情就會特別好。祖父咬著蒜頭，吃著熱騰騰的水餃時，總是一臉幸福的樣子。祖父有很多缺點，而他身上的蒜頭味最讓人受不了。我吃著馬爺爺家的餃子，不停地說著「好吃、好吃」，但其實並不怎麼可口。

我問馬爺爺為什麼會和祖父成為拜把兄弟，馬爺爺把餃子送進嘴裡，同時回答：

「因爲俺們從小就認識，而且只要有你爺爺在，就不愁沒飯吃。」

李爺爺和郭爺爺也經常這麼說，所以我早就知道了，但在這時候，我終於深刻了解，塡飽肚子就是替人賣命的條件。他們生活在「塡飽肚子，有飯同吃」具有重大意義的時代，也爲此孤注一擲。

馬爺爺把餃子夾到我的盤子裡。

「來，吃吧。」

我吃著餃子。雖然不好吃，但感覺好像把祖父的血、骨頭和整個中國都吃進了肚子。

「馬爺爺，你爲什麼會加入共產黨？」

「因爲俺被共產黨抓去了。」馬爺爺爲我斟上高粱酒，「不過，幸好被共產黨抓走了，那時候俺殺了一個土匪，正被土匪追殺。因爲當了兵才逃過一劫。秋生啊，你知不知道山東有一個土匪頭子叫劉黑七？」

「嗯，聽郭爺爺說過，你殺了他的手下，對不對？聽說是用菜刀捅進他的肚子。」

「不是。」

「啊？」

「俺是殺了他，但才不是用菜刀捅他的肚子。老郭從以前就愛不懂裝懂！」

「那你是怎麼殺他的？」

「俺們在玩打飛錢，就是用槍打掛在樹上的銅錢。俺槍法不準，子彈偏了，結果打中了那傢伙。」

怎麼會這樣！

「但俺的刀法很準，以前大家都叫我飛刀小馬，俺可以飛刀射中二十公尺外的蜥蜴。」

不知道是聽起來順耳，還是語感不錯，到處都有「飛刀某某」，至今爲止，我已經在電影、武俠小說和電視短劇中聽過、看過好幾個人都叫這個綽號，就連明泉叔叔也自稱高中時代大家都叫他飛刀小明。飛刀某某都是自己喊爽的，這是我的眞實感想。

「以前這一帶有很多土匪嗎？」

「對啊，很多。土匪也分很多種，但大部分都是因爲賭博或是其他原因傾家蕩產，但也有些人是爲了抗日而成群結黨，以前張作霖也是騎馬到處搶劫的土匪，反正有很多人想要殺日本人。」馬爺爺喝著酒，「啊喲，這是說到哪兒了？對了對了，俺不是加入共產黨，而是共產黨把俺抓去。那時候，國民黨和共產黨都是到處抓壯丁增加兵力。俺不小心殺了人，所以把俺抓去當兵簡直就是天上掉下來的禮物。你爺爺加入了國民黨，但國民黨已經不行了，一麻袋的錢才能換一麻袋的糧，貨幣政策根本有問題。早知那樣，還不如去當志願兵，因爲志願兵的待遇比較好。」

我們吃餃子、喝酒，那天晚上很早就結束了，簡直太早了。八點半時，馬爺爺和他太太就準備上床睡覺了。他們老夫妻把唯一的一張床讓給我睡。

在冷到骨子裡的寒夜，他們老夫妻在不通風的室內用一個小火爐，把煤餅燒得很旺。我雖然長途旅行已經累壞了，卻因爲認床的關係，所以腦袋特別清醒，而且也很擔心不小

心睡著的話，到了早上就因爲一氧化碳中毒而一睡不醒，所以遲遲無法入眠。

半夜有了尿意，我決定去上廁所。說是上廁所，其實只是在廚房爐灶旁放了一個大木桶，就在那裡上小號，天亮之後，馬爺爺會用舀子舀起，灑在屋後的農田裡。我悄悄下了床，站在臥室和廚房之間，發現他們老夫妻把被褥鋪在後門旁的泥土地上睡覺，像牛一樣打著鼾。看到此情此景，我了解到他們多麼重視我、疼愛我，我好像回到了小時候，回到祖父還活著的時候。全世界的人都愛我，我是主宰世界的小霸王。睽違多年，我再度體會到這種感覺。寒風吹得玻璃窗嘎答嘎答作響，我愣在那裡，然後回到床上，蓋上被子。

在山東的第一個晚上，是我人生中最寒冷，卻也最溫暖的夜晚。

翌日早晨，我被羊的慘叫聲吵醒了。

走到院子一看，馬爺爺正在院子裡抓羊。他一隻手臂緊緊勒住羊的脖子，另一隻手握著菜刀。羊咩咩大叫著，用前肢抓著結霜的泥土地。馬爺爺是祖父的拜把兄弟，所以也年近古稀了，但他壓低腰部制伏山羊的身影，完全不像是七十歲的老人。他發現我時，吐著白氣大聲說：

「秋生啊，今天要請你吃一頓好吃的肉。」

「千萬不要。」我哀求道，「我們今天要去找王覺吧？」

「那也得吃飽飯再去。」

「我不太喜歡吃羊肉，」雖然我最愛吃羊肉，但我只吃那些我沒有摸過頭，也沒有名

字的羊，「而且昨天不是還有餃子沒吃完嗎？」

「你不吃羊肉？」

「小鈴太可憐了。」

死裡逃生的小鈴衝到院子角落，拚命抖著身體，好像要抖掉霉氣。

早餐吃了馬爺爺的太太用剩餘餃子皮做的一碗很鹹的麵疙瘩湯，我和馬爺爺就出門了，走了四十分鐘左右，在市場的角落叫了一輛計程車。我打算付錢，但馬爺爺執意不讓我付。

「你不必擔心錢的事。」

「但是……」

「你還有其他需要操心的事。」

「……」

「王覺和許宇文是同一個人，不是嗎？」

我大驚失色。

「你是不是認爲王覺殺了你爺爺？」

「……是。」

「你告訴你爸爸了嗎？」

我搖了搖頭。

「所以，你臺灣的家人不知道你現在來中國了？」

「對。」

「俺不知道你有什麼打算，但俺勸你最好打消念頭。」馬爺爺注視著我，坐進副駕駛座前對我說，「只不過要放下也沒這麼容易。」

那裡除了五、六棟蓋在一起的房子以外什麼都沒有，不遠處有鐵軌，電線桿等間隔地沿著鐵軌延伸到地平線，遠方可以看到灰濛濛的山稜線。這裡就是人稱雞不生蛋、鳥不拉屎的地方，宇文叔叔住的村莊就在這片不毛之地的正中央。馬爺爺拿了錢給計程車司機，叫他找地方去吃飯，但這裡根本沒有店家，放眼望去，只見枯草和石頭。

「秋生啊，」來到村莊角落時，馬爺爺厲聲說道，「等一下你說話時要記得配合俺。」

「啊？」

我還在驚訝，馬爺爺已經用我聽不懂的山東話吆喝著，走進一戶人家的大門。這戶人家的煤餅也堆滿了半個院子，迎面飄來煤煙味。一個身穿紅色棉襖，臉紅通通的女人大聲說著話，從屋裡走了出來。兩個人都大聲嚷嚷著走進屋裡，那個女人大聲說著話，爲我們倒了熱開水。馬爺爺說我是他住在上海的孫子，屋裡走出許多男女老少，全都打量著我。

「住在這個村莊的都是王家的親戚，」馬爺爺喝熱水時告訴我，「兄弟姊妹、表兄堂弟、外甥姪女，所有的家族……這裡是王家村，剛才的女人是王克強的女兒。」

「俺是王家的女兒！」紅臉女人扯著像破銅鑼般的嗓子大聲說道，「王克強是俺爸爸

的哥哥，所以是俺的伯父！」

所有人都放聲大笑起來，然後又看著我。每張臉都因為煤和寒風的關係看起來很黑，眼睛閃著利光。有一個頭髮全白、像阿婆一樣的老太太正用舊布衲鞋底。

「王克強在抗日戰爭時被殺了，」馬爺爺說，「你大學的論文不是想寫這件事嗎？」

「啊？」

「所以才想打聽王覺的事吧？」

所有人都看著我。

「是啊是啊，」我有點語無倫次，但還是拚命點頭，「我想調查沙河莊慘案。」

雖然我腦裡一片混亂，但總算明白了幾件事。馬爺爺隱瞞了我的身分和此行的目的，他認為在這個村莊表明眞實身分很危險，這代表他並沒有告訴宇文叔叔我來這裡。宇文叔叔可能出門了，至今仍然沒有現身。他看到我會有什麼反應，恐怕只有天才知道。

不知道馬爺爺是否察覺了我的想法，他向其他人打聽王覺去了哪裡。

「去醫院。」

紅臉女人回答後，其他人都一起附和。去醫院。是啊，去醫院。去青島的醫院。肺啊，是肺病，他的肺出了問題。

「但應該馬上就回來了。你們可以在這裡等他。沙河莊慘案的事，俺們也都知道。這位小兄弟想問啥啊？」

所有人都在等待我開口說話。

「呃……」我努力擠出聲音，「來這裡之前，我去看了沙河莊慘案犧牲者的慰靈碑，葉尊麟眞的殺了五十六個人嗎？」

所有人的視線都集中在衲鞋底的老太太身上。

「是啊。」老太太停下手，抬起了頭，「葉尊麟是這一帶胡作非爲的土匪，殺人不眨眼。那一天，他帶了幾個手下闖進俺們村莊，不是這裡，俺們以前住的村莊在更南邊，也更大。他們都拿著槍，說什麼有槍就是——」

「草頭王。」我和老太太異口同聲地說。

老太太點著頭，「俺們根本無能爲力，只有少數幾個人逃過一劫。」

那個葉尊麟本來就是個壞東西。衆人七嘴八舌地咒罵著祖父的惡行。他叫村民挖了一個大坑，然後把村民推進坑裡，往裡面丟炸彈。俺聽說他對著每個人的腦袋開槍，還把人家老公綁起來，當著老公的面強暴了老婆和女兒。俺聽說殺了不只五十六個人，超過一百個。是啊，絕對超過一百個。

「但是！」

所有人同時住嘴，看著大聲說話的我。

「但是，那是因爲王克強先帶日本人去葉尊麟的村莊，殺了全村的人啊。王克強不是爲日本人效命嗎？」

開什麼玩笑！王家村的人個個面紅耳赤地反駁。你說老爺是日本人的走狗嗎？只要俺還有一口氣，絕不允許別人說這種鬼話！你聽著，老爺是帶治安維持會的人去葉尊麟的村

子，才不是什麼日本人，更何況那是因爲他先在俺們的水井裡下毒。

即使退一百步，果眞如他們所說好了，李爺爺和郭爺爺之前也說過，治安維持會是日軍的傀儡，所以這和帶日軍去祖父的村莊有什麼兩樣！

「你根本不了解葉尊麟，」紅臉女人嚷嚷道，「那個葉尊麟年輕時就是個無惡不作的壞蛋。你知道他幹了什麼嗎？他鎖定某個村子之後，就在那個村子裡的水井裡下毒，雖然不是會致死的毒，但喝了井水會上吐下瀉好幾天。然後他就跑去那個村子說，你們的水井裡有水鬼。他用火燒塗了蠟的紙錢，說紙錢燒不起來，果然有水鬼，接著向那個村子裡的人騙錢，隨便燒點香。因爲已經隔了幾天，毒本來就慢慢稀釋了，村民就以爲是他驅除了水鬼。怎麼樣？你聽了之後，仍然覺得是俺們的錯嗎？只要有人願意殺了葉尊麟這個雜碎，俺願意把女兒嫁給他！」

我瞪著村民，村民也都瞪著我。

「那是戰爭，沒有人知道眞相到底怎麼樣。」

聽到馬爺爺這麼說，老太太也點著頭，「事到如今，到底是誰先動手根本不重要了。死的也死了，活著的人還活著，就是這樣。」

尷尬的沉默並沒有持續太久，但對我來說，每一秒都像鉛塊般沉重。這是我有生以來第一次感到這麼懊惱，因爲太懊惱了，甚至想不到恰當的比喻。這並不是先有雞還是先有蛋這種程度的小事，不管是先有雞還是先有蛋都不重要！我們在談論的是戰爭！是攸關家人名譽的事！

我滿腔怒火，這時聽到門外傳來停車的聲音。

我像觸電一樣從椅子上跳了起來，其他人都緊張起來。我在等待。我聽到車門關上的聲音，火車轟隆隆地駛過屋後的鐵軌，遠處的狗在叫。

宇文叔叔經過大門，走進了院子。

隔著滿是灰塵的玻璃窗看到的宇文叔叔已經完全變了樣。他穿著皮大衣，戴了一頂起了毛球的毛線帽，削瘦的臉龐縮在絨毛衣領中。如果不是他手上拿了一瓶可口可樂，我差點認不出是宇文叔叔。他雙眼凹陷，厚實的胸膛已不見蹤影，步伐蹣跚，蒼白的臉上沒有生氣，吐出的白氣很微弱。我雖然不是醫生，但任何人都可以看出叔叔來日不多了。

當我回過神，發現自己已經衝去了院子。

叔叔停下腳步，瞇起眼睛，令人驚訝的是，他臉上露出平靜的笑容。

「什麼意思啊？」這是我開口說的第一句話，「你為什麼會笑？」

「秋生，」宇文叔叔慢條斯理地說，「我早就猜到有一天你會來這裡。」

我瞪著宇文叔叔。

「你還記得嗎？和你一起衝去高鷹翔公司那天，你騎著機車想離開時，我抓住你揍了一拳。我經常想起那天晚上的事，也做了好幾次夢。你那天的眼神和你爺爺一模一樣。」

「……」

「就是葉尊麟把我從糞坑裡救出來那一刻的眼神。」

聽到這句話，我知道叔叔既不打算逃，也不想隱瞞。果然是他殺了祖父。從他說話的

語氣，我知道自己站在人生的十字路口。

「怎麼回事？」男女老少都從屋子裡走了出來。

「他是我的姪子，」叔叔對大家說，「我在臺灣時，他們很照顧我。」

「臺灣？」有人開口問，「他不是從上海來的嗎？」

「我來自臺灣。」

連我自己也不知道為什麼這麼說。無論是多年前和雷威打架，拿著菜刀衝進黑道辦公室，還是被塞進鐵桶踢下山，每次都一樣，當事情出現崩壞的跡象，我的內心不是試圖修復，而是傾向更嚴重的破壞。

「怎麼樣？」我一吐為快，「我是葉尊麟的孫子。」

我可以感覺到他們一下子變得僵硬。

「你什麼時候到這裡的？」宇文叔叔問。

「昨天。」我壓低聲音說。

「你住在哪裡？」

「這種事根本無所謂。」

「……」

「宇文叔叔，」我咬牙切齒，「是你殺死了爺爺，對嗎？」

叔叔直視著我。

我在等待。

活該！周圍的人叫囂著。葉尊麟那種傢伙早就該死了。喂，這傢伙膽量不小，竟然跑來俺們村子說這種話，是不是活得不耐煩了？魯魯，把門關起來，別讓他跑了。

「閉嘴！」

叔叔喝斥道，他們立刻不再說話。只剩下冬日帶著煤炭味的風，以及冤魂般的意念。

「人是我殺的。」宇文叔叔咳了一聲，又咳了第二聲，但雙眼直視著我，「是我殺了乾爹。」

「爲什麼……？」我握緊拳頭，連手指的關節都變白了。我下意識地看向地面的碎磚塊和架在牆上的鐵鏟，「爲什麼要用那種方式殺他？」

「因爲我覺得只是不遺忘還不足夠。」

「……」

「我的父母被你爺爺活埋了，所以，我希望你爺爺體會和我父母同樣的痛苦。」

「攻擊許二虎家……殺了他太太和兩個女兒的也是你嗎？」

「沒錯。」

「因爲爺爺來了，所以你躲進了糞坑？」

「沒錯。」

「眞正的許宇文也被你殺了嗎？」

「你爺爺趕到時，我剛好把他沉入糞坑。」

「所以……」我簡直無法呼吸。宇文叔叔說的每一句話，都像鐵錘一樣打在我頭上。

祖父把他從糞坑中拉出來時，眞正的許宇文就在他的腳下嗎？「所以，你就假冒許宇文，跟著爺爺去了臺灣。」

「因爲我想殺了葉尊麟全家，斬草除根。」

「王覺！」聽到我的怒吼，叔叔渾身繃緊，「那你爲什麼沒有馬上動手？爲什麼等了二十多年？爲什麼和我一起去高鷹翔的公司？爲什麼？爲什麼？」

我知道自己的聲音在顫抖。我彷彿看到了沉入浴缸的祖父，腦袋一下子發熱，鼻血流了出來。血滴到夾克胸前，我不知所措地用手背擦著鼻子。這時，我才發現眼淚也一起流了出來，右眼皮不停地跳動。

「秋生，跟我來，」叔叔說，「我們去走一走。」

白色的太陽宛如凍在天空中。

我們漫無目的地走在既不像是農田，也不像是荒野的大地上。我垂頭喪氣地跟在宇文叔叔身後，村莊角落有好幾個泥土堆起的墳墓，其中一個墳上還插著冒煙的線香。

我精疲力竭。

腦袋深處已經麻痺，無法順利思考。不同於寒冷天氣的另一種寒冷像蛇一樣盤踞在體內，我的身體一直在發抖。

可以打死宇文叔叔的凶器伸手可及。大石頭、露出釘子的木板、稍微小一點的石頭，但叔叔頭也不回地向前走，中途只有爲了咳嗽停下一次腳步，他彎著身體，吐出了帶有鮮

血的痰。

「沒想到花了二十多年，」宇文叔叔克制著咳嗽，幽幽地訴說起來，「眞是一眨眼就過去了。剛去臺灣時，我才十六、七歲，因爲個子比較矮，乾爹以爲我比你爸爸年紀小。我害怕自己的眞實身分曝光，既然乾爹這麼認爲，我當然沒有意見，反正我很快就會殺了你們全家，斬草除根。雖然已經是讀高中的年紀，但還是去讀中學。我之所以沒有馬上動手，是因爲我發誓一定要活著回中國，如果我死了，我家的香火就斷了。」

不孝有三，無後爲大。對中國人來說，傳宗接代是頭等大事。

「於是我慢慢等待機會。」叔叔停下腳步，轉頭看著我，「我去當船員，是因爲想到當了船員，就可以回中國。先說喔，我並不是在等待期間漸漸對你們產生了感情。如果你特地來這裡是爲了看到我流著眼淚後悔不已，不好意思，你白跑這一趟了。我在大樹上親眼看到葉尊麟活埋了我的父母和妹妹。那一天，我和朋友爬到樹上玩，你爺爺拿著槍闖進村子，他們總共有五、六個人，許二虎走在最前面。他們把村民都趕到一起，叫他們挖洞，然後——」

「把村民推進洞裡，用炸藥炸死他們。」

「不，只是把泥土塡回去。」

「……」

「你爺爺把村民和我的家人活埋，再用腳把隆起的泥土踩平後離開了。我妹妹到死之前都緊緊抱著我媽。許二虎吐了一口口水，就這樣。我和我朋友拚命挖土，一直挖到太陽

下山，手都挖破，指甲也斷了。好不容易才挖出一顆腦袋。我們繼續往下挖，那個人是雜貨店的黑子。我不知道他的眞名，他有點弱智，大家都叫他黑子。葉鐏麟連黑子也不放過。我爸爸的確爲日軍做事，可能的確帶了日軍去滅了葉鐏麟的村莊，沒有人知道事實眞相。既然葉鐏麟這麼說，對你們來說，那就是眞相。戰爭就是這麼一回事。但是黑子有什麼罪過？黑子滿嘴都是泥土，死不瞑目。看到這一幕，我發誓要讓他們受同樣的苦。」

我咬緊牙關。

「我媽是日本人，」叔叔繼續說道，「抗日戰爭時，她愛上了我爸爸，留在中國。你知道在那個年代，娶日本人當老婆會怎樣嗎？只要稍不留神就會人頭落地，被像你爺爺和許二虎那種人幹掉，但我父母仍然決定在一起。我爸爲了保護我媽和我們這幾個孩子能夠做什麼？日本人有強大的武力，中國人最多只有手槍。如果是你，會選擇哪一邊？你是葉鐏麟的孫子，可能死也不會向日本人低頭，但我爸爸以保護家人爲優先，即使被別人叫黑狗，即使被別人看不起，他也忍下來了。我很喜歡這樣的他。」

「那你爲什麼沒有殺我們？」我痛苦地問，「爲什麼逃離臺灣？」

「因爲那張照片。」

「照片？」

「我們衝去高鷹翔那裡時，你給我看的那張我們全家的照片。」

我瞇起眼睛。

「那時候我終於發現，乾爹搞不好知道一切，卻仍然養育我長大。乾爹知道我不是許

二虎的兒子，而是自己活埋的人的兒子。」

我無言以對。巨大的東西卡在喉嚨，甚至無法順利呼吸。爺爺做好了被殺的心理準備，養育王覺長大嗎？明知道這一切，宇文叔叔每次航海回到家，爺爺仍然可以那麼高興嗎？為什麼可以和準備殺害自己的人笑著一起喝酒？

也許爺爺希望宇文叔叔殺了他，希望有人清算他的過去。

「秋生，你知道嗎？你爺爺把你們全家人的性命都擺在我面前，就好像菜市場的蔬菜一樣，好像在對我說，來吧，聽候你的發落。我知道即使他滿嘴大話，但內心其實為自己所做的事感到後悔。我終於恍然大悟，因為我殺他的時候，他幾乎沒有反抗，所以我決定不殺你們，甚至對殺了葉尊麟感到後悔，早知道應該讓他活著深受罪惡感的折磨。」

「我還想問一件事，」我說道，「你殺了爺爺那一天，是不是打電話到迪化街的店裡？」

「……」

「我發現爺爺屍體的時候，接到一通電話，但沒有人說話，那是你吧？」

宇文叔叔張了張嘴，吐出的卻是咳嗽聲。那並不是像隨口敷衍般的輕微咳嗽，他用力咳嗽，又吐了帶血的痰。

「既然是你，為什麼要打電話來？難道你覺得爺爺可能還活著嗎？如果他還活著，你想要再殺他一次？還是希望他活著？」

「那不是我。」叔叔擦了擦嘴說道，聲音中夾雜著些許洩氣，「我沒有打電話。」

我點了點頭。

「在臺灣生活了將近三十年，如果說從來沒有猶豫過，當然是騙人的……但是，我做了該做的事，對此並不感到後悔。」

「是喔。」

「回到中國，站在這片土地上，就好像站在兒時立下的誓言上。以前的誓言……要殺了葉尊麟全家的誓言就像骨骸般埋在這片大地裡……不，那就是這片大地的骨骸。」

我已經不是十七歲的小孩，不可能沒有察覺叔叔聲音中透露出的悲傷，光是這件事，就讓我感到鬱悶不已，但我還發現了其他的事。祖父當年做好了死在宇文叔叔手上的心理準備，此時此刻，叔叔也做好了死在我手中的心理準備。他在挑釁我，那通電話肯定是叔叔打的。

我彎下身體，撿起地上的大石頭。我覺得必須殺了叔叔，才能結束這所有的一切，才能原諒宇文叔叔。宇文叔叔的血是對我的疑問、欺騙和憤怒唯一的答案。

這是斬斷連綿不斷的憎恨最美的方式，我們可以不流血，但不流血到底能證明什麼？祖父想要用全家人的性命彌補過去犯下的錯誤，證明了他內心像狂風肆虐般的痛苦。反過來說，正是他的決心拯救了我們全家的性命。

宇文叔叔文風不動，只是靜靜地站在那裡。他變薄的胸膛內側不斷擠出咳嗽聲。

我隻手舉起石頭。

我們的視線交會。

我把石頭舉得更高，正準備砸下來時，突然有一股力量推向我的腰部，腹部同時裂開了。當我倒在地上，才聽到槍聲的回音。

「魯魯！」頭頂上響起宇文叔叔的怒吼聲，「你在幹什麼？」

我轉過頭，視野中出現一個雙手舉起手槍的少年，看到在灰色的日光映照下發出暗光的黃銅槍身，我知道那是祖父的毛瑟手槍。

「他是我們家族的仇人！」

少年大叫著，再度扣下了扳機。

我眼前的地面綻開了。

聽到槍聲，村民從家家戶戶跑了出來。怎麼了？到底發生了什麼事？每個人都大叫著。魯魯開槍打了臺灣人！怎麼會做這種傻事，射傷外國人會被判死刑啊！但他是葉尊麟的孫子啊！你們都在說什麼啊，這些都是陳年往事呀！

「這傢伙剛才想要殺小覺叔叔！想要用那塊石頭打小覺叔叔！」

子彈打進了我的腰，又從肚子飛出來。

這個傻瓜，竟然做這種蠢事！一群男人擁上來，推著少年，搶走了他手上的槍。現在該怎麼辦？那些人不知所措地相互叫嚷。事到如今，乾脆把他們兩個都殺了！馬爺爺搖搖晃晃地跑過來，幾個人撲向他。只要幹掉他們，就沒問題了！馬爺爺立刻從懷裡拿出小刀丟了過去，但小刀一路晃悠，不知道飛去哪裡了。

看吧，我就知道飛刀某某都是自己喊爽的。

「住手！」宇文叔叔用身體保護我，「不要殺他！」

「小覺，但是！」紅臉女人大叫著，「如果他不死，魯魯就會被公安抓走！」

「我會說是我開的槍！」

叔叔把我抱在他的腿上。雖然我知道場合不對，但還是忍不住想起三、四歲的時候，我經常倒著躺在叔叔的腿上。宇文叔叔坐在椅子上，伸長的腿就像是滑梯。我總是頭朝下，仰躺在叔叔的腿上。叔叔就會上下抬腿，我每次都笑得很開心。

「別擔心，我會說是我開的槍！」叔叔大聲說道，「魯魯不會被公安抓走，秋生也可以得救！」

圍在我們周圍的衆人似乎無法下決心，遲遲無法決定到底該聽叔叔的，還是該把我打死，避免後患。我把嘴裡的血吐了出來，馬爺爺被人按倒在地。

蒼白的太陽懸在天空。

太陽好像離我越來越近。我感受到肚子淌著血，眼睛眨動。

「秋生，振作點！沒什麼大不了的！我一定會救你！聽到沒有，振作點！秋生！秋生！」

我沒有看錯。不，也許是我看錯了。我定睛看到的不是太陽，而是那團狐火。

狐火輕輕飄動，然後被我的肚子吸了進去。

「秋生，振作點……」宇文叔叔用力咳嗽，血滴在我的臉上，「不可以閉上眼睛……聽到沒有，不可以閉上眼睛。」

啊哈哈，你不是要對葉尊麟斬草除根嗎？

村民都沒有動。

喧鬧聲漸漸遠去。

狐仙和我在一起，所以我完全不擔心。

這件事發生在國民黨解除了持續實施三十八年的戒嚴令，終於有了集會、結社和報刊發行的自由，同時也終於開放臺灣民眾前往大陸的前三年。

大陸的風雖然還很冷，但春天就在眼前了。

尾聲

我擠在送行的人群中，目送著坐在輪椅上的郭爺爺，還有李爺爺和李奶奶排在通關前長長的隊伍中。

郭爺爺轉頭對推輪椅的機場職員說著什麼，李爺爺揮著手臂，全身充滿可怕的鬥志。

「怎麼了？」我忍不住咂嘴，「這次又怎麼了？」

「沒事。」妻子說，「不管是機票還是護照，我都確認過很多次了。」

「但李爺爺生氣的樣子看起來似乎有狀況。」

我不由得想起一年前的噩夢。

一九八七年開放民眾前往大陸的三年後，李爺爺和郭爺爺終於下定決心要回老家。兩位老人自己以前在山東省的所作所爲，讓他們遲遲不敢貿然前往，而且從我口中得知當地人爲了牢記祖父的殘酷行爲，還特地建了一個石碑後，決定暫時靜觀政治情勢的變化。他們既不相信國民黨，也不相信共產黨，始終擔心開放民眾造訪大陸的狂歡很可能是可怕的陷阱。

「如果愣頭愣腦地就這樣回去，誰知道會發生什麼事？」郭爺爺說，李爺爺立刻大

吼：「政府老是背叛俺們！」

馬爺爺從大陸寄來的信，終於讓他們的態度軟化了。馬爺爺在信中說，祖父的石碑被拆除了。拆除的那一天，馬爺爺買了水果出門。他攔了計程車，和司機討價還價後，前往我也去過的那片荒野。石碑周圍已經拉起了禁止進入的封鎖線，在他拜託之下工人終於通融放行。馬爺爺把水果供在石碑前合掌，一個老頭不知道從哪裡騎了腳踏車過來，問馬爺爺是不是葉尊麟的朋友。

「是啊，」馬爺爺鎮定自若地點了點頭，「小時候一起長大的朋友。」

「是嗎？」那個老頭說，「俺有一個青梅竹馬的朋友，在這裡被葉尊麟殺了。」

「在俺們這些老百姓的眼裡，那場戰爭就像是小孩子在打架。」

「沒錯，根本搞不清楚狀況的小孩子，拿著槍打來打去。」

「全都過去了。」

他們並沒有繼續聊下去。

那個老頭又騎著腳踏車去荒野的遠方。

馬爺爺在信中說，就那麼一眨眼的工夫，炸藥把老葉的石碑全都炸光了。

多年之後，我再度踏上了山東的大地，去參加馬爺爺的葬禮。我前往石碑原本所在的位置，發現那裡已經建了一個很大的工廠。我站在一直通往地平線的泥土道路上，但並沒有看到騎腳踏車的老頭。工廠的煙囪冒出滾滾白煙。正如我的時鐘在走動，中國大陸的時鐘也並沒有在毛澤東死去之後就戛然停止。

世界不斷更新。祖父的狐仙廟所在的中華商場也在一九九二年拆除，如今已經不復存在了。

有時候，我會想起那間狐仙廟。狐仙至今仍和我在一起嗎？想要確認這件事，恐怕必須再吃苦頭。我已經因爲爺爺的手槍吃了很大的苦頭。很久很久以前，爺爺用那把毛瑟手槍殺了很多人，然後小心翼翼地帶來臺灣，之後又被宇文叔叔帶去中國，最後那把槍對著我這個祖父心愛的孫子噴了火。

整件事太具有象徵意義了！

總之，馬爺爺的信把這兩個在臺灣的兄弟叫回了故鄉，我爲幾位老人把所有的事都安排妥當。我打了好幾次電話給馬爺爺，訂了飯店和觀光行程。和中國人打交道必須發揮驚人的忍耐力，因爲在那個國家，即使經過好幾個月的交涉和追蹤，好不容易得到了令人滿意的答覆，也經常隔天就反悔。中國人的理由都千篇一律，因爲領導說不行。好像只要聽到這個理由，所有人都會接受，然後一切又回到了原點。那個討人厭的領導害我度過了無數不眠之夜，好幾次都哭溼枕頭。

但是，李爺爺和郭爺爺的第一次返鄉很快就失敗了。他們擔心遺失比生命更重要的護照，於是串在繩子上掛在胸前，被機場通關櫃檯的人像趕蒼蠅一樣趕了出來。兩位爺爺大發雷霆，但打了洞的護照已經稱不上是護照，我花費將近半年的努力也泡湯了。這兩位老人經過那一次，應該已經學會不可以在護照上打洞這件事。

「差不多該走了，」我踮著腳，探頭看向排隊等候通關的隊伍，夏美玲對我說：「不

然你下午的課要遲到了。」

「但是……」

我的擔心只是杞人憂天。

五分鐘後，幾個老人順利通關，對我高高舉起大拇指。目送幾位老人走向候機室的背影，我終於鬆了一口氣。他們將經由香港、上海，再飛往青島。馬爺爺會去接機，如果李爺爺他們到了中國又在不可以打洞的東西上打了洞，那也是馬爺爺要操心的事。

我腰部中了一發鉛彈，但我並沒有死，腿也沒有瘸，繼續忙於每天的生活。

宇文叔叔雖然爲魯魯頂罪，但他並沒有坐牢。這並不是因爲共產黨寬宏大量，而是因爲宇文叔叔的肺已經病入膏肓，還沒等到審判就死在醫院裡。馬爺爺在信上說，宇文叔叔離開人世前，拿下了嘴上的人工呼吸器說：「啊，我好想喝可樂。」

一九八四年四月，槍傷的傷口稍微癒合後，我立刻回到櫻花盛開的日本，做了一次全身檢查。這麼做並不是擔心傷口，而是當時在中國的醫院，針筒基本上都是重複使用。當我在刺進身體的針筒中發現血絲時差一點昏倒，但因爲我中槍後處於和昏倒差不多的狀態，所以也無法再昏倒一次。我高燒不退，意識模糊，只記得我用氣若游絲的聲音懇求醫生換針筒，卻反而被罵了一頓，醫生反問我沒有壞的東西爲什麼要換？對中國的醫生說愛滋病有多可怕，就像對沙漠的駱駝說洪水很可怕一樣。

大難不死之後，如果還不想改變人生，那就眞的是天大的笨蛋了。我發憤向上，進了

臺灣大學的夜間部，攻讀臺灣文學，一九八九年順利得到了學士學位。我在大學求學期間和夏美玲結了婚，靠之前在龍關食品貿易工作時存的錢，加上爲小梅姑姑的出版社做翻譯書籍的工作，得以同時維持節儉的新婚生活和學業。一九八〇年代後期，日本經濟出現了前所未有的榮景，在我看來根本很普通的書也都賣翻了天。翻譯的工作持續不斷，我的日文也越來越進步，目前仍然靠筆譯、口譯和當日文講師的工作餬口。

我寫畢業論文期間在書店巧遇汪文明。這是我們退伍後第一次見面，我們立刻去咖啡店敘舊。汪文明在聊天時坦承，當年大家一起玩碟仙時，是他和曲宏彰兩個人動了手腳。

「呃……但是……咦……你……你騙我的吧？」

「你和那個人，」汪文明用力挑眉，「就是你和教召班那個傢伙在聊天時，被曲宏彰聽到了，所以是他說要動手腳的，你該不會眞的相信了？」

「怎麼會這樣？不可能吧？」

我們聊著往事，互留電話後道別。汪文明目前在報社當記者。

我忍不住想，即使當時請來的碟仙是假的，硬幣仍然讓我的手指向「王」和「古道熱腸」，碟仙的提示正中靶心。也許碟仙可以操控人心，只是當事人完全沒有察覺。汪文明和曲宏彰覺得那只是小小的惡作劇，但其實正是碟仙發威。明泉叔叔以前說過，軍隊裡偶爾會發生稀奇古怪的事。雖然說古怪的確很古怪，但如果說是巧合，似乎也說得通。

雷威帶領我踏上文學之路，但他在我大三那一年，成爲高鷹翔的刀下亡魂。雷威的父親是萬華一帶的角頭，高鷹翔想要擴張勢力範圍，和地方角頭起了衝突，結果釀成了悲

劇。我經常想起在軍中見到他那時，他一臉害羞地讓我看他創作的詩。「我根本不需要老公，不需要那種折磨我的老公，也不需要其他男人。即使房子變大了，男人終究是男人。」如今我覺得那首詩也許並不是在批判當時的政府，而是在吟誦打打殺殺的俠義之道。詩人死在臭水溝裡了，希望被關在灰色監獄裡的高鷹翔遭遇難以想像的倒楣事。

無論是祖父，還是宇文叔叔，或是雷威，當人死去後，那個人所在的世界也隨之消失，即使沒有了他們，我仍然必須繼續走自己的人生路。我在完全不同於原本的世界，在一個毫不掩飾冷漠、漠不關心的新世界面前感到畏縮，就像溫暖的外套被一件一件脫下，裸露出肉體一樣。但隨著年齡增長，我可以感受到自己的靈魂和他們同在，我用他們的眼睛看世界，用他們的耳朵傾聽，對他們的態度抱著永遠的嚮往，沉入永遠都回不去的古老世界。我的心靈因此而得到了安慰。

和妻子走去電扶梯時，出境大廳顯示航班資訊的電子看板啪答啪答地翻了起來。

我停下腳步，出神仰望著電子看板。

聽著往洛杉磯班機的最後一次登機廣播，我想起了小戰的婚禮。

小戰出獄後金盆洗手，目前和他媽一起在南門市場賣蔬菜。一九八八年九月，他娶了南門市場南北乾貨店的店花小姐。那個女生皮膚黑黑的，是個大嗓門的潑辣女生。小戰告訴她自己有前科，她瞪大眼睛問：「你在裡面有沒有吃飽？」小戰終於得到了他生命中的瑰寶。

我當然去參加了他的婚禮，在婚禮上聽胖子說毛毛和她的醫生老公離婚了，目前和一個畫畫的美國男人同居。「喔，是喔。」我這麼回答。「千萬不要結婚。」胖子說，「因爲這個世界上沒有任何事物永遠不會改變。」

「怎麼了？」妻子問我，我猜想她應該知道我的心誤闖到哪裡去了，最好的證明就是她又接著說：「這裡就可以去美國。」

「是啊。」我不置可否地笑了笑，牽著她的手走向電扶梯，「希望有一天，我們兩個人可以一起去。」

「兩個人？」

「對啊。」

「那孩子呢？」

「孩子？」

我望著夏美玲，在我恍然大悟之前，她完全沒有眨眼。

「啊？妳的意思該不會是……？」

她垂下雙眼，用力點了點頭。

「眞的嗎？」

我興奮地大聲歡呼，把她抱起來，周圍的人都嚇了一大跳。

妻子輕聲驚叫，然後笑著罵我。

「什麼時候的事？」

「醫生說已經三個月了。」接著她又對我說，「謝謝你。」

「謝我什麼？」

「謝謝你把很多事都埋在心裡。」

「……」

「把心裡的鬱悶一吐為快是好事，但你可能會被自己吐露的話，帶到一個我們伸手不可及的地方。」

我低頭看著妻子，小心翼翼地牽著她的手走下電扶梯，然後要她留在原地，我去停車場開車。

自動門打開，耀眼的十月陽光包圍了我。

回頭一看，妻子站在那裡，微笑著向我揮手。她在移動的人群中對我淺笑。

我用這種方式，把她留在我的記憶裡。

我滿懷即將成為人父的喜悅，跑向停車場。我知道人生前方有什麼在等著我，只是姑且按下不表，因為一旦說出口，就會玷污這幸福的瞬間。

所以，現在就用這種方式為這個故事畫上句點吧。

那個年代，為女孩奔波效勞是我們的驕傲。

直木獎評審推薦語摘錄

史無前例！九位重量級評審全票通過的滿分奇蹟
這是幾乎不可能的，但《流》卻讓奇蹟發生了！

宮部美幸

《流》為此類型小說帶來了新的光！超群傑作！

故事尾聲，當主角終於和殺害祖父的犯人對峙時，他心中浮現的想法是：「如果不流血，那麼究竟能證明什麼？」東山先生一邊寫著自己想寫的小說，一邊透過完成的作品找到自己身為作家的核心思想，真是太了不起了。

東野圭吾

一致通過的作品！非常棒的讀書體驗！

一部以治安或社會秩序不安定的土地為舞臺的青春小說，好像乘坐在書中登場的火鳥車上飛速前進，充滿動感、破天荒與爽快！對一般老百姓而言，戰爭究竟是什麼？作者也用親身所感提示了答案，讓人讚嘆。期待他成為牽引未來大衆文學的明星，娛樂小說界的王貞治！

桐野夏生

無可挑剔的有趣！

客觀寫出在歷史的洪流中持續對抗的力量與隨波逐流的苦難，讓人欲罷不能。令人深切感受到作者的精神與肉體切實存在的作品。

林眞理子

壓倒性的魅力！

大衆娛樂作品除此無他！讀完令我興奮難抑。十五年來最幸福的評審經驗！它從一本少年的成長小說、青春小說，逐漸轉變成橫跨臺灣與中國的壯大推理。

伊集院靜

天生的說書人！

《流》的聲音是清晰、熱切而音質豐富的。想必是一本不能不說、不能不寫的作品。能夠親自迎接如此夠格獲獎的作家與作品，心中真是無限喜悅。

高村薰

東山彰良的《流》讓人眼前浮現華語圈的身體感受與鮮明的臺灣生活風景，我沉浸在許久未曾體驗到的、閱讀小說的幸福中。能夠將被中日戰爭翻弄的歷史、祖父被殺等家族事件，寫成一個既不陰暗慘澹，又不致沉重或輕浮的故事，是因為作者將主角設定為一個十七歲的少年，這正是一位作家的直覺所掌握到的平衡感。

北方謙三

二十年一度的傑作！我選了一個可怕的商業對手。

燠熱、食物的味道、水溝的臭氣、街道的塵埃從字裡行間直衝而上。在混沌中，青春的情念如一粒珍珠被挑揀而出。

宮城谷昌光

有種神經大條的氣勢，順手拈來地書寫，自然順暢。整部小說的底層都流淌著臺灣這個小國所承受的無止盡的不安，所形成的低音曲調，搭配上詭譎的事件，很自然地就能滲透進讀者的心中。我感受到一股新的風在吹襲。

淺田次郎

出類拔萃！文筆氣勢充足，作者看起來也寫得很開心，字裡行間充溢著躍動感。登場人物雖多，但每個都充滿個性，內容幽默機智，當下和回憶的轉換也很巧妙，一點也不混亂。

圓神出版社
Eurasian Press

www.booklife.com.tw reader@mail.eurasian.com.tw

小說緣廊 001

流

作　　者／東山彰良
譯　　者／王蘊潔
發 行 人／簡志忠
出 版 者／圓神出版社有限公司
地　　址／台北市南京東路四段50號6樓之1
電　　話／（02）2579-6600・2579-8800・2570-3939
傳　　真／（02）2579-0338・2577-3220・2570-3636
總 編 輯／陳秋月
書系主編／李宛蓁
責任編輯／韓宛庭
校　　對／韓宛庭・李宛蓁
美術編輯／劉鳳剛
行銷企畫／吳幸芳・陳姵蒨
印務統籌／劉鳳剛・高榮祥
監　　印／高榮祥
排　　版／莊寶鈴
經 銷 商／叩應股份有限公司
郵撥帳號／ 18707239
法律顧問／圓神出版事業機構法律顧問　蕭雄淋律師
印　　刷／祥峯印刷廠

2016年6月　初版
2018年8月　17刷

感謝東山彰良先生的父親王孝廉先生與母親張桐生女士協助確認譯文。

書中第六章引用之歌詞出自日本童謠〈朦朧月夜〉，高野辰之作詞，岡野貞一作曲。第十一章引用之歌詞出自中森明菜的〈第二次戀愛〉，来生えつこ作詞，来生たかお作曲，萩田光雄編曲。

定價 350 元　　ISBN 978-986-133-578-0

國家圖書館出版品預行編目資料

流／東山彰良 著；王蘊潔 譯. -- 初版. -- 臺北市：圓神,
2016.06
360 面；14.8×20.8公分 --（小說緣廊；01~02）

ISBN 978-986-133-578-0（平裝版）. --
ISBN 978-986-133-579-7（精裝版）

861.57　　　　105006156